ACTIVE COMMUNICATION IN ENGLISH

- VOCABULAIRE ANGLAIS FRANÇAIS
- NOTIONNEL FONCTIONNEL
- VOCABULAIRE DE L' APPRECIATION LITTERAIRE
- GRANDS THEMES DE L' ACTUALITE
- DOCUMENT ICONOGRAPHIQUE ET COMMENTAIRE DE TEXTE

A. SPRATBROW

ISBN : 2-903891-21-4

AVANT-PROPOS

"**Active Communication in English**" s'adresse aux élèves des classes des lycées, aux étudiants, et à tous ceux qui désirent élargir leurs connaissances lexicales.

Les conseils, et les très nombreuses expressions proposées, faciliteront l'étude du document iconographique et du commentaire de texte.

Le vocabulaire, souvent en contexte, permettra à chacun de trouver le mot juste, et de s'exprimer de façon authentique et moderne.

La partie notionnelle-fonctionnelle facilitera une approche affinée de la langue et une formulation variée des idées.

J'espère que ce livre donnera aux apprenants les moyens de participer de façon dynamique et vivante aux conversations, et leur fournira la matière utile à l'expression et à la compréhension, orale et écrite.

"**Active Communication in English**" ne se prétend pas, bien sûr, exhaustif, mais je souhaite qu'il soit utile à tous, et je reste à l'écoute des suggestions et remarques susceptibles d'en améliorer la qualité.

L'AUTEUR

SOMMAIRE

2) CLASSEMENT PAR ORDRE ALPHABETIQUE :

IV NOTIONS ET FONCTIONS

CLASSEMENT PAR ORDRE ALPHABETIQUE :

LE DOCUMENT ICONOGRAPHIQUE,
LE COMMENTAIRE DE TEXTE

Grâce aux conseils donnés dans ce chapitre, et aux nombreuses expressions proposées, vous pourrez décrire des documents iconographiques et commenter des textes de façon sérieuse.

Par ailleurs, les rubriques "APPRECIATION LITTERAIRE", "ADVERBES, CONJONCTIONS, MOTS DE LIAISON ..." et " NOTIONS ET FONCTIONS", vous seront très utiles : n'hésitez pas à vous y reporter !

A LE DOCUMENT ICONOGRAPHIQUE

I - Avant tout, il faut regarder attentivement le document, et l'identifier : quelle en est sa nature ? Il peut s'agir d'une photo, d'une gravure, d'une peinture, d'une sculpture, d'un tableau, d'un poster, d'une publicité, d'une bande dessinée ... De quoi ce document est-il composé ? Y a-t-il une bulle, un titre, un texte ... ?

II - Vous devez noter ce que vous voyez, recueillir les informations : ce document vous apprend des choses : décrivez le, construisez, classez vos idées. Allez du plus évident aux détails, sans oublier le plan, la perspective, le format, les couleurs, la lumière, les symboles.

III - Après la description vient le moment d'interpréter le document : quel message a-t-on voulu faire passer ? Quels sont les moyens utilisés ? Vous ne travaillez plus en surface, mais en profondeur.

IV - Et enfin vous donnez votre conclusion et faites part de vos réactions personnelles, de vos impressions.

B LE TEXTE

I - Il convient avant tout d'identifier le document : il peut s'agir d'un article de journal, d'un dialogue, d'un récit, d'un texte historique, d'un discours, d'un extrait de roman, d'un texte de science-fiction, d'une pièce de théâtre, d'un poème, d'une lettre ...

II - Puis, vous le lisez attentivement afin d'en prendre toute la dimension et de bien le comprendre. Le texte est porteur d'informations, en surface : lesquelles ?

III - Il vous faut ensuite organiser votre plan, construire votre travail, en fonction des grandes idées, des centres d'intérêt, des thèmes principaux. L'auteur utilise des moyens : lesquels ?

IV - Puis, vous devez deviner les intentions de l'auteur, trouver le message caché. Essaie-t-il d'informer, de convaincre, d'amuser ... ?

V - Viendront enfin vos réactions, votre point de vue, votre opinion. Soignez bien votre conclusion !

L'INTRODUCTION

L'introduction présente le document, le situe dans un contexte. Elle donne l'idée générale. Elle annonce le déroulement du travail qui va suivre. Dans l'introduction nous devons trouver la nature, l'origine du document, et le thème principal.

To begin with, I'll describe the layout of the document.	Pour commencer, je décrirai l'organisation du document.
First of all, I'll introduce ...	D'abord je présenterai ...
The first thing I'd like to say is that ...	La première chose que j'aimerais dire est que ...
First, let us consider ...	Tout d'abord, considérons ...
My introduction will deal with ...	Mon introduction traitera de ...
By way of introduction, I will ...	En guise d'introduction, je vais ...
As an introduction, I'd like to ...	En guise d'introduction, j'aimerais ...
Before developing the main ideas, I'll start with ...	Avant de développer les idées principales, je commencerai avec ...
I could start with ...	Je pourrais commencer avec ...
I propose to begin with ...	Je propose de commencer avec ...
First of all, I'll examine ...	Tout d'abord, j'examinerai ...
The first thing that must be said is that ...	La première chose à dire est que ...
We should first consider ...	Nous devrions d'abord considérer ...

LA DESCRIPTION

The photo shows ...	La photo montre ...
This photo portrays ...	Cette photo représente ...
On this picture we can see ...	Sur cette image nous voyons ...
This is a view of ...	C'est une vue de ...
Two young girls can be seen ...	On voit deux jeunes filles ...
This is a drawing by ...	C'est un dessin de ...
It consists of several pictures.	Elle consiste en plusieurs images.
We have a series of drawings.	Nous avons une série de dessins.
What we have here is a cartoon.	Ce que nous avons ici est un dessin humoristique.
This photo was taken from ...	Cette photo a été prise de ...
This is a shot from a film entitled X, starring Y.	C'est une prise de vue tirée d'un film intitulé X, avec en vedette Y.
We can clearly distinguish ...	Nous distinguons clairement ....
In the foreground/in the background, we can see ...	Au premier plan/à l'arrière plan, nous voyons ...
On the right/left hand-side there is ...	A droite/à gauche il y a ...
In the left-hand corner you can make out ...	Dans le coin gauche vous pouvez distinguer ...
At the botton/top of the page there is ...	En bas/en haut de la page il y a ...
Half way on the left there's a dog.	A mi-hauteur à gauche se trouve un chien.

Right in the middle of the photo we can't miss ...	En plein milieu de la photo nous ne pouvons manquer ...
Half-hidden behind the building we can see ...	A moitié caché derrière le bâtiment nous voyons ...
The focal point is obviously ...	Le point de convergence est visiblement ...
If we look at it more closely we can make out ...	Si nous regardons d'un peu plus près nous distinguons ...
I'll move clockwise .	Je vais évoluer dans le sens des aiguilles d'une montre.
From bottom to top we notice that ...	De bas en haut nous remarquons que ...
The colours have been carefully chosen.	Les couleurs ont été soigneusement choisies.
The light enhances ...	La lumière met en valeur ...
I'd like us to take a close look at ...	J'aimerais que nous regardions attentivement ...
It must be acknowledged that the lines are essential.	On doit reconnaître que les lignes sont essentielles.
Let's read the caption now.	Lisons la légende maintenant.
The caption reads ...	La légende dit ...
The slogan underlines the idea that ...	Le slogan souligne l'idée que ...
Judging from the setting ...	A en juger par l'environnement ...
It probably takes place in ...	Ceci se déroule probablement en ...
From what we see, we can imagine that ...	D'après ce que nous voyons, nous pouvons imaginer que ...
Everything makes us think that ...	Tout nous porte à penser que ...
Every detail seems to indicate that ...	Chaque détail semble indiquer que ...
This advert may have been taken from ...	Il se peut que cette publicité ait été prise de ...
It creates the impression that ...	Cela crêe l'impression que ...
What catches my attention is that ...	Ce qui attire mon attention est que ...
This produces an impression of ...	Ceci produit une impression de ...
The whole picture conveys a feeling of ...	L'image entière traduit un sentiment de ...
The impression produced is one of ...	L'impression produite est une impression de ...
When looking at the photo, one gets the impression that ...	Lorsqu'on regarde la photo, on a l'impression que ...
We're under the impression that ...	Nous avons l'impression que ...
It is tinted with ...	C'est teinté de ...
We mustn't forget the symbols.	Nous ne devons pas oublier les symboles.
The painter succeeds in portraying ...	Le peintre réussit à représenter ...
The characters seem to be drawn from real life.	Les personnages semblent sortir de la réalité.
There is some humour in it.	Il y a de l'humour là-dedans.
He seems to be thinking that ...	Il semble penser que ...
He appears to be	Il semble être ...
This advert is probably intended to ...	Cette publicité est probablement destinée à ...
The document conveys a message.	Le document est porteur d'un message.
What the designer wants is to make the reader think about ...	Ce que veut le concepteur c'est faire songer le lecteur à ...

LE PLAN

This text could be divided into three parts.	Ce texte pourrait être divisé en trois parties.
This passage falls into four parts.	Ce passage se divise en quatre parties.
In my opinion it would be convenient to divide the text into ...	A mon avis il serait commode de diviser le texte en ...
It is important to see how the text is organized.	Il est important de voir comment le texte est organisé.
It would be easier to cut this text into paragraphs.	Ce serait plus facile de découper ce texte en paragraphes.
This text is made up of ...	Ce texte est composé de ...
I'd say the first part runs from ... to ...	Je dirais que la première partie va de ... à ...
The second, third and fourth parts can be clearly defined.	Les deuxième, troisième et quatrième parties peuvent être clairement définies.
I'd like to follow this plan.	J'aimerais suivre ce plan.
The leading thread seems to be ...	Le fil conducteur semble être ...
The first part concerns ...	La première partie concerne ...
Let's study the characters first.	Etudions d'abord les personnages.
First I'd like to introduce ...	D'abord j'aimerais présenter ...
Firstly I'll list the main points.	Tout d'abord je vais énumérer les points principaux.
I'll go from the essential to the details.	Je procéderai de l'essentiel vers les détails.
Of course I'll present each idea separately.	Je présenterai bien sûr chaque idée séparément.
I'll pay particular attention to ...	J'accorderai une attention particulière à ...
My contention will be that ...	Mon assertion sera que ...
I'll concentrate on what I think is essential.	Je me concentrerai sur ce qui, à mon avis, est essentiel.
We might very well start our analysis with ...	Nous pourrions très bien commencer notre analyse avec ...
In the first paragraph ...	Dans le premier paragraphe ...
In the next paragraph ...	Dans le paragraphe suivant ...
The first ten lines show us ...	Les dix premières lignes nous montrent ...
Right from the beginning we understand ...	Dès le début nous comprenons ...
First, ... next ...	D'abord, ... ensuite ...
A few lines later ...	Quelques lignes plus tard ...
A little farther down ...	Un peu plus bas ...
In the middle of the third paragraph ...	Au milieu du troisième paragraphe ...
A few sentences before the end ...	Quelques phrases avant la fin ...

LE DEVELOPPEMENT

It's an extract from ...	C'est un extrait de ...
This extract was taken from ...	Cet extrait a été tiré de ...
This text comes from the book ...	Ce texte vient du livre ...
It's been adapted from a book called ...	Cela a été adapté d'un livre intitulé ...
A film has been made out of the book.	Un film a été fait à partir du livre.
It was written ten years ago by ...	Il a été écrit il y a dix ans par ...
It's based on a true story.	C'est basé sur une histoire vraie.
The novel the passage comes from is ...	Le roman dont le passage est extrait est ...
This text deals with ...	Ce texte traite de ...
The passage is about ...	Le passage parle de ...
This document raises the problem of ...	Ce document pose le problème de ...
It tells the story of ...	Il raconte l'histoire de ...
The author tackles the problem of ...	L'auteur aborde le problème de ...
The main issue is obviously ...	L'idée centrale est visiblement ...
Lots of key issues arise ; one of them is ...	De nombreuses questions fondamentales se posent ; l'une d'elles est ...
A difficult question arises.	Une question difficile se pose.
That's the question that arises.	C'est la question qui se pose.
← This brings us to the question of whether ... or ...	Ceci nous amène à la question de savoir si ... ou si ...
We are confronted with ...	Nous sommes confrontés à ...
One of the most striking features is ...	L'un des aspects les plus frappants est ...
Before going any further I'd like to remark that ...	Avant d'aller plus loin j'aimerais faire remarquer que ...
I want to point out that ...	Je veux faire remarquer que ...
I also wish to add that ...	Je voudrais aussi ajouter que ...
What we are concerned with here is ...	Ce qui nous intéresse ici est ...
What concerns us here is ...	Ce qui nous concerne ici est ...
I'd like to underline the fact that ...	J'aimerais souligner le fait que ...
I've also noticed that ...	J'ai également remarqué que ...
I'd like to lay stress on ...	J'aimerais mettre l'accent sur ... ←
We must stress the importance of ...	Nous devons souligner l'importance de ...
I think it's worth noting that ...	Je pense qu'il est bon de noter que ...
This detail underlines the importance of ...	Ce détail souligne l'importance de ...
This sentence deserves closer examination.	Cette phrase mérite d'être examinée de plus près.
It may be asserted that ...	On peut affirmer que ...
It could be objected that ...	On pourrait objecter que ...
As far as the hero is concerned ...	En ce qui concerne le héros ...
We must bear in mind that ...	Nous devons garder à l'esprit que ...
One mustn't forget that ...	Il ne faut pas oublier que ...
I'd like us to focus our attention on ...	J'aimerais que nous fixions notre attention sur ...
And now it's time to discuss ...	Et maintenant il est temps de discuter de ...
This implies that ...	Ceci implique que ...
One of the most striking features is ...	L'un des traits les plus marquants est ...
I'd like to illustrate this point.	J'aimerais illustrer ce point.
I'll take another example.	Je prendrai un autre exemple.

Each idea will be illustrated by an example.	Chaque idée sera illustrée par un exemple.
I can best illustrate this as follows.	La meilleure façon d'illustrer ceci est la suivante.
What prevails over the passage is ...	Ce qui prévaut dans le passage est ...
This passage illustrates how ...	Ce passage illustre comment ...
This text is characterized by ...	Ce texte est caractérisé par ...
This backs up the assertion that ...	Ceci renforce l'affirmation que ...

LES INTENTIONS DE L'AUTEUR

I think the author's main idea is to ...	Je pense que l'idée principale de l'auteur est de ...
He probably intends to ...	Il a probablement l'intention de ...
His intention is obviously to ...	Son intention est visiblement de ...
The writer's purpose is to convince us that ...	Le but de l'écrivain est de nous convaincre que ...
He stresses that ...	Il souligne que ...
He wants to emphasize this point.	Il veut insister sur ce point.
He insists on that point in order to ...	Il insiste sur ce point pour ...
What the author wants to do is to ...	Ce que l'auteur veut faire est ...
He makes us realize that ...	Il nous fait réaliser que ...
He makes it quite clear that ...	Il rend très clair le fait que ...
We're made to understand that ...	On nous fait comprendre que ...
He draws our attention to ...	Il attire notre attention sur ...
The author uses devices to ...	L'auteur utilise des moyens pour ...
He captures our attention by ...	Il capte notre attention en ...
He arouses our feelings.	Il éveille nos sentiments.
He appeals to our feelings.	Il fait appel à nos sentiments.
The text aims at convincing people that ...	Le texte vise à convaincre les gens que ...
The author's purpose is to attract our attention.	Le but de l'auteur est d'attirer notre attention.
His purpose is to convince us of ...	Son but est de nous convaincre de ...
Let's see what is implied by ...	Voyons ce qui est sous-entendu par ...
Perhaps it would be more exact to say ...	Peut-être serait-ce plus exact de dire ...
I'd like to comment on the symbolic meaning of ...	J'aimerais faire une remarque sur le sens symbolique de ...
I think this could be interpreted differently.	Je pense que ceci pourrait être interprété différemment.
The author alludes to another problem.	L'auteur fait allusion à un autre problème.
As he points out ...	Comme il le fait remarquer ...
According to the author ...	D'après l'auteur ...
As stated above ...	Comme il est dit plus haut ...
Thanks to this description we become aware of ...	Grâce à cette description nous prenons conscience de ...
It throws light on ...	Cela jette la lumière sur ...
This gives us a precise idea of how ...	Ceci nous donne une idée précise sur la façon dont ...
The message goes even further.	Le message va encore plus loin.

Through his use of numerous adjectives ...	A travers son utilisation de nombreux adjectifs ...
By using so many adverbs ...	En utilisant autant d'adverbes ...
As he uses short sentences ...	Comme il utilise des phrases courtes ...
By his use of long sentences ...	Par son utilisation de longues phrases ...
Thanks to the repetition of certain words ...	Grâce à la répétition de certains mots ...

VOTRE OPINION PERSONNELLE, VOS REACTIONS

I would now like to give my impressions.	J'aimerais maintenant donner mes impressions.
I have the impression that ...	J'ai l'impression que ...
After studying this text, I feel as if ...	Après avoir étudié ce texte, j'ai l'impression que ...
The facts speak for themselves.	Les faits se passent de commentaires.
It's a controversial issue.	C'est une question controversée.
Opinions on the subject may be divided.	Il se peut que les opinions sur le sujet soient divisées.
It goes without saying that ...	Il va sans dire que ...
It is well-known that ...	Il est bien connu que ...
Everyone knows that ...	Tout le monde sait que ...
People usually think that ...	Les gens pensent, en général, que ...
If we look at it from that point of view, we can't help thinking that ...	Si nous le considérons de ce point de vue, nous ne pouvons nous empêcher de penser que ...
It is generally acknowledged that ...	Il est généralement reconnu que ...
People tend to believe that ...	Les gens tendent à croire que ...
That makes me think of ...	Cela me fait penser à ...
This reminds me of ...	Ceci me rappelle ...
If I understand the author rightly ...	Si je comprends bien l'auteur ...
Assuming this to be true ...	En admettant que ceci soit vrai ...
What strikes me is that ...	Ce qui me frappe est que ...
What is striking is that ...	Ce qui est frappant est que ...
What I find both surprising and funny is that ...	Ce que je trouve à la fois surprenant et drôle est que ...

1 VOUS AVEZ APPRECIE :

What strikes me as interesting is that ...	Ce qui me frappe et me semble intéressant est que ...
I liked this text because ...	J'ai aimé ce texte parce que ...
I'm very much impressed by ...	Je suis très impressionné par ...
He's all the more convincing as ...	Il est d'autant plus convaincant que ...
He sets out his ideas very clearly.	Il expose ses idées de façon très claire.
In my opinion, he sounds very convincing.	A mon avis, il est très convaincant.
Taken as a whole, the passage ...	Dans l'ensemble, le passage ...
What I was interested in from the beginning was ...	Ce qui m'a intéressé dès le début était ...
What I found particularly humorous was ...	Ce que j'ai trouvé particulièrement humoristique était ...

We are shown true-to-life characters, which is attractive. On nous présente des personnages réels, ce qui est attirant.

I must say I share his views. Je dois dire que je partage son avis.

He puts his arguments forward with accuracy. Il présente ses arguments avec précision.

All the descriptions are acute. Toutes les descriptions sont précises.

He doesn't take sides. Il ne prend pas parti.

He remains neutral. Il reste neutre.

He never forces his point of view upon the reader. Il n'impose jamais son point de vue au lecteur.

He leaves us free to imagine ... Il nous laisse libres d'imaginer ...

I entirely sympathize with his point of view. Je comprends parfaitement son point de vue.

The impression of reliability we get results from ... L'impression de fiabilité que nous avons résulte de ...

2 VOUS N'AVEZ PAS APPRECIE :

He has a bias(s)ed judgment. Il a un jugement qui n'est pas objectif.

He doesn't seem to be impartial. Il ne semble pas impartial.

He doesn't appear to be objective. Il n'apparaît pas objectif.

He doesn't remain neutral. Il ne reste pas neutre.

He takes sides for ... Il prend parti pour ...

He blends the themes. Il mélange les thèmes.

One gets confused. On s'y perd.

All the ideas seem to be confused. Toutes les idées semblent confuses.

The text lacks coherence. Le texte manque de cohérence.

His position is too extreme. Sa position est trop extrême.

His arguments don't convince me. Ses arguments ne me convaincent pas.

It isn't very convincing. Ce n'est pas très convaincant.

I must say I am not convinced at all. Je dois dire que je ne suis pas convaincu du tout.

I find it difficult to approve of ... Je trouve difficile d'approuver ...

I can't share his opinion when he says that ... Je ne peux partager son opinion quand il dit que ...

I'm afraid most of his arguments are worthless. J'ai bien peur que la plupart de ses arguments ne vaillent rien.

I don't appreciate that kind of humour. Je n'apprécie pas ce genre d'humour.

He always tries to justify himself. Il essaie toujours de se justifier.

The central issue remains unsolved. Le problème central reste non résolu.

The main problem hasn't even been tackled. On ne s'est même pas attaqué au problème principal.

The problem is hardly touched upon. Le problème est à peine évoqué.

The main question isn't even alluded to. On ne fait même pas allusion à la question principale.

It isn't even evoked. Ce n'est même pas évoqué.

He doesn't say much about ... Il ne dit pas grand chose sur ...

He says very little about ... Il dit peu de choses sur ...

He fails to deal with the most significant aspects. Il omet de traiter les aspects les plus importants.

In my opinion he insists too much on ... A mon avis, il insiste trop sur ...

What I find particularly shocking is ... Ce que je trouve particulièrement choquant est ...

I don't like the way he deals with ... Je n'aime pas la façon dont il traite de ...

I'm convinced such ideas shouldn't go unchallenged.	Je suis convaincu qu'il faudrait s'élever contre de telles idées.
I believe him up to a point.	Je le crois jusqu'à un certain point.
This arouses the reader's indignation.	Ceci provoque l'indignation du lecteur.

LA CONCLUSION

Elle résume votre travail, rappelle les thèmes principaux, ouvre de nouvelles perspectives.

In conclusion we can say that ...	En conclusion nous pouvons dire que ...
To conclude, I'll quote ...	Pour conclure je citerai ...
By way of conclusion I will first list the main points again.	En guise de conclusion j'énumèrerai d'abord à nouveau les points essentiels.
In my conclusion I'd like to ...	Dans ma conclusion j'aimerais ...
All this leads to the conclusion that ...	Tout ceci mène à la conclusion que ...
To use a famous quotation, I will say that ...	Pour utiliser une citation célèbre je dirai que ...
I can now draw my conclusion.	Je peux maintenant tirer ma conclusion.
What conclusions could we draw from all that ?	Quelles conclusions pourrions-nous tirer de tout cela ?
It remains to be said that ...	Il reste à dire que ...
Of course we must weigh the pros and cons.	Bien sûr nous devons peser le pour et le contre.
To sum up, I'd like to compare ...	Pour résumer, j'aimerais comparer ...
All this converges to show that ...	Tout ceci converge et montre que ...
It remains to be seen whether ...	Il reste à savoir si ...
To conclude I'll give my personal opinion as regards this problem.	Pour conclure je donnerai mon opinion personnelle concernant ce problème.

LES ADVERBES, CONJONCTIONS, MOTS DE LIAISON, PREPOSITIONS ...

APPRECIATION, DEGRE

absolutely	absolument	**only**	seulement
actually	en fait	**particularly**	particulièrement
barely	à peine	**perfectly**	parfaitement
besides	du reste, d'ailleurs	**quite**	complètement, très
certainly	certainement	**rather**	assez, plutôt
definitely	sans aucun doute	**really**	vraiment,
dreadfully	terriblement		réellement
entirely	entièrement	**roughly**	approximativement
extremely	extrêmement	**scarcely**	à peine
fairly	moyennement,	**simply**	simplement
	vraiment	**slightly**	légèrement
generally	en général	**strictly speaking**	à proprement
greatly	très		parler
hardly	à peine	**terribly**	terriblement
in a way	d'une certaine	**the more so as**	d'autant plus que
	manière	**thoroughly**	complètement,
indeed	en fait, en effet		tout à fait
in fact	en fait	**tremendously**	énormément
let alone	sans parler de	**undoubtedly**	sans aucun doute
nearly	presque	**very**	très
not even	même pas		
not in the least	pas le moins du		
	monde		

BUT, INTENTION

for the purpose of	dans le but de	**so that**	pour que
in order to	afin de	**to**	pour
intentionally	intentionnellement	**what ... for ?**	dans quel but ?
purposely	à dessein	**with a view to**	en vue de
so as to	afin de		

CAUSE, CONSEQUENCE

accordingly	donc, en conséquence	**on account of**	à cause de
as	comme	**on the ground of**	pour raison de
as a consequence of	en conséquence de	**owing to**	en raison de
as a result	en conséquence	**since**	puisque
as a result of	à la suite de	**so**	donc, par conséquent
because	parce que		
because of	à cause de	**so + adj. + (that)**	si ... que
consequently	par conséquent	**so that**	si bien que
due to	dû à	**such + nom + (that)**	tel ... que
for	car	**thanks to**	grâce à
for lack of,	par manque de	**that's why**	c'est pourquoi
for want of		**then**	alors, donc
in consequence	par conséquent	**therefore**	par conséquent
in view of	étant donné, vu que	**this is the reason why**	c'est la raison pour laquelle

COMPARAISON

as ... as	aussi ... que	**like + nom ou pronom**	comme
as if, as though	comme si		

CONCESSION, CONDITION, CONTRASTE, RESTRICTION

according to	selon	**for fear of**	de peur de
although	bien que, quoique	**given that**	supposé que
and yet	et pourtant	**however**	cependant
anyhow	en tout cas	**however + adj.**	quelque ... que
anyway	quoi qu'il en soit	**if**	si
as far as	dans la mesure où	**in any case**	en tout cas
as long as	pourvu que	**in no case**	en aucun cas
as opposed to	par opposition à	**in relation to**	par rapport à
as to	en ce qui concerne	**in that case**	dans ce cas-là
aside from	à part	**in spite of**	malgré
assuming that	en supposant que	**lest**	de peur de
at any rate	de toute façon	**neither ... nor**	ni ... ni
at least	du moins	**nevertheless**	néanmoins
but	mais	**no matter what**	peu importe ce que
despite	malgré	**no matter who**	peu importe qui
either ... or	soit ... soit	**on condition that**	à condition que
even	même	**only**	seulement
even if	même si	**on the contrary**	au contraire
even though	quand bien même	**on the one hand,**	d'une part,
except	excepté	**on the other hand**	d'autre part

on this condition	à cette condition	unless	à moins que
or else	sinon	unlike	à la différence de
otherwise	autrement	whatever	quoi que
perhaps	peut-être	what if	et si
provided (that)	à condition que	whereas	alors que
so long as	pourvu que	whether	si
still	quand même	whether ... or ...	que ... ou que
supposing	à supposer que	while	tandis que
though	quoique	whoever	qui que ce soit qui

DUREE, FREQUENCE, TEMPS

about	à peu près	before	avant de, avant que
after	après	between now and Sunday	d'ici à dimanche
after a few months	après quelques mois		
after a while	quelque temps après	by now	à l'heure qu'il est
		by the time	d'ici à ce que
after some time	après quelque temps	day after day	jour après jour
		during the night	pendant la nuit
afterwards	après	eventually	finalement
all at once	tout à coup	every afternoon	chaque après-midi
all day long	toute la journée	every day	chaque jour
all the time	tout le temps	every now and again, every now and then	de temps en temps
all the year round	pendant toute l'année		
		every other month	tous les deux mois
a long time ago	il y a longtemps	every time	à chaque fois
already	déjà	finally	finalement
always	toujours	first	d'abord
a moment later	un moment plus tard	for	pendant, depuis
		for ever	pour toujours
any time	n'importe quand	for the first time	pour la première fois
as long as	aussi longtemps que	for the last few weeks	ces dernières semaines
as often as	aussi souvent que		
as soon as	aussitôt que	for weeks at a time	pendant des semaines entières
as usual	comme d'habitude		
at any moment	d'un moment à l'autre		
		frequently	fréquemment
at first	premièrement	from morning until night	du matin jusqu'au soir
at last	enfin		
at night	la nuit	from now on	à partir de maintenant
at once	immédiatement		
at that moment	à ce moment-là	from 6 to 7	de 6 à 7 heures
at that time	en ce temps-là	from the day when	dès le jour où
at the beginning	au début	from the start	dès le début
at the last moment	au dernier moment	from the very moment	dès l'instant où
at the right moment	au bon moment	from time to time	de temps en temps
at the same time (as)	en même temps (que)	generally	généralement
		how long	depuis, pendant combien de temps
at this time	en ce moment		
a week from now	dans une semaine		

18

how long ago + prét.	combien de temps y-a-t-il que ...	rarely	rarement
how often	tous les combien	recently	récemment
in a short time	dans peu de temps	regularly	régulièrement
in summer	en été	repeatedly	à maintes reprises
in the afternoon	l'après-midi	right away, right now	tout de suite
in the evening	le soir	right from the beginning	dès le début
in the meantime	pendant ce temps	seldom	rarement
in the morning	le matin	sometimes	quelquefois
in the twenties	dans les années 20	some time later	quelque temps plus tard
in those days	en ce temps-là		
in time	à temps pour	sooner or later	tôt ou tard
last night	hier soir	still	encore
last year	l'an dernier	the day after tomorrow	après-demain
lately	dernièrement	the day before yesterday	avant-hier
later	plus tard		
long ago	il y a longtemps	the month after	le mois d'après
meanwhile	pendant ce temps	then	ensuite, alors
most often	le plus souvent	these days	de nos jours
most of the time	la plupart du temps	this evening	ce soir
never	jamais	this month	ce mois-ci
next time	la prochaine fois	this time	cette fois-ci
not ... yet	pas encore	this time tomorrow	demain à cette heure-ci
nowadays	de nos jours		
now and then	de temps à autre	three years ago	il y a trois ans
occasionally	de temps en temps	throughout the week	pendant toute la semaine
often	souvent		
once	une fois	till	jusqu'à
once a month	une fois par mois	today	aujourd'hui
once and again	de temps en temps	tomorrow	demain
once or twice	une fois ou deux	tonight	ce soir, cette nuit
once upon a time	il était une fois	until	jusqu'à ce que
one day	un jour	until now, up to now	jusqu'à maintenant
on Saturday	samedi	until the next day	jusqu'au lendemain
on Saturdays	le samedi	usually	d'habitude
on time	à l'heure	when	quand
over the last few days	au cours des quelques derniers jours	whenever	à chaque fois que
		while	pendant que
		yet	déjà
overnight	(pendant) la nuit		

LOCALISATION, MOUVEMENT

above	au-dessus	anywhere	n'importe où
abroad	à l'étranger	around	autour de
across	à travers, de l'autre côté	as far as	jusqu'à
		at	à, chez
against	contre	away	au loin
all around	tout autour	back	en arrière
all over	partout	before	avant
along	le long de	behind	derrière
among	parmi	below	sous, en-dessous de

beneath	sous	northward	au nord, vers le nord
beside	à côté de		
between	entre	nowhere	nulle part
beyond	au-delà	on	sur
by	près de	on the left, right	à gauche, droite
close to	près de	opposite	en face de
down	en bas, vers le bas	out of	hors de
downstairs	en bas	outside	dehors, à l'extérieur
eastward	à l'est, vers l'est	over	au-dessus
elsewhere	ailleurs	over there	là-bas
everywhere	partout	past	au delà de
far	loin	somewhere	quelque part
far away	très loin	southward	au sud, vers le sud
forward	en avant, vers l'avant	there	là-bas
		this way	par ici
from	de (provenance)	through	à travers
here	ici	to	vers
in	dans, à	towards	dans la direction de
in front of	devant	under	en-dessous
in the front of	à l'avant de	up	en haut, vers le haut
in the middle	au milieu	upstairs	à l'étage
inside	dedans	upwards	vers le haut
into	dans (mouvement)	westward	à l'ouest, vers l'ouest
near	près de		
nearly	presque	where	où
next to	à côté de	wherever	partout où

MANIERE, MOYEN

according to	selon, d'après	first of all	tout d'abord
after all	finalement	furthermore	en outre
alike	de la même façon	however	de quelque façon que
anyhow	n'importe comment		
as	comme	in addition	de plus
as a matter of course	tout naturellement	instead of	au lieu de
as a matter of fact	en réalité	in this way	de cette façon
as for	quant à	lastly	pour terminer
as it were	pour ainsi dire	little by little	peu à peu
as regards	en ce qui concerne	moreover	de plus, en outre
as to	pour ce qui est de	of course	bien sûr
at once	immédiatement	otherwise	autrement, sinon
besides	en outre	out of	par
both	à la fois	rather	plutôt
by means of	au moyen de	rather than	plutôt que de
by the way	à propos	secondly	deuxièmement
first	d'abord	so	ainsi
first and foremost	tout d'abord	so it was that	c'est ainsi que
firstly	d'abord		

QUANTITE

about	environ, à peu près
a few	quelques
a great deal of	une grande quantité de
a little	un peu
all	tous
all the less, more as	d'autant moins, plus que
almost	presque
a lot of	beaucoup de
also	aussi
an amount of	beaucoup de
a third of	un tiers de
at least	au moins
by and large	en gros
by far	de beaucoup
enough	assez
even	même
few	peu de
how many, how much	combien de
just	exactement
less and less	de moins en moins
less ... than	moins ... que
little	peu de
more and more	de plus en plus
more or less	plus ou moins
more ... than	plus ... que
most of	la plupart de
not at all	pas du tout
not many, not much	pas beaucoup de
on the whole	dans l'ensemble
one too many	un de trop
out of ten	sur dix
per	par
plenty of	bien assez de
several	plusieurs
some	quelques, un peu de
somewhat	quelque peu
so many (that)	tant (que)
so much (that)	tellement (que)
so ... that	si ... que
too	trop
too few	trop peu de
too little	trop peu de
too many, too much	trop de

LITERARY APPRECIATION
L'APPRECIATION LITTERAIRE

English literature	la littérature anglaise
literary appreciation	l'appréciation littéraire
classicism	le classicisme
a classic author	un auteur classique
romanticism	le romantisme
a novelist	un romancier
a novel	un roman
a historical novel	un roman historique
a historian	un historien
a contemporary writer	un auteur contemporain
a committed writer	un écrivain engagé
a maverick author	un auteur non conformiste
a playwright	un auteur dramatique
a tragedy	une tragédie
a comedy	une comédie
a philosopher	un philosophe
a satirist	un écrivain satirique
a satire ['æ-ɑiə]	une satire
an autobiography [,ɔ:-ə-ɑi'ɔ-ə-i]	une autobiographie
an essay	un essai
a memoir	un mémoire
a critic	un critique
a review	une critique
a commentary	un commentaire
a short story	une nouvelle
a cartoon [ɑ:-'u:]	un dessin humoristique
a cartoonist	un caricaturiste
a humorist	un humoriste
a comic strip	une bande dessinée
a text written by	un texte écrit par
a passage from	un passage de
a story based on	une histoire basée sur
selected passages	des morceaux choisis
an extract, an excerpt	un extrait
the topic	le sujet
the plot	l'intrigue
a riddle	une énigme

a key word	un mot clé
the climax ['ɑi-æ]	le point culminant
to be set in	se passer à
to take place	se dérouler
the main character	le personnage principal
the hero	le héros
fictitious	imaginaire
a flashback	un retour en arrière
a soliloquy	un monologue
a speech balloon	une bulle
a caption	un sous-titre, une légende
the introduction	l'introduction
to introduce	présenter
the starting point	le point de départ
the prologue	le prologue
the epilogue	l'épilogue
to conclude	conclure
to draw a conclusion	tirer une conclusion
to come to the conclusion that	en venir à la conclusion que
in chronological order	par ordre chronologique
to divide into	diviser en
to translate into	traduire en
a translation	une traduction
to interpret	interpréter
to analyse ['æ-ə-ɑi]	analyser
an analysis [ə-'æ-ə-i]	une analyse
to write under a pen name	écrire sous un pseudonyme
to write in prose/ in verse	écrire en prose/ en vers
to lack style	manquer de style
to render an atmosphere	rendre une atmosphère
to tackle a subject	aborder un sujet

to deal with a subject	traiter d'un sujet	to justify	justifier
to be witty	avoir de l'esprit	to illustrate	illustrer
to be bias(s)ed	ne pas être objectif	to digress from [ɑi-'e]	s'éloigner de
to stick to the point	s'en tenir au problème	to omit	oublier
		an omission	une omission
to expound one's views	exposer ses idées	to avoid	éviter
a point of view	un point de vue	to contradict	contredire
the main issue	la question centrale	to approve of	approuver
the point at issue	la question qui nous concerne	to disapprove of	désapprouver
		a sentence	une phrase
to lay the emphasis on	mettre l'accent sur	a line	une ligne
to emphasize ['e-ə-ɑi]	insister sur	grammar	la grammaire
to stress	mettre l'accent sur	tenses	les temps
to insist on	insister sur	vocabulary	le vocabulaire
an overstatement	une exagération	a word	un mot
to overstate	exagérer	a noun	un substantif
an understatement	une affirmation en-dessous de la vérité	a compound word	un mot composé
		an adjective	un adjectif
		an article	un article
to understate	minimiser	an adverb	un adverbe
to underscore	souligner, mettre en évidence	a preposition	une préposition
		a link word	un mot de liaison
to exaggerate	exagérer	a verb	un verbe
to remark, to point out	faire remarquer	the gender	le genre
to assert	affirmer, soutenir	an abbreviation	une abréviation
to contend	soutenir, prétendre	a synonym	un synonyme
an assertion, a contention	une affirmation	the opposite	le contraire
		a metaphor	une métaphore
to assume	supposer, admettre	the punctuation	la ponctuation
to reckon	estimer, supposer	question mark	point d'interrogation
to notice	remarquer	hyphen	trait d'union
to mention	mentionner	full stop	point
to evoke	évoquer	semi colon	point virgule
to allude to, to hint at	faire allusion à	comma	virgule
to imply [i-'ɑi]	laisser entendre, insinuer	exclamation mark	point d'exclamation
		colon	deux points
to allege [ə-'e]	prétendre	in brackets	entre parenthèses
to quote	citer	in inverted commas	entre guillemets
a quotation	une citation	in capital letters	en majuscules
to sum up	résumer	in bold type	en caractères gras
a summary	un résumé		
to criticize	critiquer		
a pungent criticism	une critique caustique	abstract	abstrait
		accurate ['æ-iu-i]	exact, précis
to describe [i-'ɑi]	décrire	affected	peu naturel
to deduce [i-'iu:]	déduire, conclure	ambiguous	ambigu
a deduction [i-'ʌ-ə]	une déduction	artificial	artificiel
to compare	comparer	audacious	audacieux, intrépide, hardi
to draw a comparison between	établir une comparaison entre		
		authentic	authentique
to depict	décrire	awkward	gauche, maladroit
a symbol	un symbole	bombastic	ampoulé, emphatique
to symbolize ['i-ə-ɑi]	symboliser		
to doubt [dɑut]	douter	boring	ennuyeux

burlesque	burlesque	obscure	obscur
captivating	captivant	obsolete	désuet
colloquial	familier	old-fashioned	démodé
complicated	compliqué	original	original
concise [ə-'ɑi]	concis	overloaded	surchargé
concrete	concret	paradoxical	paradoxal
confusing	déroutant	partial	partial
controversial	controversé	pedantic	pédant
convincing	convaincant	pejorative	péjoratif
correct	correct, exact	peremptory	péremptoire
detailed	détaillé	picturesque	pittoresque
devoid of	dénué de	plain	clair, simple
discursive	décousu	poetic(al)	poétique
elaborate [i-'æ-i]	soigné	pompous	pompeux
emphatic	emphatique	prestigious	prestigieux
entangled	empêtré, embrouillé	proper	juste, approprié
excessive	excessif	relevant	pertinent
far-fetched	tiré par les cheveux	sarcastic	sarcastique
fictitious	fictif	shallow	superficiel
formal	formel	stilted	guindé
gifted	doué	subtle [sʌtl]	subtil
impartial	impartial	superficial	superficiel
improper	incorrect	symbolic(al)	symbolique
incongruous	incongru	talented	doué
incorrect	inexact	tedious	ennuyeux
intricate	compliqué	unadorned	naturel, pur
irksome	ennuyeux	unbias(s)ed	impartial
irrelevant	hors de propos	understandable	compréhensible
lyrical	lyrique	unobtrusive	discret
marginal	marginal	unprejudiced	impartial
matter-of-fact	prosaïque	unreal	irréel
meaningful	significatif	vague	vague
meaningless	dénué de sens	visionary	visionnaire
mock-heroic	burlesque	vivid	vif, éclatant
monotonous	monotone	vulgar	vulgaire
objective	objectif	well-balanced	bien équilibré

The way people speak shows their level of education.	La façon dont les gens parlent montre leur niveau d'éducation.
English is my mother tongue.	L'anglais est ma langue maternelle.
The stress is on the second syllable.	L'accent tombe sur la seconde syllabe.
He was awarded a literary prize last year.	On lui a décerné un prix littéraire l'an dernier.

SEEING, HEARING, MOVING
VOIR, ENTENDRE, BOUGER

SIGHT AND LIGHT
LA VUE ET LA LUMIERE

to have good/ poor eyesight	avoir une bonne/ mauvaise vue
to be short-/ long-sighted	être myope/ presbyte
to have impaired vision	avoir une vue affaiblie
blurred	troublé
out of/within sight	hors de/à portée de vue
at the sight of	à la vue de
eyebrows	les sourcils
eyelashes	les cils
eyelids	les paupières
to have a squint	loucher
to wear contact lenses	porter des lentilles de contact
a glass eye	un oeil de verre
bulging/sunken eyes	des yeux globuleux/ caves
almond eyes	des yeux en amande
blue-eyed	aux yeux bleus
blind	aveugle
one-eyed	borgne
a blank look	un regard sans expression
to look at	regarder
to have a look at, to glance at	jeter un coup d'oeil à
to look down/up	baisser/lever les yeux
to look down upon sb	regarder qn de haut
to look away from	détourner le regard de
to look back	regarder en arrière
to look round	se retourner
to look out of the window	regarder par la fenêtre
to look over a book	feuilleter un livre
to look through papers	parcourir des papiers

to make out	discerner
to distinguish	distinguer
to catch a glimpse of	entrevoir
to gaze at	contempler
to stare at	regarder fixement (agressif)
to peep at	regarder furtivement
to peer at	scruter du regard
to scrutinize ['uː-i-ɑi]	scruter
to scan	explorer du regard
to wink	faire un clin d'oeil
to scowl at	regarder de travers
to blink	cligner des yeux
a streak of light	un rayon de lumière
a fading light	une lumière qui s'estompe
a flash	un éclair
bright	lumineux
dazzling	éblouissant
to dazzle	éblouir
blinding	aveuglant
to gleam	miroiter
to glint	luire
to glow	rougeoyer
to glisten	étinceler (mouillé)
to glitter	scintiller (vif)
to glimmer	miroiter (faible)
to blaze	flamboyer
to shimmer	chatoyer
to flash	étinceler
to twinkle, to sparkle	scintiller
to shine	briller
to flicker	vaciller

HEARING AND NOISE : *L'OUIE ET LE BRUIT*

to have good hearing	avoir une bonne ouïe
a piercing noise	un bruit perçant
shrill	aigu
deafening	assourdissant
a shriek	un cri perçant
to shout, to scream	crier
to yell	hurler
an uproar	un vacarme
to make a din	faire du boucan
at the top of one's voice	à tue-tête
within/out-of-hearing	à portée/hors de portée de voix
to strain one's ears	tendre l'oreille
to turn a deaf ear to	faire la sourde oreille à
to eavesdrop	écouter de façon indiscrète
stone-deaf	sourd comme un pot
deaf-and-dumb	sourd-muet
a creaking door	une porte qui grince
a crackling fire	un feu qui crépite
cracking whips	des fouets qui claquent
the clanking of metal	le cliquetis du métal
the chink of glasses	le tintement des verres
slamming, banging doors	des portes qui claquent
a thumping heart	un coeur qui bat fort
smacking kisses	des baisers qui claquent
pattering rain	la pluie qui crépite
a purring engine	un moteur qui ronronne
rustling leaves	des feuilles qui bruissent
screeching tyres	des pneus qui crissent
a ringing bell	une cloche qui sonne
a whistling bullet	une balle qui siffle
a muffled sound	un son étouffé
to utter a word	prononcer un mot
in a low/loud voice	à voix basse/haute
a drawling/hoarse voice	une voix traînante/ rauque
a toneless/dry voice	une voix blanche/ sèche
to whisper	chuchoter
to mumble, to mutter	marmonner
to stammer	bégayer
low-/high-pitched	grave/aigu
silent ['ɑi-ə]	silencieux

MOVEMENT : *LE MOUVEMENT*

to move	bouger
motionless	immobile
a gesture	un geste
nimble	agile
to go	aller
to go in/out	entrer/sortir
to go down/up	descendre/monter
to go away	s'éloigner
to go on all fours	marcher à quatre pattes
to come	venir
to come back	revenir
to come in	entrer
to come and go	aller et venir
to come to a standstill	s'immobiliser
to come to a halt	s'arrêter
to come nearer	s'approcher
to sit (down)	s'asseoir
to sit back in an armchair	se caler dans un fauteuil
to remain seated	rester assis
to lie	être allongé
to lie down	s'étendre
to lay	étendre
to stand	être debout
to stand up	se lever
the gait	la démarche, l'allure
a step	un pas
at every step	à chaque pas
to step in/out	entrer/sortir
to take a step forward	faire un pas en avant

to pace up and down	faire les cent pas	to swing along	marcher d'un pas rythmé
to quicken/slacken the pace	presser/ralentir l'allure	to stretch one's arms and legs	s'étirer
to dash away	partir à toute allure	to raise an arm	lever un bras
to hurry (up)	se presser	to fold one's arms	croiser les bras
to be in a hurry	être pressé	with one's legs crossed	les jambes croisées
to plod along	avancer d'un pas lourd	with one's hands clasped	les mains jointes
to trudge	marcher péniblement	to shrug one's shoulders	hausser les épaules
to stroll	flâner	to sink into an armchair	s'enfoncer dans un fauteuil
to wander	errer sans but	to wave one's hand	faire signe de la main
to prowl [ɑu]	rôder		
to loiter	traîner, rôder	to shake hands with sb	serrer la main de qn
to roam	errer, rôder	to shake one's head	faire signe "non" de la tête
to linger	s'attarder	to nod one's head	faire signe "oui" de la tête
to lag behind	traîner		
to strut	se pavaner	to point at	montrer du doigt
to reel	chanceler	to catch	attraper
to totter	tituber	to grab (hold of), to grasp	saisir, empoigner
to sway	se balancer, vaciller		
to stumble	trébucher	to clasp	étreindre
to collapse	s'effondrer	to clutch with both hands	saisir à deux mains
to grope for	chercher à tâtons		
to hop	sautiller	to seize	saisir, s'emparer de
to spring, to jump	bondir, sauter	to lift	soulever
to leap to one's feet	se lever d'un bond	to drop	lâcher
to crawl [ɔ:]	ramper	to let sth fall	laisser tomber qc
to kneel [ni:l] (down)	s'agenouiller	to put aside	écarter
to squat	s'accroupir	to push away	repousser
to stoop	se baisser	to thrust	pousser violemment
to bend over	se pencher	to hurl	lancer violemment
to bend forward	se pencher en avant	to throw at	lancer avec agressivité à qn
to lean backward	se pencher en arrière		
to lean on	s'appuyer sur	to throw to	lancer à qn
to be propped against	être appuyé contre	to hit	frapper
to crouch	se blottir, s'accroupir	to hit back	riposter
to cower [ɑuə]	se tapir		
to turn round	se retourner		
to swing to and fro	se balancer		
to swing round	faire volte-face		

He was striding up and down the room.	Il arpentait la pièce.
She's always on the go.	Elle est toujours en mouvement.
Don't lean out of the window.	Ne te penche pas par la fenêtre.
Her foot slipped and she fell.	Son pied a glissé et elle est tombée.
One can easily slide on this floor.	On peut facilement glisser sur ce parquet.
My head's spinning.	La tête me tourne.

ARTS : *LES ARTS*

MUSIC AND DANCE
LA MUSIQUE
ET LA DANSE

a music lover	un mélomane
modern music	la musique moderne
popular music	la musique populaire
folk music	la musique folk
jazz music	la musique de jazz
classical music	la musique classique
to attend a concert	assister à un concert
a symphony concert	un concert symphonique
a concert hall	une salle de concert
an orchestra	un orchestre
a conductor	un chef d'orchestre
to conduct an orchestra	diriger un orchestre
a musician	un musicien
a chorus ['kɔ: rəs]	un chœur
in chorus	en chœur
orchestrated by	orchestré par
an opera house	un opéra
a band	un orchestre
the sound	le son
string(ed)/wind/brass instruments	les instruments à cordes/à vent/ les cuivres
percussion instruments	les instruments à percussion
keyboard instruments	les instruments à clavier
to play an instrument	jouer d'un instrument
a key	une touche
to practise	s'exercer
a guitar	une guitare
a guitarist	un guitariste
a banjo	un banjo
an organ	un orgue
a mouth organ	un harmonica
a saxophone	un saxophone
a saxophone player	un saxophoniste
a grand piano	un piano à queue

an upright piano	un piano droit
a pianist	un pianiste
a bugle	un clairon
a clarinet	une clarinette
a trumpet	une trompette
a flute	une flûte
an oboe	un hautbois
a violin	un violon
to set to music	mettre en musique
to improvise ['i-ə-ɑi]	improviser
to compose	composer
to tune	accorder
a wrong note	une fausse note
barely audible	à peine audible
inaudible	inaudible
shrill	aigu, strident
melodious	mélodieux
harmonious	harmonieux
loud/low	fort/bas
deafening	assourdissant

a record company	une compagnie de disques
a gold record ['e-ə]	un disque d'or
to record [i-'ɔ:]	enregistrer
the record sleeve	la pochette de disque
a compact disc (CD)	un CD
a long playing record (LP)	un 33 tours
a video disc	un disque vidéo
the A side	la face A
to play a record	mettre un disque
to release an album	sortir un album
a hi-fi set	une chaîne hi-fi
a loudspeaker	un haut-parleur
a microphone ['ɑi-nə-,əu]	un microphone
an amplifier	un amplificateur

to listen to sth with headphones	écouter qc au casque	to dance	danser
a tape recorder	un magnétophone	a good dancer	un bon danseur
a tape, a cassette	une cassette	a tap dancer	un danseur de claquettes
a medley	un pot-pourri	a dancing partner	un cavalier
a crooner	un chanteur de charme	the dance floor	la piste de danse
a pop singer	un chanteur pop	a ball room	une salle de bal
a recital [i- 'ɑi-ə]	un récital	a dance hall	un dancing
a hit	un tube	a nightclub	une boîte de nuit
the tune	l'air	a nightbird	un couche tard
to sing in/out of tune	chanter juste/faux	a jazz club	un club de jazz
to strike up a song	entonner une chanson	a deejay ['i:-ei] (Dj)	un disc-jockey
to join in the chorus	reprendre le refrain en choeur	a fancy-dress ball	un bal masqué
		in fancy dress	déguisé
to hum	fredonner	to invite [i-'ɑi]	inviter
to tour the provinces	faire une tournée en province	to spin round	tournoyer
		to waltz	valser
to be on a world tour	faire une tournée mondiale	to do the rock and roll	danser le rock
		to do the twist	danser le twist
well-known	bien connu	a tango	un tango
to acquire an international reputation	acquérir une réputation internationale	a ballet	un ballet
		ballet shoes	des chaussons de danse
		a choreographer	un chorégraphe
		a choreography	une chorégraphie

This song is a big hit.	Cette chanson est un gros succès.
It will be the biggest hit of the year.	Ce sera le plus gros succès de l'année.
I'm sure it will be a box-office success.	Je suis sûr que ça fera courir les foules.
It tops the charts.	Il est en tête du hit-parade.
It ranks first.	Il est classé premier.
It was live.	C'était en direct.
The music is too loud !	La musique va trop fort !

PAINTING, SCULPTURE AND PHOTOGRAPHY
LA PEINTURE, LA SCULPTURE ET LA PHOTOGRAPHIE

fine arts	les beaux arts	an art lover	un amateur d'art
contemporary/ modern/ abstract/figurative	contemporain/ moderne/ abstrait/figuratif	an art gallery/critic/ collector	une galerie/un critique d'art/un collectionneur
a work of art	une oeuvre d'art	an artist	un artiste

an exhibition	une exposition
to display one's work	exhiber son oeuvre
a museum	un musée
to create an effect	créer un effet
to convey a message	transmettre un message
impressionism	l'impressionnisme
expressionism	l'expressionnisme
a genius	un génie
to seek inspiration	chercher l'inspiration
a masterpiece	un chef d'oeuvre
a symbol	un symbole
genuine	authentique
a fake	un faux
a painting	une peinture
a painter	un peintre
to paint	peindre
painted in watercolours	peint à l'aquarelle
to paint in oils	faire de la peinture à l'huile
a paintbox	une boîte de couleurs
a paintbrush	un pinceau
an easel	un chevalet
a portrait painter	un portraitiste
to portray	faire le portrait de
a picture	un tableau, une image
a reproduction	une reproduction
a sketch	une ébauche
to sketch	esquisser
a canvass	une toile
a still life	une nature morte
to draw	dessiner
a drawing	un dessin
a drawing board	une planche à dessin
a charcoal drawing	un dessin au fusain
a hue	une teinte
a shade	une nuance
to tone down	adoucir
blurred	flou
surrealistic	surréaliste

to sculpt	sculpter

a sculptor	un sculpteur
a sculpture	une sculpture
to sit for, to pose for	poser pour
to engrave	graver
an engraver	un graveur
to shape	modeler
to chisel	ciseler
a casting	un moulage
a statue	une statue

photography	la photographie
a photograph	une photo
a photographer	un photographe
to have one's photo taken	se faire photographier
a camera	un appareil photo
a roll of film	une pellicule
a snapshot	un instantané
a zoom lens	un zoom
a filter	un filtre
an enlargement	un agrandissement
to enlarge	agrandir
to reduce	réduire
to under/overexpose	sous/surexposer
to frame	cadrer
to focus on	mettre au point sur
a viewer	une visionneuse
a colour slide	une diapositive couleur
a projector	un projecteur
a screen	un écran
a video camera	un camescope

CINEMA AND THEATRE
LE CINEMA ET LE THEATRE

the film industry	l'industrie du film
a big-/low-budget film	un film à gros/petit budget
to shoot a film	tourner un film
the shooting	le tournage
a shot	une prise de vue
a close-up	un gros plan
the framing	le cadrage
to focus	mettre au point
to zoom in	faire un zoom
a scene	une scène
a rush	une projection d'essai
an imaginary setting	un cadre imaginaire
realistic	réaliste
on location	en décors naturels
the make up	le maquillage
costumes	les costumes
the director	le réalisateur
the producer	le producteur
a scriptwriter, a scenarist	un scénariste
a scenario	un scénario
a cameraman	un caméraman
a film camera	une caméra
a projector	un projecteur
a property man	un accessoiriste
a prop	un accessoire
a stuntman	un cascadeur
a dresser	une habilleuse
the sound engineer	l'ingénieur du son
a stagehand	un machiniste
the cast	la distribution
the supporting cast	la distribution des seconds rôles
a major role	un grand rôle
a minor role	un rôle secondaire
the leading part	le rôle principal
a star	une vedette
starring ...	avec en vedette ...
to rise to stardom	devenir célèbre
an extra	un figurant

a stand-in	une doublure
dubbing	le doublage
to impersonate	imiter
to release a film	sortir un film
the box office	le guichet
the screen	l'écran
to queue up	faire la queue
to draw an audience	attirer le public
a U film	un film tous publics
an X film	un film interdit aux mineurs
the audience	le public
the quality of the pictures	la qualité des images
high admission prices	des prix d'entrée élevés
uncomfortable seats	des sièges inconfortables
a hit, a success	un succès
a flop	un four
to win an Oscar	gagner un Oscar
to award a prize	décerner un prix

a theatre company	une troupe de théâtre
a theatrical adaptation of	une adaptation théâtrale de
to write for the stage	écrire des pièces de théâtre
the director, the producer	le metteur en scène
the stage manager	le régisseur
the stage designer	le décorateur
to come on stage	entrer en scène
to walk off stage	quitter la scène
to stage a play	monter une pièce
the stage door	l'entrée des artistes
stage directions	les indications scéniques

backstage	dans les coulisses	disconcerting	déconcertant
the prompter	le souffleur	worth seeing	qui vaut la peine
an usher	un placeur		d'être vu
to rehearse	répéter	breathtaking	à vous couper
the dress rehearsal	la répétition		le souffle
	générale	glamorous	prestigieux
the scenery	les décors	smashing	formidable
a dressing room	une loge d'acteur	gorgeous	splendide
the orchestra stalls	les fauteuils	extraordinary	extraordinaire
	d'orchestre	great	super
the three knocks	les trois coups	marvellous	merveilleux
the rise of the curtain	le lever de rideau	spectacular	spectaculaire
the first act	le premier acte	incredible	incroyable
a long speech	une tirade	comic	comique
a cue	une réplique	tragic	tragique
to perform	jouer	melodramatic	mélodramatique
a performance	une représentation	gifted for	doué pour
the interval	l'entracte	fit for	apte à
		popular	populaire
		famous	célèbre
blurred	brouillé	unknown	inconnu
barely audible	à peine audible	well-/badly-paid	bien/mal payé
uneven	inégal	to criticize	critiquer
soporific	soporifique	to hiss	siffler
boring, dull	ennuyeux	to boo	huer
vulgar	vulgaire	to be fascinated by	être fasciné par
commonplace	commun, ordinaire	to clap, to applaud	applaudir
light	léger	to burst into applause	éclater en
suitable for	qui convient à		applaudissements
entertaining	divertissant	a thunder of applause	un tonnerre
exciting	passionnant		d'applaudissements
thrilling	palpitant	to praise	louer, vanter
outstanding	remarquable	to enchant the	ravir le public
engrossing	captivant	audience	
touching	touchant	to give sb a standing	se lever pour
moving	émouvant	ovation	ovationner qn
amazing	stupéfiant	to call for an " encore"	crier "bis"

"Action !"	"On tourne !"
A strange atmosphere emanates from that film.	Une atmosphère étrange émane de ce film.
The plot was written in collaboration with his best friend.	L'intrigue a été écrite en collaboration avec son meilleur ami.
The scene is set in London.	La scène se passe à Londres.
Most actors are unable to enjoy any privacy.	La plupart des acteurs ne peuvent avoir de vie privée.
She's a rising star.	C'est une étoile qui monte.
She's always in the limelight.	Elle est toujours au premier plan.
It still tops the bills.	C'est encore en tête d'affiche.
The play met with great public acclaim.	La pièce a été saluée unanimement par le public.
Several of his books have been adapted for the stage.	Plusieurs de ses livres ont été adaptés pour le théâtre.

FREE TIME
LE TEMPS LIBRE

leisure activities	les activités de loisir
a hobby	un passe-temps
an entertainment	un divertissement
to entertain	divertir
entertaining	divertissant
to have a good time	passer un bon moment
to enjoy oneself	bien s'amuser
to spend one's time (+ing)	passer son temps à
to kill time	tuer le temps
to relax	se détendre
to be keen on, to be fond of	bien aimer
to be interested in	être intéressé par
to hate	détester
to devote one's time to	consacrer son temps à
a day off	un jour de congé
a bank holiday	un jour férié
the Christmas/Easter/ summer holidays	les vacances de Noël/dePâques/ d'été
Boxing Day	le lendemain de Noël
a Christmas tree	un sapin de Noël
Christmas carols	des chants de Noël
Santa Claus, Father Christmas	le Père Noël
garlands	des guirlandes
a crib	une crèche
a turkey	une dinde
to wrap	emballer
New Year's Eve	le réveillon du jour de l'an
a greeting card	une carte de voeux
St Valentine's Day	la St Valentin
Shrove Tuesday	Mardi Gras
Candlemas	la Chandeleur
to make pancakes	faire des crêpes
All Fools'Day	le 1er Avril
Lent	le Carême
Ash Wednesday	Mercredi des Cendres
Good Friday	Vendredi Saint
Palm Sunday	Dimanche des Rameaux

Easter	Pâques
an Easter egg	un oeuf de Pâques
a bell	une cloche
Ascension Day	l'Ascension
Whitsun	la Pentecôte
Hallowe'en	la veille de la Toussaint
All Saints' Day	la Toussaint
Bonfire Night	le 5 Novembre
a conspiracy	un complot
a conspirator	un conspirateur
to blow up	(faire) sauter
to commemorate	commémorer
to burn an effigy	brûler une effigie
to make a bonfire	faire un feu de joie
a fireworks display	un feu d'artifice
Armistice Day	le 11 Novembre
Thanksgiving Day	la fête nationale (US)
Labo(u)r Day	la fête du travail
Independence Day	la fête de l'Indépendance (US)

to give a party	donner une fête
to celebrate a birthday	célébrer un anniversaire
to organize	organiser
to invite to dinner	inviter à dîner
a housewarming party	une pendaison de crémaillère
a family gathering	une réunion de famille
to gather	réunir
a meeting	une réunion
a guest	un invité
a host	un hôte

a relative	un parent	to sulk	bouder
neighbourhood	le voisinage	to be bored stiff	s'ennuyer à mourir
an acquaintance	une connaissance	a wet blanket	un rabat-joie
to get acquainted with	faire la connaissance de	to feel lonely	se sentir seul
		to be excluded from	être exclu de
a bond, a link	un lien		
a close friend	un ami intime		
hospitality	l'hospitalité	a toy	un jouet
hospitable	hospitalier	a pack of cards	un jeu de cartes
to welcome	accueillir	a game of cards	une partie de cartes
to give sb a warm welcome	faire un accueil chaleureux à qn	to play bridge	jouer au bridge
		to shuffle the cards	battre les cartes
to call on sb	rendre visite à qn	to cut	couper
to show sb in	faire entrer qn	to deal	distribuer
to greet	saluer, accueillir	a partner	un partenaire
to introduce sb to sb	présenter qn à qn	to cheat	tricher
to shake hands with sb	serrer la main de qn	a trump	un atout
to join in, to participate in	participer à	hearts	coeurs
		spades	piques
to take part in	prendre part à	diamonds	carreaux
to be in touch with	être en contact avec	clubs	trèfles
to be on good terms with	être en bons termes avec	ace	as
		king/queen	roi/reine
to get along with	bien s'entendre avec	jack	valet
to belong to a club	faire partie d'un club	to play chess	jouer aux échecs
to socialize	fréquenter des gens	a chess board	un échiquier
to communicate	communiquer	to play draughts [ɑ:]	jouer aux dames
to share	partager	a pawn	un pion
to lend sb sth	prêter qc à qn	the bishop	le fou
to borrow sth from sb	emprunter qc à qn	the knight	le cavalier
a chatterbox	un moulin à paroles	the castle	la tour
sociable	sociable	checkmate	échec et mat
friendly	amical	darts	les fléchettes
courteous	courtois	to play a game of billiards	faire un billard
good manners	les bonnes manières		
to speak well/ ill of	dire du bien/ du mal de	skittles	des quilles
		snakes and ladders	le jeu de l'oie
a scandalmonger	une mauvaise langue	to throw the dice	lancer les dés
		to do crosswords	faire des mots croisés
to gossip	cancaner		
to spread rumours	répandre des rumeurs	to play hopscotch	jouer à la marelle
		to play tag	jouer à chat perché
inquisitive	curieux	to play hide and seek	jouer à cache-cache
off-hand	désinvolte	to play leap-frog	jouer à saute-mouton
ill-mannered	mal élevé		
to annoy	ennuyer	to play blindman's buff	jouer à colin-maillard
to trouble	gêner		
to disturb	déranger	modelling clay	la pâte à modeler
to interfere in	s'immiscer dans	a hoop	un cerceau
to intrude on sb's privacy	s'ingérer dans la vie privée de qn	painting	la peinture
		drawing	le dessin
an intruder	un intrus	weaving	le tissage
to eavesdrop	écouter de façon indiscrète	pottery	la poterie
		gambling	les jeux d'argent

a gambling house	une maison de jeu	a giant [ɑiə]	un géant
to gamble away	dilapider au jeu	a dwarf [ɔ:]	un nain
a croupier	un croupier	a circus	un cirque
a casino	un casino	the Big Top	le chapiteau
poker	le poker	the ring	la piste
blackjack	le blackjack	to make faces	faire des grimaces
roulette	la roulette	amusing	amusant
a number	un numéro	a sword swallower	un avaleur de sabres
to bet	parier		
to bet on	miser sur	a tight-rope walker	un funambule
a raffle	une tombola	a juggler	un jongleur
to play bingo	jouer au bingo	a conjurer	un prestidigitateur
a fruit machine	une machine à sous	a conjuring trick	un tour de prestidigitation
to win the jackpot	gagner le gros lot		
		a lion tamer	un dompteur de lions
an amusement park	un parc d'attractions	to tame	dompter
a fun fair	une fête foraine	a stool	un tabouret
a merry-go-round	un manège	a carnival	un carnaval
the big wheel	la grande roue	to dress up	se déguiser
dodgems	les autos tamponneuses	in fancy dress	déguisé
		streamers	des serpentins
the giant caterpillar	la chenille géante	confetti	des confettis
a swing	une balançoire	a parade	un défilé
the ghost train	le train fantôme	a banner	une bannière
a shooting range	un stand de tir	the big drum	la grosse caisse
candy-floss	de la barbe à papa	a drum	un tambour
a gipsy	un bohémien	an open-air concert	un concert de plein air
a fortune teller	une diseuse de bonne aventure	a brass band	une fanfare
the Bearded Lady	la Femme à Barbe	a majorette [,ei-ə-'e]	une majorette

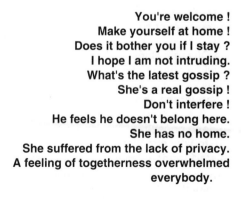

You're welcome !	Vous êtes le bienvenu !
Make yourself at home !	Faites comme chez vous !
Does it bother you if I stay ?	Cela vous dérange-t-il si je reste ?
I hope I am not intruding.	J'espère que je ne vous dérange pas.
What's the latest gossip ?	Quels sont les derniers cancans ?
She's a real gossip !	C'est une vraie commère !
Don't interfere !	Ne te mêle pas de ça !
He feels he doesn't belong here.	Il sent qu'il n'est pas à sa place ici.
She has no home.	Elle n'a pas de foyer.
She suffered from the lack of privacy.	Elle souffrait du manque d'intimité.
A feeling of togetherness overwhelmed everybody.	Un sentiment de camaraderie submergea tout le monde.

SPORT
LE SPORT

a playing field	un terrain de sport
to go in for a sport	s'adonner à un sport
a sportsman	un sportif
a sportswoman	une sportive
sportsmanship	la sportivité
sportswear	les vêtements de sport
an athlete ['æ-i]	un athlète
an amateur	un amateur
friendly	amical
to turn professional	passer professionnel
to apply for a licence	demander une licence
to be fit	être en bonne condition physique
in top shape	en pleine forme
a coach	un entraîneur
to train, to practise	s'entraîner
a training session	une séance d'entraînement
to develop	développer
to make efforts	faire des efforts
to recuperate	récupérer
to excel in	exceller en
out of breath	hors d'haleine
to sweat	transpirer
to reach one's limits	atteindre ses limites
to concentrate	se concentrer
stamina	l'endurance
to overcome one's fear	surmonter sa peur
apprehension	l'appréhension
humility	l'humilité
the rules	le règlement
to postpone a match	remettre un match
a competition	une compétition
to compete with	rivaliser avec
to compete against	concourir avec
to compete in, to take part in	participer à
a competitor	un concurrent
a contest	une rencontre
a challenge	un défi
championship	le championnat

a tournament	un tournoi
an opponent	un adversaire
a team spirit	un esprit d'équipe
a feeling of solidarity	un sentiment de solidarité
to be qualified/ disqualified	être qualifié/ disqualifié
selected	sélectionné
to eliminate	éliminer
to be overwhelmed	être dépassé
to crush a team	écraser une équipe
to suffer a defeat	essuyer une défaite
humiliating	humiliant
bitter	cuisant
to gain a victory over	remporter une victoire sur
a narrow victory	une victoire serrée
to break/ to hold a record	battre/ tenir un record
unbeaten	invaincu
a substandard performance	une contre performance
a cramp	une crampe
to cheat	tricher
a rough game	un jeu brutal
to be suspended	être exclu temporairement
the Olympic Games	les Jeux Olympiques
to win a gold medal	gagner une médaille d'or
to mount the podium	monter sur le podium
to dope oneself, to take stimulants	se doper
to start random tests	faire des tests au hasard
to take hormones	prendre des hormones

to increase muscle growth	augmenter le développement musculaire
to be stripped of a medal	être dépouillé d'une médaille
a supporter	un supporter
to cheer	acclamer
to applaud	applaudir
to encourage	encourager
to hiss	siffler
to invade	envahir
to fine	donner une amende

a footballer	un footballeur
a football ground, pitch	un terrain de football
a team	une équipe
a winger	un ailier
a centre-forward	un avant-centre
the World Cup	la Coupe du Monde
a league match	un match de championnat
half-time	la mi-temps
the first half	la première mi-temps
the kick-off	le coup d'envoi
a free kick	un coup franc
to kick	donner un coup de pied
to award a penalty	accorder un penalty
the goalkeeper	le gardien de but
to score a goal	marquer un but
the referee	l'arbitre
a substitute	un remplaçant
to blow the final whistle	donner le coup de sifflet final
extra time	les prolongations
to end in a draw	se terminer par un match nul
the changing room	le vestiaire
to play rugby	jouer au rugby
the egg-shaped ball	le ballon ovale
the scrum	la mêlée
to score a try	marquer un essai
a tennis player	un joueur de tennis
a tennis racket	une raquette de tennis
to strike the ball	frapper la balle
to serve	servir
to slice	couper
to lob	lober
to go up to the net	monter au filet

a backhand/a forehand drive	un revers/un coup droit
to play single/double	jouer en simple/ en double
an umpire [ˈʌ-aiə]	un arbitre
deuce [iu:]	égalité
a table-tennis bat	une raquette de tennis de table
to play basketball/ volleyball/ baseball/ cricket	jouer au basket/ au volley/ au baseball/ au cricket
the pitcher	le lanceur
the catcher	le receveur
a bat	une batte
the field	le terrain
a cricketer	un joueur de cricket
a wicket	un guichet
a wicket keeper	un garde guichet
the bowler	le lanceur
to play golf	jouer au golf
a golfer	un golfeur
a golf course	un terrain de golf
a golf club	une crosse de golf
a round of golf	un parcours de golf
athletics	l'athlétisme
running	la course à pied
to run a marathon	courir un marathon
the track	la piste
a relay	un relais
pole vaulting	le saut à la perche
the long/high jump	le saut en longueur/ en hauteur
to throw the javelin/ the discus	lancer le javelot/ le disque
to do gymnastics	faire de la gymnastique
a gymnast	un gymnaste
a springboard	un tremplin
a beam	une poutre
fencing	l'escrime
archery	le tir à l'arc
car racing	la course automobile
a racing car	une voiture de course
boxing	la boxe
a boxer	un boxeur
the ring	le ring
ropes	les cordes
the gong	le gong
a light weight	un poids léger
a feather/ heavy weight	un poids plume/ lourd

a glove	un gant	a skating rink,	une patinoire
wrestling	la lutte	an ice rink	
a wrestler	un lutteur	ice skates	des patins à glace
to wrestle	lutter	roller skates	des patins à
horse riding	l'équitation		roulettes
to ride a horse	monter à cheval	mountaineering	l'alpinisme
a rider	un cavalier	a mountaineer	un alpiniste
a horse show	un concours	to climb a mountain	faire l'ascension
	hippique		d'une montagne
a stirrup	un étrier	a rock climber	un varappeur
a spur	un éperon	a rope	une corde
a saddle	une selle	to be roped together	être unis en cordée
a bridle	une bride	an ice axe	un piolet
a whip	un fouet	to ski	faire du ski
reins	les rênes	off-piste skiing	le ski hors piste
the harness	le harnais	downhill skiing	le ski alpin
to go at a trot	trotter	cross-country skiing	le ski de randonnée
to gallop	galoper	a skier	un skieur
to rear up	se cabrer	ski boots	des chaussures de
to paw the ground	piaffer		ski
horse racing	les courses de	a ski run	une piste de ski
	chevaux	a ski lift	un téleski
a race horse	un cheval de course	a winter sports resort	une station de
cycling	le cyclisme		sports d'hiver
to ride a bike	faire du vélo	a snow cannon	un canon à neige
a motorbike,	une motocyclette	swimming	la natation
a motorcycle		a swimmer	un nageur
a cyclist	un cycliste	a swimming pool	une piscine
a moped	un vélomoteur	to dive [ɑi]	plonger
the saddle	la selle	a diving board	un plongeoir
the frame	le cadre	diving	la plongée sous-
the handlebars	le guidon		marine
the pump	la pompe	to snorkel	nager avec un tuba
spokes	les rayons	flippers	des palmes
the stand	la béquille	to swim breast-stroke	nager la brasse
the mudguard	le garde boue	goggles	des lunettes de
the footrest	le cale pieds		plongée
the luggage carrier	le porte-bagages	water skiing	le ski nautique
the toolbag	la sacoche à outils	sailing	la voile
to skate	patiner	windsurfing	le véliplanchisme
a skater	un patineur	a surfboard	une planche de surf

They failed to score.	Ils n'ont pas réussi à marquer.
The Cup Final is the culminating event of the season.	La Finale de la Coupe est l'événement culminant de la saison.
He's a real sportsman.	Il est beau joueur.
He's a good loser.	Il est bon perdant.
He's admitted using drugs.	Il a reconnu avoir utilisé des drogues.
This should be an effective deterrent to doping.	Ceci devrait être un moyen de dissuasion efficace contre le doping.
They've been banned from the competition.	Ils ont été exclus de la compétition.

MEDIA
LES MEDIA

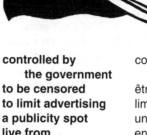

TELEVISION
LA TELEVISION

a colour television set	une télé couleurs
on the small screen	sur le petit écran
the telly	la télé
a TV studio	un studio de télé
cable television	la télévision câblée
educational TV	la télé scolaire
satellite ['æ-i-ɑi] transmission	la transmission par satellite
worldwide norms	des normes universelles
a commercial channel	une chaîne commerciale
to run a channel	diriger une chaîne
to zap from channel to channel	sauter d'une chaîne à l'autre
to switch channels	changer de chaîne
a network	un réseau
the remote control	la télécommande
a decoder	un décodeur
a video recorder	un magnétoscope
a video-tape	une bande vidéo
to videotape˙	enregistrer sur magnétoscope
a cassette	une cassette
to record	enregistrer
to switch on/off	allumer/éteindre
to broadcast	diffuser
to transmit	transmettre
to spread/to convey information	communiquer/ transmettre l'information
to inform	informer
to educate	éduquer
to appeal to	faire appel à
to entertain	divertir
to attract	attirer
to influence	influencer
to mould opinions	façonner les opinions
to privatize ['ɑi-i-ɑi]	privatiser

controlled by the government	contrôlé par le gouvernement
to be censored	être censuré
to limit advertising	limiter la publicité
a publicity spot	un spot publicitaire
live from	en direct de
the audience rating	l'audimat
prime time	les heures de grande écoute
viewers, telespectators	les téléspectateurs
a high-quality programme	un programme de bonne qualité
a round-the-clock programme	un programme 24 heures sur 24
the news	les informations
a talk show	un débat
a variety show	un programme de variétés
a documentary	un documentaire
a TV game	un jeu télévisé
the weather forecast	le bulletin météo
a cartoon	un dessin animé
a serial	un feuilleton
the sequel	la suite
an episode	un épisode
a thriller	un film à suspense
a war film	un film de guerre
a love story	une histoire d'amour
a TV addict	un mordu de télé
to be hooked by	être accroché par
to be glued to	être collé à
to be mesmerized	être hypnotisé
to be riveted to the screen	être rivé à l'écran
to encroach upon family life	empiéter sur la vie de famille
to kill conversation	tuer la conversation

What's on TV tonight ?	Qu'y a-t-il à la télé ce soir ?
How can you possibly relax in front of a TV screen ?	Comment peux-tu te détendre devant un écran de télé ?
That sort of programme doesn't appeal to me.	Ce genre de programme ne me dit rien.
We're always shown images of violence.	On nous montre toujours des images de violence.
The national TV stations have broadcast excerpts of the interview.	Les chaînes de télé nationales ont diffusé des passages de l'interview.
The educational role of television should be dealt with.	On devrait s'occuper du rôle pédagogique de la télévision.
Does it have a prejudicial effect on social relationships ?	Cela a-t-il un effet préjudiciable sur les rapports sociaux ?
TV has been accused of having a lethal influence.	La télé a été accusée d'avoir une mauvaise influence.

■ RADIO : *LA RADIO*

a radio set	un poste de radio	to find the right frequency	trouver la bonne fréquence
a radio programme	un programme radio		
on the radio	à la radio	long/short waves (LW/SW)	les grandes ondes/ les ondes courtes
a radio serial	un feuilleton à la radio		
		FM	la modulation de fréquence
the announcer	le speaker		
a listener	un auditeur	to diffuse	diffuser
an aerial	une antenne	a journalist	un journaliste
a battery	une pile	a special reporter	un envoyé spécial
the wavelength	la longueur d'ondes	a correspondent	un correspondant

Tune in again in a week !	Soyez de nouveau à l'écoute dans une semaine !
You're on the air.	Vous avez l'antenne.
His radio's always blaring away !	Sa radio hurle toujours !
Here's the news.	Voici les informations.

■ PRESS : *LA PRESSE*

the power of the press	le pouvoir de la presse	a press lord	un magnat de la presse
the quality press	les journaux sérieux	to own	posséder
the gutter press	la presse à scandale	to run a paper	diriger un journal
a publishing empire	un empire de presse	to curtail freedom	réduire la liberté

to censor	censurer	to tell lies	dire des mensonges
censorship	la censure	to give a different version	donner une version différente
a news agency	une agence de presse	to interpret	interpréter
a news stall	un kiosque à journaux	to underline	souligner
to print off	tirer	to comment on	commenter
to distribute	distribuer	to report facts	rapporter des faits
the circulation	le tirage	to disclose	divulguer
readers	les lecteurs	to cover an event	couvrir un événement
a readership of three millions	trois millions de lecteurs	to hit the headlines	faire les gros titres
to subscribe [ə-'ɑi] to	s'abonner à	to omit	omettre
a subscriber	un abonné	to conclude	conclure
a subscription	un abonnement	to defame	diffamer
a national/regional/ local newspaper	un journal national/ régional/local	to draw attention to	attirer l'attention sur
a daily/weekly/ monthly newspaper	un quotidien/un hebdomadaire/ un mensuel	to poke one's nose into	mettre son nez dans
		to be specialized in	être spécialisé dans
		accurate	exact, précis
a right-wing paper	un journal de droite	readable	lisible
a tabloid	un tabloïd	well-informed	bien informé
an issue	un numéro	popular	populaire
a special edition	une édition spéciale	serious	sérieux
unsold copies	des exemplaires invendus	attractive	attirant
		austere	austère
a newspaper cutting	une coupure de presse	boring	ennuyeux
		scandalous	scandaleux
a colour supplement	un supplément couleurs	slanderous	calomnieux
		the front page	la première page
a publication	une publication	the editorial staff	la rédaction
a periodical	un périodique	the editorial	l'éditorial
a women's magazine	un magazine féminin	the editor	le rédacteur en chef
glossy	de luxe	the Op-Ed (Opposite Editorial)	la page contenant les chroniques et les commentaires
to publish	publier		
to scoop	publier en exclusivité	a reviewer	un critique
		to review	faire la critique
a scoop	une exclusivité	a columnist	un chroniqueur
independent	indépendant	the sports column	la rubrique des sports
influential	influent		
to influence	influencer	the sports editor	le rédacteur sportif
an organ of the government	un organe du gouvernement	the news in brief	les faits divers
		the small ads	les petites annonces
to be favourable to	être favorable à	the readers'mail	le courrier des lecteurs
bias(s)ed/unbias(s)ed	partial/impartial		
to be prejudiced	avoir du parti pris	the obituary column	la rubrique nécrologique
to express views	exprimer des idées		
to tell the truth	dire la vérité	under this heading	sous cette rubrique
a misprint	une coquille	a leading article	un article de fond

TRAVELS, HOTELS AND RESTAURANTS
LES VOYAGES, LES HÔTELS ET LES RESTAURANTS

mass tourism	le tourisme de masse
to depend on tourism	dépendre du tourisme
a tourist	un touriste
the tourist office	l'office du tourisme
touristic	touristique
a travel agent/agency	un agent/une agence de voyages
a travel brochure	un dépliant touristique
a travel organization	un organisme de tourisme
a tour operator	un voyagiste
a package tour	un voyage organisé
to go sightseeing	faire du tourisme
to tour a country	visiter un pays
to go on a tour	faire un voyage organisé
to go on a journey	partir en voyage
a day trip	un voyage d'une journée
a business trip	un voyage d'affaires
to travel round the world	faire le tour du monde
a traveller	un voyageur
to plan/to take a holiday	projeter/prendre des vacances
the holiday season	la saison des vacances
the holiday industry	l'industrie des vacances
on holiday	en vacances
a holiday-maker	un vacancier
abroad	à l'étranger
to take a day off	prendre un jour de congé
the peak tourist season	la haute saison touristique
the busy/dead season	la grosse/morte saison
at the height of the season	en pleine saison
to meet the demand	répondre à la demande

to book	réserver
to confirm a booking	confirmer une réservation
to cancel	annuler
in the case of cancellation	en cas d'annulation
to purchase one's ticket	acheter son ticket
to have a budget	avoir un budget
a single/return ticket	un aller simple/ un aller retour
to be insured	être assuré
the luggage	les bagages
to pack one's bags	faire ses valises
to register	(faire) enregistrer
a guide to England	un guide de l'Angleterre
a roll of film	une pellicule
to go through the customs	passer la douane
a duty-free shop	un magasin hors taxes
the departure	le départ
the arrival [ə-'ɑi-ə]	l'arrivée
to invade	envahir
packed with tourists	bondé de touristes
to lure	attirer par la ruse
reasonable/ exorbitant prices	des prix raisonnables/ exorbitants

to cause trouble	causer des ennuis
to ignore	ne pas tenir compte de
to spoil	gâcher
to take home as a souvenir	emporter chez soi comme souvenir
to respect	respecter
to broaden the mind	élargir l'esprit
to fly	voyager en avion
to rent a car	louer une voiture
to ride a bike	faire du vélo
to hitch hike	faire du stop
a seaside resort	une station balnéaire
a spa	une station thermale
to sunbathe	prendre un bain de soleil
suntanned, sunburnt	bronzé
a sunstroke	un coup de soleil
a ski resort	une station de ski
to have a rest	se reposer
to relax	se détendre
to go camping	faire du camping
a camp site	un camping
to pitch a tent	planter une tente
a rucksack	un sac à dos
a sleeping bag	un sac de couchage

an exotic country	un pays exotique
an explorer	un explorateur
to explore	explorer
to go on a safari	faire un safari
an adventurer	un aventurier
to lead an expedition	guider une expédition
to discover virgin territories	découvrir des territoires vierges
unknown lands	des terres inconnues
remote	lointain
a desert island ['ailənd]	une île déserte

a raft	un radeau
a colony	une colonie
a native	un indigène
a tribe [ai]	une tribu
a cannibal	un cannibal
a pigmy	un pygmée
a custom	une coutume
a rite [ai]	un rite
ritual killings	des tueries rituelles
a witch doctor	un sorcier
ethnic rivalries	des rivalités ethniques
a tatto [ə-'u:]	un tatouage
a carved mask	un masque sculpté
a bow [əu]	un arc
an arrow	une flèche
a spear [iə]	une lance
the belly dance	la danse du ventre
a snake charmer	un charmeur de serpents
the jungle	la jungle
the bush	la brousse
a baobab (tree)	un baobab
an acacia [æ-'ei-ə]	un acacia
a banana tree	un bananier
a coconut tree	un cocotier
coconut oil	l'huile de coco
luxuriant [ʌ-'uə-iə]	luxuriant
an epidemic	une épidémie
a lethal ['i:-ə] bite	une morsure mortelle
biting insects	des insectes piqueurs
a mosquito	un moustique
infested with	infesté de
venom	du venin
a poisonous snake	un serpent venimeux
a leech	une sangsue
malaria	la malaria
marsh fever	le paludisme

We'll make your holiday enjoyable.	Nous rendrons vos vacances agréables.
Contact us for a happy carefree holiday.	Contactez-nous pour des vacances heureuses et sans souci.
Get away from reality for some time.	Echappez à la réalité pour quelque temps.

HOTELS : *LES HÔTELS*

to put up at a hotel	descendre dans un hôtel	air conditioning	la climatisation
a chain of hotels	une chaîne d'hôtels	a private car park	un parking privé
a luxury hotel	un hôtel de luxe	a sun lounge	un solarium
a youth hostel	une auberge de jeunesse	a sauna	un sauna
a boarding house, a guest house	une pension de famille	a heated swimming pool	une piscine chauffée
a B and B (Bed and Breakfast)	une chambre chez l'habitant	tea-making facilities	des installations qui permettent de faire du thé
to stay overnight	rester pour la nuit	open to the public	ouvert au public
to find accommodation	trouver un logement	luxurious	luxueux
to accommodate visitors	loger des visiteurs		
a shortage of rooms	une pénurie de chambres	a continental breakfast	un petit déjeuner à la française
to offer comfort	offrir le confort	the brunch	le petit déjeuner et le repas de midi pris ensemble
full-board	la pension complète		
half-board	la demi pension	a bun	une brioche
a resident	un pensionnaire	a roll	un petit pain
to book a room	réserver une chambre	a scone	un petit pain au lait
a vacancy	une chambre à louer	a muffin	un petit pain mollet
available	disponible	a slice of bread	une tranche de pain
a deposit	une caution	toast	des toasts
the reception desk	la réception	bacon and eggs	du lard fumé et des oeufs
the hotel manager	le gérant	honey	du miel
the staff	le personnel	marmalade	de la confiture d'oranges
the room service	le service des chambres	jam	de la confiture
a single/double room	une chambre pour une/deux personne(s)	butter	du beurre
		margarine	de la margarine
		cereals	des céréales
a twin-bedded room	une chambre à deux lits	a spoonful of sugar	une cuillerée de sucre
equipped with	équipé de	a drop of milk	une goutte de lait

"No vacancies".	"Complet".
"Rooms to let".	"Chambres à louer".
There are rooms available.	Il y a des chambres libres.
I'm afraid the reservations should have been made at least one week ago.	J'ai bien peur d'une chose : les réservations auraient dû être faites il y a au moins une semaine.

All rooms have bath or shower.	Toutes nos chambres ont bain ou douche.
Lift to all floors.	Ascenseur à tous les étages.
It's close to the town centre.	C'est près du centre ville.
Our hotel is centrally situated.	Notre hôtel est situé en plein centre.
We're open throughout the year.	Nous sommes ouverts toute l'année.
The rooms are carpeted.	Les chambres ont de la moquette.
All bedrooms have modern conveniences.	Toutes les chambres ont le confort moderne.
This hotel is ideal for businessmen.	Cet hôtel est idéal pour les hommes d'affaires.
How many people can this hotel accommodate ?	Combien de personnes cet hôtel peut-il accueillir ?
Is there a car park available ?	Y a-t-il un parking disponible ?
Do you charge an extra for breakfast ?	Y a-t-il un supplément à payer pour le petit déjeuner ?
All the bedrooms face the sea.	Toutes les chambres sont face à la mer.
You'll enjoy a view overlooking the sea.	Vous jouirez d'une vue surplombant la mer.
You're within walking distance of the beach.	Vous pouvez aller à pied jusqu'à la plage.
There's private access to the beach.	Il y a un accès privé à la plage.
There's no accommodation for children under 5.	On n'accepte pas les enfants en-dessous de cinq ans.
You can have a baby-sitting service on request.	Vous pouvez avoir un service de garde d'enfants sur demande.

■ RESTAURANTS : *LES RESTAURANTS*

a renowned [i-'ɑu] restaurant	un restaurant renommé
a five-star restaurant	un restaurant cinq étoiles
a self-service restaurant	un restaurant self-service
an inn	une auberge
a caterer	un traiteur
to cater for	préparer des repas pour
a chef	un chef de cuisine
gastronomy	la gastronomie
a gourmet	un gastronome
vegetarian food	de la nourriture végétarienne
to enjoy one's meal	prendre plaisir à son repas
to have a good appetite	avoir bon appétit
to be starving	mourir de faim
a take-away meal	un repas à emporter
to order	commander
a sophisticated menu	un menu sophistiqué
wholesome food	de la nourriture saine
plain	simple
of the best quality	de première qualité

nourishing	nourrissant
refreshing	rafraîchissant
tasty	savoureux
savoury	savoureux, salé
crisp	croquant
crusty	croustillant
spicy	épicé
of poor quality	de mauvaise qualité
unsavoury	d'un goût désagréable
tasteless	insipide

frugal	frugal
a bitter aftertaste	un arrière-goût amer
greasy	graisseux
low in fibre	pauvre en fibres
saturated/unsaturated fats	des graisses saturées/ non saturées
a variety of	une variété de
a portion of	une portion de
to suggest	suggérer
to complain about	se plaindre de
to foot the bill	payer l'addition
to overcharge sb for sth	faire payer qc trop cher à qn
tip included	service compris
an appetizer ['æ-ə-ɑi-ə]	un apéritif, un amuse-gueule
the first course	l'entrée
the starter	le hors d'oeuvre
as a starter	pour commencer
the main course	le plat principal
today's special	le plat du jour
prawn cocktail	salade de crevettes avec mayonnaise
rice/tomato salad	salade de riz/ de tomates
scallops	des coquilles St Jacques
asparagus soup	du potage aux asperges
fish fingers	des croquettes de poisson
filleted plaice	des filets de plie
kippers	des harengs fumés
smoked salmon	du saumon fumé
fried eggs	des oeufs sur le plat
boiled eggs	des oeufs à la coque
hard-boiled eggs	des oeufs durs
poached eggs	des oeufs pochés
scrambled eggs	des oeufs brouillés
an omelet(te)	une omelette
spices	des épices
olive oil	de l'huile d'olive
tomato sauce	de la sauce tomate
gravy	de la sauce
custard	de la crème
jacket potatoes	des pommes de terre en robe des champs
mashed potatoes	de la purée
French fries, chips	des frites
noodles	des nouilles
baked beans	des haricots à la sauce tomate

sauerkraut	de la choucroute
a sausage roll	un friand
white pudding	du boudin blanc
blood sausage	du boudin noir
kidneys	des rognons
meat pie	du pâté en croûte
stew	du ragoût
stewed meat	de la viande cuite à l'étouffée
roastbeef and Yorkshire pudding	du rôti de boeuf et du Yorkshire pudding
sirloin	du faux filet
fillet steak	du filet
pork chop and apple sauce	côte de porc et compote de pommes
leg of mutton	du gigot de mouton
lamb and mint sauce	agneau et sauce à la menthe
a mutton chop	une côtelette de mouton
a veal cutlet	une côtelette de veau
a dessert	un dessert
cheese	du fromage
tinned fruit	des fruits en boîte
a fruit salad	une macédoine de fruits
gingerbread	du pain d'épice
an ice cream	une glace
whipped cream	de la crème fouettée
an apple pie	une tarte aux pommes
a cake	un gâteau
a bar	un bar
the wine list	la carte des vins
to be thirsty	avoir soif
to pour a drink	verser une boisson
alcoholic drinks	les boissons alcoolisées
a soft drink	une boisson non alcoolisée
a fruit juice	un jus de fruit
a squash	un jus de fruit pressé
bottled water	de l'eau en bouteille
sparkling mineral water	de l'eau minérale gazeuse
a pub	un bistrot
the landlord	l'aubergiste
closing time	l'heure de fermeture

to play darts	jouer aux fléchettes	liquor	les spiritueux
fine wines	des vins fins	brandy	du cognac
a sparkling wine	un vin pétillant	gin	du gin
a bottle of champagne	une bouteille de champagne	whisky	du whisky
draught [drɑːft] beer	de la bière pression	port	du porto
		sherry	du xérès
		a brand	une marque
ale	de la bière légère	a mug	une chope
lager	de la bière blonde	a pint [ɑi]	un demi
brown ale	de la bière brune	a bottle opener	un décapsuleur
stout beer	de la bière brune forte	a corkscrew	un tire-bouchon
		to uncork	déboucher

He's one of our most-prized chefs. — Il est l'un de nos chefs les plus prisés.
We've just been awarded another star. — On vient de nous décerner une autre étoile.
You'll find first-class home-made food here. — Ici vous trouverez de la nourriture première classe, fait-maison.
A select wine cellar is at your disposal. — Une cave avec les meilleurs vins est à votre disposition.

Our restaurant is open all the year round. — Notre restaurant est ouvert toute l'année.
This restaurant isn't open to non-residents. — Ce restaurant n'est pas ouvert aux non-résidents.
Our restaurant specializes in exotic food. — Notre restaurant est spécialisé dans la nourriture exotique.

It tastes good. — C'est bon.
He's finicky about his food. — Il est difficile pour la nourriture.

I could do with a drink. — Je boirais bien un verre.
It's on me ! — C'est pour moi !
Half a pint please. — Un demi s'il vous plaît.
Would you like your whisky straight or on the rocks ? — Voulez-vous votre whisky sec ou avec des glaçons ?
The sale of alcohol is prohibited here. — La vente d'alcool est interdite ici.
Light refreshments are available here. — Des rafraîchissements non alcoolisés sont disponibles ici.

This bar is licensed for the sale of alcoholic drinks. — Ce bar a une licence l'autorisant à vendre des boissons alcoolisées.

MEANS OF TRANSPORT AND ACCIDENTS
LES MOYENS DE TRANSPORT ET LES ACCIDENTS

▮ BY PLANE : *EN AVION*

the air fleet	la flotte aérienne
a domestic flight	un vol intérieur
a medium-distance/ long-distance flight	un moyen/long courrier
a high-speed flight	un vol à grande vitesse
a jet plane	un avion à réaction
a helicopter	un hélicoptère
a glider	un planeur
a navigable balloon [ə-'u:]	un ballon dirigeable
the cockpit	le poste de pilotage
on automatic pilot	en pilotage automatique
the joystick	le manche à balai
the engine	le moteur
the reactor	le réacteur
a propeller	une hélice
a wing	une aile
the tail	la queue
the nose	le nez
the landing gear	le train d'atterrissage
the baggage hold	la soute à bagages
the crew	l'équipage
a pilot ['ɑi-ə]	un pilote
to pilot	piloter
an air hostess	une hôtesse de l'air
a steward	un steward
to suffer from jet lag	souffrir du décalage horaire
an airport	un aéroport
an air terminal	une aérogare
the tarmac	l'aire d'envol
a runway	une piste
the landing strip	la piste d'atterrissage
to land	atterrir
to take off	décoller

the control tower	la tour de contrôle
a radar	un radar
a tanker	un camion citerne
fuel	du carburant
airport taxes	les taxes d'aéroport
the departure lounge	la salle d'embarquement
the departure gate	la porte de départ
the arrival	l'arrivée
to check in	enregistrer
the luggage	les bagages
the passport control	le contrôle des passeports
to board a plane	embarquer à bord d'un avion
on board	à bord
the business class	la classe affaires
to be delayed	être retardé
to cancel	annuler
to stop over	faire escale
to fly over	survoler
air sickness	le mal de l'air

air safety	la sécurité aérienne
reliable [i-'ɑiə-ə]	fiable

to tighten up security	renforcer la sécurité	to disintegrate	se désintégrer
a plane disaster	une catastrophe aérienne	to explode	exploser
		the flight recorder	la boîte noire
an emergency landing	un atterrissage forcé	to endanger,	mettre en danger
malfunctions	des défaillances	to jeopardize	
a failing engine	un moteur défaillant	['e-ə-ɑi]	
a faulty flight-control system	un système de contrôle de vol défectueux	to threaten	menacer
		to feel helpless	se sentir impuissant
to catch fire	prendre feu	panic-stricken	frappé de panique
to burn	brûler	an emergency exit	une sortie de secours
smoke-filled	empli de fumée		
to come into collision with	entrer en collision avec	an oxygen mask	un masque à oxygène
to nosedive	piquer du nez	a hijacker	un pirate de l'air
to crash	s'écraser	to hijack a plane	détourner un avion

"Immediate boarding gate 5".   "Embarquement immédiat porte 5".
This company is notorious for its chronic delays.   Cette compagnie est connue pour ses retards chroniques.
All the flights are overbooked.   Tous les vols sont surréservés.
"Fasten your safety belts".   "Attachez vos ceintures".
The odds of dying on a plane are slight.   Les chances de mourir en avion sont faibles.

■ BY BOAT : *EN BATEAU*

a ship	un navire	the stem	la proue
a vessel	un vaisseau	the stern	la poupe
a cruising yacht	un yacht de croisière	a funnel	une cheminée
a liner ['ɑi-ə]	un paquebot	a horn	une corne
a ferry boat	un ferry	a sail	une voile
a hovercraft	un aéroglisseur	an oar	une rame
a lifeboat	un canot de sauvetage	the mast	le mât
		the helm	le gouvernail
a canoe [ə-'u:]	un canot	an anchor	une ancre
a rowing boat	un canot à rames	a compass	une boussole
a steamboat	un bateau à vapeur	a cabin	une cabine
a trawler	un chalutier	a porthole	un hublot
a tug	un remorqueur	a saloon	un salon
a buoy [ɔi]	une bouée	the gangway	la passerelle
a sailor	un marin	the upper/lower deck	le pont supérieur/ inférieur
a deckhand	un matelot		
the crew	l'équipage	the main deck	le pont principal
the Navy	la Marine	the bridge	le pont de commandement
a shipyard, a dockyard	un chantier naval		
a harbour	un port	to get on board	monter à bord
a pier	une jetée	to embark	embarquer
a wharf	un quai	to disembark	débarquer
a lighthouse	un phare		

to sail into/to leave harbour	entrer/sortir du port	a heavy sea	une mer houleuse
to come to anchor	jeter l'ancre	billowy	houleux
to weigh anchor	lever l'ancre	to be sea sick	avoir le mal de mer
to fly the flag	battre pavillon	the safety of the passengers	la sécurité des passagers
to cast off the mooring ropes	larguer les amarres	life jackets	les gilets de sauvetage
to set sail	prendre la mer	a distress signal	un signal de détresse
to sail round the world	faire le tour du monde en bateau	to lower the boats	mettre les embarcations à la mer
to go on a cruise	partir en croisière		
a crossing	une traversée		
to cross the Channel	traverser la Manche	beneath the surface	sous la surface
to call at	faire escale à	to hit an iceberg	heurter un iceberg
to coast	caboter	a reef	un récif
off the coast	au large	to capsize [æ-'ɑi]	chavirer
to be moored	être amarré	to sink	sombrer
		to run ashore	échouer
		to be shipwrecked	faire naufrage
shallow/deep	peu profond/profond	a wreck	une épave
rolling	le roulis	to tug, to tow	remorquer
pitching	le tangage	to be adrift	être à la dérive
smooth,calm	calme	to drown	se noyer
big waves	des grosses vagues		

I'm not a very good sailor.	Je n'ai pas le pied marin.
I hope we won't have a rough crossing.	J'espère que nous n'aurons pas une mauvaise traversée.
The sea was as smooth as a mill pond.	C'était une mer d'huile.
It's the worst disaster in the history of sailing.	C'est le plus grand désastre de l'histoire de la navigation.
Thirty passengers are missing.	Il manque trente passagers.
The safety device was faulty.	Le dispositif de sécurité était défectueux.
They say he was swept away by the current.	Ils disent qu'il a été emporté par le courant.

■ BY TRAIN : *EN TRAIN*

a non-stop train	un train direct	a passenger train	un train de voyageurs
a fast train	un rapide		
a slow train	un omnibus	first/second class	première/deuxième classe
the High Speed Train	le TGV		
a goods train	un train de marchandises	a sleeping car	un wagon couchettes
a suburban train	un train de banlieue	a dining car	un wagon restaurant

a smoking compartment	un compartiment fumeurs	a single ticket	un aller simple
a window seat	un siège près de la fenêtre	a return ticket	un aller et retour
		the fare	le prix du billet
the corridor	le couloir	to pay half fare	payer demi tarif
the luggage rack	le filet à bagages	to refund	rembourser
vacant	libre	to get on/off	monter/descendre
reserved seats	des places réservées	to whistle	siffler
		the timetable	l'horaire
the ticket collector	le contrôleur	on/behind schedule	à l'heure/en retard
restful	reposant	to change at	changer à
the station master	le chef de gare	a connection	une correspondance
a railwayman	un cheminot	to be delayed	avoir du retard
a platform	un quai	to miss	manquer
rails	les rails	to make a stop	faire un arrêt
a level crossing	un passage à niveau	to come to a standstill	s'immobiliser
a waiting room	une salle d'attente	the alarm signal	le signal d'alarme
a luggage locker	une consigne automatique	to derail	(faire) dérailler

The train's pulling into the station.	Le train entre en gare.
We've had dinner on the train.	Nous avons dîné dans le train.
The train's been delayed.	Le train a été retardé.
The train's scheduled to arrive at 6 p.m.	L'arrivée du train est prévue à 6 H du soir.

■ BY CAR : *EN VOITURE*

a car dealer	un concessionnaire	to check the tyre pressure	vérifier la pression des pneus
a show room	une salle d'exposition	a flat/punctured tyre	un pneu à plat/crevé
a garage owner	un garagiste	to have the car serviced	faire réviser la voiture
to order	commander		
brand-new	flambant neuf	to run out of petrol	tomber en panne d'essence
second-hand	d'occasion		
to hire	louer	to have a breakdown	tomber en panne
to run in	roder		
to register	immatriculer		
to insure the vehicle	assurer le véhicule	a sports car	une voiture de sport
a car licence	une carte grise	a racing car	une voiture de course
to tank up, to fill up	faire le plein		
a filling station	une station service	a convertible	une décapotable
to charge the battery	charger la batterie	an estate car	un break
to change the oil	vidanger	a saloon car	une berline

51

a four-wheel drive	un quatre x quatre
a front-/rear-wheel drive	une traction avant/ arrière
the spare wheel	la roue de secours
the front left tyre	le pneu avant gauche
the suspension	la suspension
shock absorbers	les amortisseurs
the bonnet	le capot
the engine	le moteur
the carburettor	le carburateur
sparking plugs	les bougies
the wing	l'aile
the boot	le coffre
the bumper	le pare-chocs
the number plate	la plaque d'immatriculation
the tank	le réservoir
the exhaust pipe	le pot d'échappement
a jack	un cric
headlamps	les phares
warning/reversing/ parking lights	les feux de détresse/ recul/position
the ignition key	la clé de contact
the horn	le klaxon
to hoot one's horn	klaxonner
the mileage indicator	le compteur kilométrique
the dashboard	le tableau de bord
the steering wheel	le volant
the windscreen	le pare-brise
windscreen wipers	les essuie-glaces
the driving mirror	le rétroviseur
indicators	les clignotants
a safety belt	une ceinture de sécurité
the defrosting device	le système de dégivrage
the choke	le starter
the glove compartment	la boîte à gants
the headrest	l'appui-tête
the gear box	la boîte de vitesse
the gear lever	le levier de vitesse
to change gear	changer de vitesse
to get into first gear	passer en première
the reverse gear	la marche arrière
to reverse	faire marche arrière
to return to neutral	revenir au point mort
the clutch pedal	la pédale d'embrayage
the handbrake	le frein à main
to brake	freiner
the accelerator	l'accélérateur

to accelerate	accélérer
various options	diverses options
a sun roof	un toit ouvrant
metallic paint	la peinture métallisée
roadholding	la tenue de route
low mileage [ɑi-'i:]	un faible kilométrage
the road network	le réseau routier
a highway	une route à grande circulation
a motorway	une autoroute
the toll	le péage
a dual carriageway	une route à quatre voies
a by-pass	une bretelle de contournement
the ring road	le périphérique
a lay-by	une aire de station- nement (bas-côté)
a diversion [ɑi-'ə:-ə]	une déviation
roadsigns	des panneaux
roadworks	des travaux
a bend	un virage
a level crossing	un passage à niveau
a tunnel	un tunnel
a crossroads	un croisement
a junction	un carrefour
a roundabout	un rond point
the Highway Code	le code de la route
a car driver	un automobiliste
women drivers	les femmes au volant
a driving school	une auto-école
a driving instructor	un moniteur
the driving licence	le permis de conduire
the L-plate (Learner)	la plaque pour conducteur débutant
to respect/to exceed the speed limits	respecter/dépasser les limitations de vitesse
to reduce speed	réduire la vitesse
to speed along	aller à toute vitesse
at full speed	à toute vitesse
at an average speed of	à une vitesse moyenne de
to slow down	ralentir
a radar trap	un contrôle radar
to overtake	doubler
a reckless driver	un chauffeur imprudent

a road hog	un chauffard	on slippery ground	sur terrain glissant
the breath test	l'alcootest	with no visibility	sans visibilité
to drive under the influence of alcohol	conduire en état d'ivresse	to hit	heurter
		to skid	déraper
		to overturn	faire un tonneau
drunk	ivre	to crash head on into	heurter de plein fouet
to go through a red light	brûler un feu		
		to collide into, to bump into	entrer en collision avec
to fine	condamner à une amende	to swerve	faire une embardée
		to catch fire	prendre feu
a penalty, a fine	une amende	to be ejected from	être éjecté de
to yield the right of way to sb	céder la priorité à qn	to lose control	perdre le contrôle
		to avoid	éviter
		to run over sb	écraser qn
a car crash	un accident de voiture	to tow [əu]	remorquer
		a wreck	une épave
fatal	mortel	a scratch	une griffe
severely injured	gravement blessé	a bump	un choc, une bosse
killed instantly	tué sur le coup		
serious material damage	des dégâts matériels importants		

Is unlimited mileage included in the price ?	Le kilométrage illimité est-il compris dans le prix ?
Does it hold the road well ?	Est-ce-qu'elle tient bien la route ?
It's easy to handle.	Elle est facile à manoeuvrer.
He's passed his driving test.	Il a eu son permis de conduire.
She's a good driver.	Elle conduit bien.
Your car needs testing.	Ta voiture a besoin d'être révisée.
The traffic was reduced to a single lane.	La circulation était réduite sur une seule file.
They did that to ease road congestion.	Ils ont fait cela pour atténuer l'encombrement sur les routes.
They say the traffic is clear.	Ils disent que la circulation est fluide.
We've been diverted.	Nous avons été déviés.
No U-turn.	Demi-tour interdit.
He's been accused of drunken driving.	Il a été accusé de conduite en état d'ivresse.
He got a fine for not stopping at the amber light.	Il a eu une amende pour ne pas s'être arrêté au feu orange.
The penalties range from a £ 5 fine to one month's imprisonment.	Les peines varient d'une amende de £ 5 à un mois d'emprisonnement.
We very narrowly escaped death.	Nous avons échappé de justesse à la mort.
Our car broke down.	Nous avons eu une panne de voiture.
He got caught in a radar trap.	Il s'est fait piéger par un radar.
I had to get myself towed as far as the garage.	J'ai dû me faire remorquer jusqu'au garage.
What speed were you going at ?	A quelle vitesse rouliez-vous ?

THE CHANNEL TUNNEL
LE TUNNEL SOUS LA MANCHE

a scheme [ski:m], **a plan, a project**	un plan, un projet
a preliminary plan	un avant-projet
a challenge ['æ-ə]	un défi
a masterpiece	un chef d'oeuvre
a symbol	un symbole
a consortium	un consortium
to undertake	entreprendre
to dig	creuser, percer
to achieve	accomplir, réaliser
to link together	(s')unir
to connect to	relier à
to provide jobs	procurer des emplois
a builder	un constructeur
a worker	un ouvrier
an engineer [,e-i-' iə]	un ingénieur
to agree	être d'accord
to disagree	être en désaccord
to approve of	approuver
to disapprove of	désapprouver
to favour sth	être partisan de qc
to oppose	(s')opposer
to object	objecter
to reject	rejeter
to argue against	argumenter contre
to communicate	communiquer

to cooperate	coopérer
to collaborate	collaborer
to discuss sth	discuter de qc
to ply sb with questions	presser qn de questions
to complete	achever
near completion	en voie d'achèvement
the completion date	la date d'achèvement
to finish, to end	finir
to delay	retarder, ralentir
to be hampered by	être entravé par
maintenance	l'entretien
to maintain	entretenir
to repair	réparer
a ventilation shaft	un conduit d'aération
to ventilate	ventiler
the access	l'accès
a shuttle	une navette
to compete with	rivaliser avec

Work is scheduled for completion by next year.	D'après ce qui est fixé, le travail devrait être terminé l'année prochaine.
It's quite an undertaking !	Ce n'est pas une mince affaire !
Doesn't it threaten the island's defences ?	Cela ne menace-t-il pas les défenses de l'île ?
It will link up the two countries.	Il reliera les deux pays.

IN TOWN : *EN VILLE*

a town	une ville
a dormitory town	une ville dortoir
a mushroom town	une ville champignon
town life	la vie urbaine
townspeople	les citadins
town planning	l'urbanisme
a city	une grande ville
an agglomeration	une agglomération
to build	construire
a building project	un projet immobilier
to overlook	dominer
to restore	restaurer
to renovate	rénover
to reconstruct	rebâtir
to repair	réparer
to raze a building to the ground	raser un édifice
to knock down	abattre
to demolish	démolir
a main/side street	une rue principale/ secondaire
a one-way street	un sens unique
a dead-end street	un cul-de-sac
street lighting	l'éclairage des rues
a street lamp	un réverbère
to collect the rubbish	ramasser les ordures
a dustman	un éboueur
a sewer	un égout
the gutter	le caniveau
the pavement	le trottoir
the kerb	le bord du trottoir
a pedestrian crossing	un passage clouté
a pedestrian precinct	une zone piétonnière
the tourist office	le syndicat d'initiative
a map	une carte
a telephone box	une cabine téléphonique
to phone sb	téléphoner à qn
a telephone card	une carte de téléphone
a directory	un annuaire

a post office	un bureau de poste
a stamp	un timbre
a pillar box	une boîte à lettres
a museum	un musée
an exhibition hall	un hall d'exposition
a picture gallery	une galerie de peinture
a theatre	un théâtre
a cinema	un cinéma
a memorial	un mémorial
a sculpture	une sculpture
a statue	une statue
a square	une place
a fountain ['ɑu-i]	une fontaine
a swimming pool	une piscine
a skating rink	une patinoire
a tennis court	un court de tennis
a stadium	un stade
a day-care centre	une garderie
a park	un parc
green spaces	des espaces verts
to swarm with	grouiller de
the crowd	la foule
crowded	bondé
overcrowded	surpeuplé
densely populated	très peuplé
to take one's time	prendre son temps
to stroll, to wander	flâner
to hurry	se dépêcher
to rush	se précipiter
to queue (up)	faire la queue
to elbow one's way through	se frayer un passage en jouant des coudes
to tread on sb's foot	marcher sur le pied de qn
to be aggressive	être agressif

the public transport system	le système des transports en commun	traffic lights	les feux
		heavy traffic	une circulation intense
to hail a taxi	héler un taxi	congested	embouteillé
a taxi rank	une station de taxis	jammed	bloqué
a tube station	une station de métro	clogged	bouché
a bus lane	un couloir d'autobus	dense	dense
a double decker	un autobus à impériale	bumper to bumper	pare-chocs contre pare-chocs
the fare	le prix du billet	a bottleneck	un bouchon
a traffic warden	un contractuel	to trigger a jam	provoquer un embouteillage
a car park	un parking		
to park	se garer	to be caught in a traffic jam	être pris dans un embouteillage
to double park	se garer en double file	to be held up	être retardé
a parking place	une place de stationnement	to block the traffic	bloquer la circulation
a parking disk	un disque de stationnement	to reach saturation point	atteindre le point de saturation
a parking meter	un parcmètre	closed to traffic	fermé à la circulation
to back into a space	faire un créneau		
to tow away	mettre en fourrière	rush hours	les heures de pointe

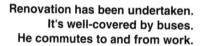

Renovation has been undertaken.	Ils ont entrepris la rénovation.
It's well-covered by buses.	C'est bien desservi par les autobus.
He commutes to and from work.	Il fait la navette entre son habitation et son lieu de travail.
You can't list all the urban ills.	On ne peut pas faire la liste de tous les maux urbains.
Life in town is so hectic !	La vie en ville est si trépidante !
All the streets are bustling with activity.	Toutes les rues grouillent d'activité.

HOUSING
LE LOGEMENT

a residential area	un quartier résidentiel
a district	un quartier
on the outskirts	dans les faubourgs
in the suburbs	dans la banlieue
the surroundings	les environs
to live next door to	habiter près de
far from home	loin de chez soi
to dwell	résider
to settle	s'installer
to move	déménager
to move in	emménager
a removal van	un camion de déménagement
a removal man	un déménageur
to have a house-warming party	pendre la crémaillère
the tenant	le locataire
to pay the rent	payer le loyer
to rent	prendre en location
the owner	le propriétaire
to hire out, to let	mettre en location

a council house	une HLM
council housing	les logements sociaux
a housing estate	une cité
a block of flats	un immeuble
a tower	une tour
a skyscraper	un gratte-ciel
on the first floor, storey	au premier étage
furnished	meublé
a lift	un ascenseur
an intercom	un interphone
a balcony	un balcon
the caretaker	le concierge

a semi-detached/ detached house	une maison jumelée/ individuelle
a row of houses	une rangée de maisons
to have a house built	faire construire une maison
to have the plans drawn	faire dessiner les plans
to design	concevoir
an estate agent	un agent immobilier
a scaffolding	un échafaudage
to dig the foundations	creuser les fondations
reinforced concrete	du béton armé
plywood	du contreplaqué
a partition	une cloison
the basement	le sous-sol
the roof	le toit
a tile [ɑi]	une tuile
a slate [ei]	une ardoise
the chimney	la cheminée
an aerial	une antenne
the front/back door	la porte de devant/ de derrière
a door handle	une poignée de porte
a lock	une serrure
to lock	fermer à clé
to bolt	verrouiller
the threshold	le seuil
a doormat	un paillasson
double-glazing	le double vitrage
a window pane	une vitre
a French window	une porte fenêtre
a shutter	un volet
a blind	un store
a step	une marche
a flight of stairs	une volée d'escaliers

a bannister	une rampe
the landing	le palier
central heating	le chauffage central
to turn up the heating	augmenter le chauffage
a radiator	un radiateur
light	la lumière
a chandelier	un lustre
a bulb	une ampoule
a plug	une prise
to plug/ to unplug	brancher/ débrancher
to turn on, to switch on	allumer
to turn off, to switch off	éteindre
to paint	peindre
to (wall) paper	tapisser
to carpet	moquetter
to furnish	meubler
the furniture	les meubles
to do odd jobs	bricoler
to drive in a nail	enfoncer un clou
a hammer	un marteau
a screw	une vis
a saw	une scie
to mend, to repair	réparer

the living room	le séjour
the sitting room, the lounge	le salon
the dining room	la salle à manger
a sofa, a settee	un canapé
a sideboard	un buffet
a shelf	une étagère
a drawer [drɔ:]	un tiroir
a bookcase	une bibliothèque
knick knacks ['niknæks]	des bibelots
a video recorder	un magnétoscope
to videotape	enregistrer au magnétoscope
a hi-fi set	une chaîne hi-fi
a fireplace	une cheminée
the study	le bureau (pièce)
a desk	un bureau (meuble)
cosy, snug	douillet
roomy	spacieux
luxurious	luxueux

the kitchen	la cuisine

an electric cooker	une cuisinière électrique
a cookery book	un livre de cuisine
a pressure cooker	une cocotte minute
a microwave oven	un four à micro ondes
a fridge	un réfrigérateur
a deep freezer	un congélateur
a dish washer	un lave vaisselle
a sink	un évier
an electric knife	un couteau électrique
a toaster	un grille pain
a tin opener	un ouvre boîtes
a bottle opener	un décapsuleur
crockery	la vaisselle
a saucepan	une casserole
a frying pan	une poêle
a kettle	une bouilloire
a cupboard	un placard
a jar	un pot/un bocal
a jug	une cruche
a bowl	un bol/un saladier
a lid	un couvercle
a tray	un plateau
a sugar basin	un sucrier
an eggcup	un coquetier
a corkscrew	un tire bouchons
handy	pratique
convenient	commode
to get the meal ready	préparer le repas
to lay the table	mettre la table
to clear the table	desservir
to do the washing-up	faire la vaisselle
to cook	cuisiner
to boil	(faire) bouillir
to steam	(faire) cuire à la vapeur
to stew	(faire) cuire en ragoût
to simmer	(faire) mijoter
to roast	(faire) rôtir
to grill	(faire) griller
to fry	(faire) frire
to bake	(faire) cuire au four
to grate	râper
to stuff	farcir
to mince	hâcher
to slice	couper en tranches
to stir	tourner
to season	assaisonner
to pour into	verser dans
to peel	peler/éplucher

a spare room	une chambre d'ami
a single/double bed	un lit d'une/de deux personne (s)
twin beds	des lits jumeaux
the bedding	la literie
the mattress	le matelas
a blanket	une couverture
a pillow	un oreiller
a pillow case	une taie d'oreiller
a fitted sheet	un drap-housse
a bedspread	un couvre lit
a continental quilt	une couette
a quilt cover	une housse de couette
a bolster	un traversin
a wardrobe	une armoire

the bathroom	la salle de bain
a bath	une baignoire

a shower	une douche
a towel	une serviette
a towel rail	un porte serviettes
a soap holder	un porte savon
a facecloth	un gant
a washbasin	un lavabo

the household chores	les travaux ménagers
to do the housework	faire le ménage
to tidy	ranger
to polish	cirer
varnish	du vernis
to scrub the floor	frotter le sol
to hoover the carpets	passer l'aspirateur sur les tapis
a Hoover	un aspirateur
a duster	un chiffon
to dust	épousseter

BODY BEAUTY
LA BEAUTE DU CORPS

a handsome man	un bel homme
well-built	bien bâti
broad-shouldered	large d'épaules
plain	ordinaire
deformed	difforme
a hunchback	un bossu
fragile-/strong-looking	qui a l'air fragile/fort
features	les traits
a freckle	une tache de rousseur
a dimple	une fossette
square-faced	au visage carré
round/bony	rond/décharné
flabby cheeks	des joues flasques
hollow cheeks	des joues creuses
cheekbones	les pommettes
the upper/lower lip	la lèvre supérieure/ inférieure
a straight/hooked nose	un nez droit/crochu
snub	retroussé
crooked	tordu

the hair	les cheveux
wavy/frizzy	ondulé/frisé
smooth/silky	lisse/soyeux
straight	raide
lank	raide et sale
thick/greasy	épais/gras
curly/bleached	bouclé/décoloré
tousled [ɑu]	ébouriffé
fair-/brown-haired	aux cheveux blonds/ châtains
hairy	chevelu
hairdressing	la coiffure
a hair style	une coiffure
to go to the hairdresser's	aller chez le coiffeur
a hair-drier	un sèche cheveux
to have one's hair set	se faire faire une mise en plis
to have a hair-cut	se faire couper les cheveux
to do one's hair	se coiffer
on the top/neck	sur le haut/cou

a plait	une tresse
a bun	un chignon
bald	chauve
to perm	permanenter
to curl	boucler, friser
curling tongs	un fer à friser
curlers	des bigoudis
to brush	brosser
to comb [kəum]	peigner
to bleach	décolorer
to dye [ɑi]	teindre
an anti-dandruff shampoo	un shampoing anti- pelliculaire
to grow a beard	se laisser pousser la barbe
bearded/beardless	barbu/imberbe
whiskers	des favoris

beauty	la beauté
a beauty parlour	un institut de beauté
beauty products	des produits de beauté
a beautician	une esthéticienne
a fine complexion	un joli teint
the texture of the skin	le grain de la peau
a pimple	un bouton
a beauty spot	un grain de beauté
to nourish	nourrir
to cleanse	nettoyer
a cleansing cream	un démaquillant
a face mask	un masque
a bust cream	une crème pour le buste
eye shadow	de l'ombre à paupières

lipstick	du rouge à lèvres	food hygiene ['ɑi-i:]	l'hygiène alimentaire
to put on make up	se maquiller	to watch one's figure	soigner sa ligne
a lotion	une lotion	a nutritionist	un nutritioniste
to wear perfume	se parfumer	a dietician	un diététicien
a bubble bath	un bain moussant	to follow sb's advice	suivre les conseils
to have a bath/	prendre un bain/		de qn
a shower	une douche	to be on a diet [ɑiə]	être au régime
to pluck one's	s'épiler les sourcils	a slimming diet	un régime
eyebrows			amaigrissant
a razor	un rasoir	dietary	diététique
to shave	se raser	to fast	jeûner
to depilate	épiler	well-balanced	bien équilibré
wax	de la cire	the ideal weight	le poids idéal
nail varnish	du vernis à ongles	to weigh oneself	se peser
to file one's nails	se limer les ongles	the weighing scales	le pèse-personne
plastic surgery	la chirurgie	to put on weight	grossir
	plastique	to lose weight	maigrir
to have a face lift	se faire faire un	a big eater	un gros mangeur
	lifting	to eat light	manger léger
a wrinkle	une ride	thin, slim	mince
bags under the eyes	des poches sous	slender	svelte
	les yeux	lean	maigre
anti-aging products	des produits contre	skinny	décharné
	le vieillissement	plump	dodu
to retard aging	retarder le	stout	costaud
	vieillissement	overweight	trop gros
to rejuvenate	rajeunir	overfed	trop bien nourri
water therapy	la thalassothérapie	a potbelly	une bedaine
an herbal bath	un bain d'herbes	a roll of fat	un bourrelet de
a steam bath	un bain de vapeur		graisse
a massage	un massage	a high cholesterol	un taux de
a spa	une station thermale	level	cholestérol élevé
to get a tan	bronzer	physical fitness	la forme physique
ultraviolet rays	les rayons ultra-	to get exercise	faire de l'exercice
	violets		

He has a repulsive look.	Il a un aspect repoussant.
He's cut his hair short.	Il s'est coupé les cheveux courts.
His hair's thinning.	Il perd ses cheveux.
He's bald at the temples.	Il a les tempes dégarnies.

She doesn't look her age.	Elle ne fait pas son âge.
She's a bag of bones !	C'est un sac d'os !
He's a weightwatcher.	Il surveille son poids.
We should eat more fibre.	Nous devrions manger davantage de fibres.
Why don't you try to reduce your fat intake ?	Pourquoi n'essaies-tu pas de réduire ta consommation de graisse ?

DRESS
L'HABILLEMENT

CLOTHING
LES VÊTEMENTS

cloth, material, fabric	du tissu
satin	du satin
cashmere ['æ-iə]	du cachemire
cotton	du coton
wool	de la laine
silk	de la soie
velvet	du velours
nylon ['ɑi-ə]	du nylon
tweed	du tweed
flannel	de la flanelle
artificial fibres	des fibres artificielles
leather	du cuir
suede	du daim
fur	de la fourrure
lace	de la dentelle
a shade	une nuance
a hue	une teinte
pastel	pastel
bright	vif
gaudy	criard

to wear clothes	porter des vêtements
to get dressed	s'habiller
to put on/to take off one's clothes	mettre/enlever ses vêtements
to undress	se déshabiller
made-to-measure	fait sur mesure
casual clothes	des vêtements décontractés
plain	simple
tight	serré, étroit
loose	ample
washable	lavable
striped	rayé
checked	à carreaux
well-dressed	bien habillé

refined	raffiné
smart, elegant	élégant
sophisticated	sophistiqué
becoming	seyant
well-cut	bien coupé
discreet	discret
sober	sobre
light	léger
suitable	approprié
neat	soigné, propre
shapeless, limp	informe
dowdy	sans chic
rumpled	fripé
creased	froissé
shabby, threadbare	râpé, usé
patched up	rapiécé

men's/women's clothes	les vêtements d'hommes/ de femmes
a blouse	un chemisier
a gathered/pleated/ straight skirt	une jupe froncée/ plissée/droite
a frock, a dress	une robe
an evening/a wedding dress	une robe de soirée/ de mariée
a nightdress	une chemise de nuit
a dressing gown	une robe de chambre
a suit	un tailleur
an apron	un tablier
a shawl	un châle
a suspender belt	un porte-jarretelles
stockings	des bas
tights	des collants
knickers, panties	une culotte
a slip	une combinaison
a bra	un soutien-gorge

flat shoes	des chaussures plates	rope-soled sandals	des espadrilles
high-heeled shoes	des chaussures à hauts talons	slippers	des pantoufles
a shirt	une chemise	the collar	le col
a single-/double-breasted jacket	un veston droit/croisé	a sleeve	une manche
a suit	un costume	a shoulder pad	une épaulette
a dinner jacket	un smoking	the lining	la doublure
a tie [ɑi]	une cravate	to line	doubler
a bow tie	un noeud papillon	a zip fastener	une fermeture éclair
a top/bowler hat	un chapeau haut de forme/melon	a hook	une agrafe
a cap	une casquette	a button	un bouton
a cuff link	un bouton de manchette	to button (up)/ to unbutton	boutonner/ déboutonner
a vest	un maillot de corps	to sew	coudre
briefs	un slip	sewing	la couture
bathing trunks	un slip de bain	a sewing machine	une machine à coudre
shorts	un short	a dressmaker, a seamstress	une couturière
faded jeans	un jean délavé	a tailor	un tailleur
corduroy trousers	un pantalon en velours côtelé	a seam	une couture
a pullover, a sweater, a jumper	un pullover	a hem	un ourlet
a cardigan	un gilet de laine	to hem	ourler
short-/long-sleeved	à manches courtes/longues	a patch	une pièce
a sweatshirt	un sweat	to patch	rapiécer
a blazer	un blazer	to darn	raccommoder
a coat	un manteau	to knit [nit]	tricoter
a raincoat, a mackintosh	un imperméable	to embroider	broder
a jogging suit	un survêtement	a stitch	un point
pyjamas	un pyjama	to alter	retoucher
a scarf	une écharpe	to shorten	raccourcir
gloves	des gants	a pattern	un patron
braces	des bretelles	a needle	une aiguille
socks	des chaussettes	thread	du fil
a bathing suit/costume	un maillot de bain	a thimble	un dé à coudre
a handkerchief	un mouchoir	a pin	une épingle
boots	des bottes	to dry	(faire) sécher
		to iron ['ɑiən], to press	repasser
		a stain remover	un détachant
		the laundry basket	le panier à linge

It fits you.	Cela te va bien (la taille).
It suits you.	Cela te va bien (la couleur).
It fits you like a glove !	Cela te va comme un gant !
He's always dressed up to the nines !	Il est toujours sur son 31 !
I can't afford that dress !	Je ne peux pas me payer cette robe !

Your shoes don't match your skirt.	Tes chaussures ne sont pas assorties à ta jupe.
It would look gorgeous with the shirt to match !	Ce serait super avec la chemise assortie !
He was in his shirt-sleeves.	Il était en bras de chemise.
This sweater has worn at the elbows.	Ce pull est usé aux coudes.
It would be better with the collar turned up.	Ce serait mieux avec le col relevé.
He can't even knot his tie himself !	Il ne sait même pas faire son noeud de cravate tout seul !
The sizes range from ... to ...	Les tailles vont du ... au ...

JEWELLERY : *LES BIJOUX*

a jeweller	un bijoutier	a real pearl	une perle fine
fashion jewellery	les bijoux fantaisie	cultured pearls	des perles de culture
earrings	des boucles d'oreilles	genuine	authentique
a necklace	un collier	set with precious stones	serti de pierres précieuses
a chain	une chaîne	a diamond ['aɪə-ə]	un diamant
a wedding ring	une alliance	a ruby	un rubis
an engagement ring	une bague de fiançailles	an amethyst	une améthyste
a watch	une montre	a sapphire ['æ-aɪə]	un saphir
a brooch	une broche	an emerald	une émeraude

FASHION : *LA MODE*

a fashion designer	un grand couturier	fashionable, trendy	à la mode
a fashion house/show	une maison/ une présentation de mode	old-fashioned, out-of-date	démodé
a dress designer	un dessinateur de mode	a model	un mannequin
		ready-made clothes	le prêt-à-porter
		to entice, to lure	allécher

It's the latest fashion.	C'est la dernière mode.
Paris remains the fashion capital.	Paris reste la capitale de la mode.
The summer ready-to-wear collections are great.	Les collections de prêt-à-porter de l'été sont magnifiques.
Here is the temple of haute couture.	Voici le temple de la haute couture.
All our clothes are made in top-quality fabrics.	Tous nos vêtements sont réalisés en tissu de première qualité.
He's just launched his new line.	Il vient de lancer sa nouvelle collection.

FEELINGS, QUALITIES AND SHORTCOMINGS
LES SENTIMENTS, LES QUALITES ET LES DEFAUTS

joy	la joie
to jump/to weep for joy	sauter/pleurer de joie
mirth	la gaieté
glee	la joie, l'allégresse
merry	gai, joyeux
cheerful	gai, plein d'entrain
pleased with	content de
pleasure	le plaisir
contented with, satisfied with	satisfait de
satisfaction	la satisfaction
excited	agité, énervé
exciting	passionnant
to my delight	pour mon plus grand plaisir
delighted	enchanté
beaming	radieux
to beam with joy	rayonner de joie
happiness	le bonheur
an optimist	un optimiste
to be optimistic	être optimiste
to be overwhelmed with joy	être au comble de la joie
to be as pleased as Punch	être aux anges
to be in a good mood, to be in high spirits	être de bonne humeur
to revel in (+ing)	prendre grand plaisir à faire qc
to smile at	sourire à
to grin at	faire un grand sourire à

to roar with laughter	rire à gorge déployée
to burst out laughing	éclater de rire
to shake with, to be convulsed with laughter	se tordre de rire
to choke with laughter	suffoquer de rire
to have an uncontrollable fit of laughter	avoir un fou rire
to giggle	rire nerveusement
a joke	une plaisanterie
to joke	plaisanter
to laugh at, to jeer at, to make fun of	se moquer de
to sneer at	se moquer de (méprisant)
to be the laughing stock of	être la risée de
sarcastic	sarcastique

I did it for the fun of it.	Je l'ai fait pour m'amuser.
She looks happy.	Elle a l'air heureuse.
Don't make me laugh !	Ne me fais pas rire !
He who laughs last laughs longest.	Rira bien qui rira le dernier.

sorrow	la peine, le chagrin	to heave a sigh	pousser un soupir
to die of grief	mourir de chagrin	to be pessimistic	être pessimiste
to grieve at sth	avoir du chagrin à cause de qc	a pessimist	un pessimiste
		to be upset	être bouleversé
to grieve for sb	pleurer qn	to be out of sorts	ne pas être dans son assiette
sadness	la tristesse		
to be saddened by	être attristé par	peevish	maussade
to be close to, on the verge of tears	être au bord des larmes	gloomy	triste, mélancolique
		sulky, sullen	boudeur, maussade
crocodile tears	des larmes de crocodile	to feel blue	broyer du noir
		downcast, dispirited	abattu, découragé
to weep bitterly	pleurer à chaudes larmes	dejected, depressed	déprimé
		to feel depressed	avoir le cafard
to sob	sangloter	to have a nervous breakdown	faire une dépression nerveuse
to wail	gémir		
to whimper	pleurnicher	to live on one's nerves	vivre sur les nerfs
to whine about	se lamenter sur	a bundle of nerves	un paquet de nerfs
to complain about	se plaindre de		

She had a good cry.	Elle a pleuré un bon coup.
He's easily depressed.	Un rien l'abat.
He gets on my nerves !	Il m'énerve !
She was wringing her hands in despair.	Elle se tordait les mains de désespoir.

anger	la colère	to infuriate	rendre furieux
to be angry with, to be cross with	être en colère contre	to frown	froncer les sourcils
		to foam at the mouth	écumer de rage
in a fit of anger, temper	dans un accès de colère	to glare at	lancer un regard furieux à
in great anger	courroucé	to lose one's self-control	perdre son sang-froid
wrath [ɔ]	le courroux		
to be in a fury	être dans une colère folle	to be in a bad mood, temper	être de mauvaise humeur
to give vent to one's rage	donner libre cours à sa colère	to have a nasty temper	avoir sale caractère
to fly into a rage	se mettre en rage	to take offence at	se vexer de
to lose one's temper	se mettre en colère	to be as cool as a cucumber	garder son sang-froid
to be furious	être furieux		
to flare up	s'emporter		

Keep cool !	Du calme !
He has a quick temper.	Il est soupe au lait.
I am not in a mood for joking !	Je ne suis pas d'humeur à plaisanter !
It depends on his mood !	Cela dépend de son humeur !

fear	la peur	to be aghast at	être attérré de
to fear	avoir peur de	to be scared stiff	avoir une peur bleue
a fright	une frayeur	to be appalled	être épouvanté
to dread (+ing)	redouter	to be terrified	être terrorisé
terror	la terreur	to shudder	frissonner
to be fear/	être frappé de peur/	frightening, fearful	effrayant
panic-stricken	de panique	terrifying	terrifiant
to be afraid of,	avoir peur de	appalling	épouvantable
frightened of		formidable	redoutable

We escaped by the skin of our teeth !	On l'a échappé belle !
It made my flesh creep.	Cela m'a donné la chair de poule.
It made my hair stand on end !	Cela m'a fait dresser les cheveux sur la tête.

to take by surprise	prendre par surprise	stunned by, amazed at	stupéfait de
surprised	surpris	astonished	stupéfait
surprising	surprenant	dismayed	consterné
dumbfounded	ahuri	astounded	abasourdi
[dʌm' faundid]		flabbergasted	époustouflé

QUALITIES AND SHORTCOMINGS
LES QUALITES ET LES DEFAUTS

accurate	précis	efficiency	l'efficacité
accuracy	la précision	energetic	énergique
ambitious	ambitieux	energy	l'énergie
ambition	l'ambition	experienced	expérimenté
brave	courageux, brave	experience	l'expérience
bravery	la bravoure	faithful	fidèle
calm	calme	faithfulness	la fidélité
careful	soigneux	frank	franc
carefulness	le soin, l'attention	generous	généreux
cautious	prudent	generosity	la générosité
cautiousness	la prudence	gifted	doué
charitable	charitable	hard working	travailleur
charity	la charité	helpful	serviable
complacent	content de soi	honest	honnête
complacency	la suffisance	honesty	l'honnêteté
conscientious	consciencieux	humane	humain
courageous	courageux	humble	humble
courage	le courage	humility	l'humilité
daring	audacieux	imaginative	imaginatif
dignified	digne	imagination	l'imagination
dignity	la dignité	industrious	travailleur
efficient	efficace	innocent	innocent

innocence	l'innocence	cowardly	lâche
intuitive	intuitif	cowardice	la lâcheté
kind	bon	cruel	cruel
kindness	la bonté	cruelty	la cruauté
modest	modeste	disdainful	dédaigneux
modesty	la modestie	disdain	le dédain
painstaking	appliqué, assidu	dishonest	malhonnête
patient	patient	disobedient	désobéissant
patience	la patience	disobedience	la désobéissance
polite	poli	envious	envieux
politeness	la politesse	envy	l'envie
punctual	ponctuel	greedy	gourmand
punctuality	la ponctualité	greed	l'avidité
reliable [i-'aiə-ə]	digne de confiance	greediness	la gourmandise
sensible	raisonnable, sensé	harmful	malfaisant
sensitive	sensible	haughty	hautain
sensitiveness	la sensibilité	heartless	dur, cruel
sincere	sincère	hypocritical	hypocrite
sincerity	la sincérité	hypocrisy	l'hypocrisie
skilful	adroit	idle	oisif
skill	l'adresse	idleness	l'oisiveté
studious	studieux	impolite	impoli
sympathetic	compatissant	inquisitive	curieux
tactful	délicat	insolent	insolent
tenacious	tenace	insolence	l'insolence
tenacity	la ténacité	jealous	jaloux
tolerant	tolérant	jealousy	la jalousie
tolerance	la tolérance	lazy	paresseux
trustworthy	digne de confiance	laziness	la paresse
understanding	compréhensif	malicious	méchant
unobtrusive	discret, effacé	malice	la méchanceté
wise	sage	mischievous	espiègle
wisdom	la sagesse	mischievousness	l'espièglerie
		miserly	avare
		a miser	un avare
absent-minded	étourdi	moody	lunatique
arrogant	arrogant	narrow-minded	borné
arrogance	l'arrogance	naughty	méchant
authoritative	autoritaire	noisy	bruyant
authority	l'autorité	proud	fier
boastful	vantard	pride	la fierté
boisterous	turbulent, tapageur	self-centred	égocentrique
bold	intrépide, effronté	selfish	égoïste
boldness	l'audace	selfishness	l'égoïsme
bossy	autoritaire	shy	timide
brutal	brutal	shyness	la timidité
brutality	la brutalité	silly	stupide
careless	insouciant	sly	rusé, sournois
carelessness	l'insouciance	stubborn	têtu
cheeky	effronté	stubbornness	l'entêtement
clumsy	gauche, maladroit	stupid	bête
clumsiness	la maladresse	supercilious	hautain
contemptuous	méprisant	touchy	susceptible
contempt	le mépris	vain	vaniteux

FROM LOVE TO HATRED
DE L'AMOUR A LA HAINE

Voir également "Feelings, qualities and shortcomings"

a bachelor	un célibataire
an old bachelor	un vieux garçon
a spinster	une vieille fille
to live alone	vivre seul
unmarried, single	célibataire
celibacy	le célibat
a platonic love	un amour platonique
love at first sight	un coup de foudre
a love affair	une liaison amoureuse
a love story	une histoire d'amour
a boyfriend/a girlfriend	un(e) petit(e) ami(e)
a lover	un amant, un amoureux
to conceal/to show one's feelings	cacher/montrer ses sentiments
to appreciate sb's presence	apprécier la présence de qn
to enjoy sb's company	apprécier la compagnie de qn
to get on well with	bien s'entendre avec
to feel well with	se sentir bien avec
to fall in love with	tomber amoureux de
to be in love with	être amoureux de
to share sb's feelings	partager les sentiments de qn
to adore, to worship	adorer
to dote on	être fou de
to woo, to court	courtiser
to love to distraction	aimer à la folie
to be infatuated with	être entiché de
to yearn for	languir après
to long to do sth	avoir très envie de faire qc
to care for	avoir des sentiments pour
to be very close to	être très près de
to fondle	caresser
to cuddle	caresser, bercer

to hug	étreindre
to kiss	embrasser
to take on one's lap	prendre sur ses genoux
to make love	faire l'amour
to know each other well	bien se connaître
to live together	vivre ensemble
to have the same tastes	avoir les mêmes goûts
to be different from	être différent de
to be used to (+ing)	avoir l'habitude de
to show understanding	faire preuve de compréhension
to be tender-hearted	avoir le coeur tendre
a mutual attraction	une attraction mutuelle
desire [i-'αiə]	le désir
chastity	la chasteté
passionate	passionné
faithful	fidèle
romantic	romantique
sentimental	sentimental
attractive	séduisant
endearing [i-'iə-i]	attachant
enticing [i-'αi-i]	attrayant
loving	aimant
caring	affectueux
understanding	compréhensif
tolerant	tolérant

He was desperately in love with her.	Il était éperdument amoureux d'elle.		
Love is blind.	L'amour est aveugle.		
They've been lovers for six months.	Leur liaison dure depuis six mois.		
Out of sight out of mind.	Loin des yeux loin du coeur.		

FROM MARRIAGE TO DIVORCE
DU MARIAGE AU DIVORCE

to get engaged	se fiancer	**the daily routine**	la routine
to be engaged	être fiancé		quotidienne
an engagement ring	une bague de	**boring**	ennuyeux
	fiançailles	**monotonous**	monotone
a proposal of	une demande en	**to lack freedom**	manquer de liberté
marriage	mariage	**to doubt** [daut]	douter
to propose to sb	demander qn en	**to have suspicions**	avoir des soupçons
	mariage	**suspicious**	soupçonneux
to get married	se marier	**to suspect**	soupçonner
to marry sb	épouser qn	**to confide in, to trust**	avoir confiance en
to marry for love	faire un mariage	**to mistrust**	se méfier de
	d'amour	**to put up with**	supporter
to marry for money	faire un mariage	**to have enough of**	en avoir assez de
	d'argent	**to grow tired of**	se lasser de
marriage bonds	les liens conjugaux	**to be fed up with**	en avoir marre de
conjugal love	l'amour conjugal	**to get bored**	s'ennuyer
husband and wife	mari et femme	**to have an argument**	se disputer avec
the newly married	les nouveaux mariés	**with**	
couple		**a quarrel**	une querelle
the wedding ceremony	la cérémonie du	**to have a row** [au]	avoir une dispute
	mariage	**with**	avec
a wedding ring	une alliance	**to be resentful about**	être irrité de
a wedding dress	une robe de mariée	**a conflict**	un conflit
a wedding present	un cadeau de	**to get angry**	se mettre en colère
	mariage	**to reproach sb**	reprocher qc à qn
a wedding anniversary	un anniversaire de	**with sth**	
	mariage	**to criticize**	critiquer
the bride	la mariée	**jealousy**	la jalousie
the bridegroom	le marié	**jealous**	jaloux
the bridesmaid	la demoiselle	**to deceive**	tromper
	d'honneur	**to commit adultery**	commettre un
the pageboy	le garçon d'honneur		adultère
the best man	le témoin	**to elope with a lover**	s'enfuir avec un
to sign	signer		amant
in-laws	les beaux-parents	**unfaithful**	infidèle
to go on a honeymoon	partir en voyage	**to bear sb a grudge**	en vouloir à qn
	de noces	**to turn pale**	pâlir
to believe in	croire en	**to revenge oneself**	se venger de qn
to start a family	fonder un foyer	**on sb**	
		to lose one's illusions	perdre ses illusions

to forgive	pardonner	to live apart	vivre séparés
to apologize [ə-'ɔ-ə-ɑi]	s'excuser	an estranged couple	des époux séparés
to regret, to be sorry for	regretter	a broken home	un foyer désuni
		to hate, to detest	détester
remorse	le remords	to loathe	haïr
to become reconciled	se réconcilier	to pay alimony	payer une pension alimentaire
		custodianship	le droit de garde des enfants
to divorce sb	divorcer d'avec qn		
to be divorced	être divorcé	to grant/to deny custody of a child	accorder/refuser la garde d'un enfant
to end up in divorce	finir par un divorce	to regain custody of	recouvrer la garde de
by mutual agreement	par consentement mutuel	a guardian	un tuteur
to part from	se séparer de		
to split up	se séparer		

She's broken off her engagement.	Elle a rompu ses fiançailles.
The wedding is to take place next month.	Le mariage doit avoir lieu le mois prochain.
We've been happily married for twenty years.	Nous sommes mariés et heureux depuis vingt ans.
He's henpecked.	C'est elle qui porte la culotte.
Their marriage is breaking up.	Leur mariage est en train de se briser.
She is estranged from her husband.	Elle est séparée de son mari.
She's well provided for.	Elle est à l'abri du besoin.
After her divorce, she was given custody of her daughter.	Après son divorce, on lui a donné la garde de sa fille.
It always leaves the child caught in the crossfire.	Cela laisse toujours l'enfant pris entre deux feux.

THE START OF LIFE
LE DEBUT DE LA VIE

CONTRACEPTION AND STERILITY
LA CONTRACEPTION ET LA STERILITE

a contraceptive	un contraceptif
to be on the pill	prendre la pilule
a condom, a sheath	un préservatif
a diaphragm	un diaphragme
['daɪəfræm]	
a coil	un stérilet
reliable [i-'aɪə-ə]	fiable
side effects	les effets secondaires
to menstruate, to have one's period (s)	avoir ses règles
birth control	le contrôle des naissances
sterile ['e-aɪ]	stérile
childless	sans enfant
to have blocked fallopian tubes	avoir les trompes de Fallope bouchées
to desire [i-'aɪə]	désirer
to long for, to crave for a baby	désirer ardemment un bébé
a treatment	un traitement
genetics	la génétique
a genetic link/pattern	un lien/modèle génétique
a genetic accident	un accident génétique
a gene [i :]	un gène
a cell	une cellule
an ovule	un ovule
a spermatozoon	un spermatozoïde

a new device	un nouveau moyen
a foetus	un foetus
an embryo ['e-iəu]	un embryon
artificial insemination	l'insémination artificielle
to inseminate	inséminer
a test tube	une éprouvette
a test-tube baby	un bébé éprouvette
to transplant	transplanter
to be implanted in the uterus	être implanté dans l'utérus
to multiply	(se) multiplier
to conceive	concevoir
to be fertilized by	être fécondé par
to select donors	sélectionner des donneurs
to use the semen of	utiliser la semence de
anonymous	anonyme
a sperm bank	une banque de sperme
to store	conserver
to freeze	congeler
a virgin	une vierge
biological parents	les parents biologiques
a surrogate mother	une mère porteuse
the success rate	le taux de réussite

Laws have made birth control easier. / Les lois ont facilité le contrôle des naissances.
If they conceive without meaning to, it will be dangerous. / Si elles conçoivent sans le vouloir, ce sera dangereux.
They've discovered an implant which stops conception for five years. / Ils ont découvert un implant qui bloque la conception pendant cinq ans.

It's a finding that raises hopes.	C'est une découverte qui fait naître des espoirs.		
Ethical and legal problems will surface.	Des problèmes éthiques et légaux feront surface.		
She's been artificially inseminated. She's had a child through artificial insemination.	Elle a été inséminée artificiellement. Elle a eu un enfant par insémination artificielle.		
Infertile women are implanted with embryos conceived in a laboratory.	On implante des embryons conçus en laboratoire dans l'utérus des femmes stériles.		
They feel some claims to the child.	Elles sentent qu'elles ont des droits sur l'enfant.		

■ ADOPTION : *L'ADOPTION*

to adopt	adopter	to take back	reprendre
to foster with	placer chez	an orphanage	un orphelinat
foster parents	les parents nourriciers	to be left an orphan	devenir orphelin
		to abandon	abandonner
legal	légal	a birth certificate	un certificat de naissance
an unwed mother	une mère célibataire		
a guardian	un tuteur	an identity crisis	une crise d'identité
a social worker	une assistante sociale		

The experiences I've gone through have been very hard.	Les épreuves que j'ai subies ont été très difficiles.
He has parental rights over the child.	Il a la tutelle de l'enfant.

■ PREGNANCY AND CHILDBIRTH
LA GROSSESSE ET LA NAISSANCE

to be pregnant	être enceinte	an obstetrician	un accoucheur
the birth rate	le taux de natalité	a midwife	une sage femme
to be expecting a baby	attendre un bébé	the delivery room	la salle d'accouchement
the discomforts of pregnancy	les gênes de la grossesse	to deliver sb	accoucher qn
to be sick	avoir des nausées	to give birth to	donner naissance à
childbirth classes	des cours d'accouchement sans douleur	a premature birth	un accouchement avant terme
		to procreate	procréer
a maternity ward	une maternité	motherhood	la maternité

the umbilical cord	le cordon ombilical	a teddy bear	un nounours
gynecological problems	des problèmes gynécologiques	a toy	un jouet
a miscarriage	une fausse couche	infancy	la petite enfance
to be born healthy	être né en bonne santé	childhood	l'enfance
a stillborn child	un enfant mort-né	a toddler	un bambin
a congenital defect	un défaut congénital	to toddle	faire ses premiers pas
an incubator	une couveuse	to look after	s'occuper de
hereditary	héréditaire	to take care of	prendre soin de
a newly-born infant	un nouveau-né	to mother	materner
a burp	un rot	motherly	maternel
to breast-feed	allaiter au sein	to pet	câliner
to bottle-feed	allaiter au biberon	to hug	étreindre
a feeding bottle	un biberon	caring	aimant
to change diapers ['aɪə-ə]	changer des couches	loving, affectionate	affectueux
a cradle	un berceau	the joys of parenthood	les joies d'être papa ou maman
a pram	un landau	to have a parental leave	avoir un congé parental

The family rate in Europe has dropped dramatically.
Le taux des naissances en Europe a baissé de façon dramatique.
She's expecting.
Elle attend un bébé.
Her baby is due in March.
Elle va accoucher en mars.
Having a baby is a bond that links husband and wife for ever.
Avoir un bébé est un lien qui unit mari et femme pour toujours.

◼ ABORTION : *L'AVORTEMENT*

to have an abortion	se faire avorter	the infant-mortality rate	le taux de mortalité infantile
to opt for	opter pour	the pro-life movement	le mouvement contre l'avortement
to have the choice	avoir le choix		
to restrict	restreindre	to be pro-life	être contre l'avortement
to outlaw	proscrire		
to ban	interdire	a prolifer	un adversaire de l'avortement
to resort to	avoir recours à		
to legalize	légaliser		
to terminate a pregnancy	mettre fin à une grossesse	the right to life	le droit à la vie
to endanger the mother's life	mettre la vie de la mère en danger	an anti-abortion law	une loi contre l'avortement
to rape	violer	an abortion-rights activist	un militant pour l'avortement
a rapist	un violeur	to be in favour of	être partisan de
to disapprove of	désapprouver	an ethical dilemma [aɪ-'e-ə]	un dilemme moral
the population-growth rate	le taux d'accroissement de la population		

I hope freedom of choice will prevail. — J'espère que la liberté de choix l'emportera.
Don't you think they should limit abortion to rape cases ? — Ne pensez-vous pas qu'ils devraient limiter l'avortement aux cas de viol ?
Most of those women are faced with unwanted pregnancies. — La plupart de ces femmes doivent faire face à des grossesses non désirées.
The church has been at loggerheads with scientific research for years. — L'église et la recherche scientifique sont à couteaux tirés depuis des années.

PARENTAL RELATIONSHIP
LES RELATIONS PARENTALES

to grow up	grandir
a grown-up, an adult	un adulte
a christening	un baptême
to christen, to baptize	baptiser
family life	la vie de famille
a member of the family	un membre de la famille
the offspring	la progéniture
a son/a daughter	un fils/une fille
the godfather/ the godmother	le parrain/ la marraine
twins	des jumeaux
to raise, to bring up a child	élever un enfant
a possessive mother	une mère possessive
weak	faible
lenient	indulgent
to yield to	céder à
permissive	laxiste
to spoil	gâter
rotten	pourri
tolerant	tolérant
to indulge sb's whims	céder aux caprices de qn
to allow, to permit	permettre
to give sb permission to	donner à qn la permission de
to let sb do sth	laisser qn faire qc
to reward	récompenser
authority	l'autorité
authoritative, overbearing	autoritaire
strict/severe	strict/sévère
demanding	exigeant
excessive	excessif
to forbid	interdire
to scold	gronder
to be told off	se faire disputer
to accuse of	accuser de
to reproach sb for sth	reprocher qc à qn
to compel, to oblige sb to do sth	obliger qn à faire qc
to threaten	menacer
to punish	punir
to smack sb's face	gifler
to beat	battre
to abuse	maltraiter
to bully	brutaliser
to confide in	se confier à
to respect	respecter
to obey/to disobey	obéir/désobéir
obedient/disobedient	obéissant/ désobéissant
a problem child	un enfant à problèmes
the generation gap	le conflit des générations
the awkward age	l'âge ingrat
frustrated	frustré
non-conformist	non-conformiste
to conform to	se conformer à
to sulk	bouder
to quarrel with	se disputer avec
to rebel against	se rebeller contre
to stand up to	tenir tête à
to reject the values of	rejeter les valeurs de
to have a strained relationship with	avoir des relations tendues avec
a crisis	une crise
to identify with	s'identifier à
to be tempted by	être tenté par
to show off	crâner

75

ILLNESS : *LA MALADIE*

to be in good/ bad health	être en bonne/ mauvaise santé
health insurance	l'assurance maladie
the National Health Service	la Sécurité Sociale
the Welfare State	l'Etat Providence
sickness benefits	les prestations d'assurance maladie
on sick leave	en congé maladie
to provide free medical care	assurer des soins médicaux gratuits
medical progress	les progrès de la médecine
to seek medical help	chercher une aide médicale
a check-up	un bilan de santé
to take preventive measures	prendre des mesures préventives
to call in a doctor	appeler un docteur
to send for the doctor	envoyer chercher le docteur
on/off duty	de garde/ pas de garde
a surgery	un cabinet médical
the surgery hours	les heures de consultation
a Health Service doctor	un docteur conventionné
a General Practitioner (GP)	un généraliste
the family doctor	le docteur de famille
a pediatrician	un pédiatre
a dermatologist	un dermatologue
a gynaecologist	un gynécologue
a neurologist	un neurologue
an ophtalmologist	un ophtalmologue
an acupuncturist	un acuponcteur
an homeopath	un homéopathe
a heart specialist	un cardiologue
a cancer specialist	un cancérologue
to take sb's blood pressure	prendre la tension de qn
to feel the pulse	tâter le pouls
to sound the chest	ausculter
to diagnose [ɑiə-'əu]	diagnostiquer
a prescription	une ordonnance
a blood test	une analyse de sang
a blood group	un groupe sanguin
a sample	un prélèvement
an intravenous injection	une intraveineuse
to advise hospitalization	conseiller l'hospitalisation
to be admitted to hospital	être hospitalisé
a health centre	un centre médical
a private hospital	une clinique
a ward [ɔ :]	une salle d'hôpital
an emergency	une urgence
first aid	les premiers soins
a stretcher	un brancard
a nurse	un infirmier
the nursing staff	le personnel soignant
to be understaffed	être à court de personnel
a nursing auxiliary	une aide soignante
to catch a disease	attraper une maladie
fatal	mortel
to fall ill	tomber malade
to have a relapse	faire une rechute
a microbe ['ɑi-əu]	un microbe
a virus ['ɑiə-ə]	un virus
an epidemic [,e-i-'e-i]	une épidémie
to be triggered by	être déclenché par
immune from	immunisé contre
a vaccine ['æ-i:]	un vaccin
to vaccinate	vacciner
to be laid up	être alité
to be bedridden	être cloué au lit
to be paralyzed	être paralysé
to have palpitations	avoir des palpitations
to feel giddy	avoir des vertiges
to faint	s'évanouir

to feel feverish	se sentir fiévreux
a bout of fever	un accès de fièvre
to have a temperature	avoir de la
['e-i-ə]	température
hot flashes	des bouffées de
	chaleur
an upset stomach	un estomac dérangé
to feel sick	avoir des nausées
to vomit	vomir
to have one's nose	avoir le nez qui
running	coule
a stuffed nose	un nez bouché
to blow one's nose	se moucher
to cough [kʌf]	tousser
to sneeze	éternuer
to sniff	renifler
to catch a cold	attraper froid
a sore throat	mal à la gorge
to be hoarse	être enroué
inflamed	enflammé
to have a headache/	avoir mal à la tête/
a stomachache	au ventre
['ʌ-ə-'eik]	
a wart	une verrue
a boil	un furoncle
a cyst	un kyste
a blister	une ampoule
a tumour	une tumeur
a swelling	une grosseur
to itch	démanger
a cramp	une crampe
an allergy	une allergie
an outbreak of	une poussée de
pimples	boutons
a stitch	un point de côté/
	de suture
measles	la rougeole
German measles	la rubéole
scarlet fever	la scarlatine
chicken pox	la varicelle
smallpox	la variole
whooping cough [kʌf]	la coqueluche
leukaemia	la leucémie
[iu:-' i:-iə]	
meningitis	la méningite
[,e-i-'ai-i]	
to get bronchitis	faire une bronchite
[ɔ-'ai-i]	
an intestinal flu	une grippe
	intestinale
appendicitis	l'appendicite
[ə-,e-i-'ai-i]	
a stroke of apoplexy	une attaque
	d'apoplexie

clogged arteries	des artères
	bouchées
vascular diseases	les maladies
	vasculaires
an ear infection	une otite
diarrhea [aiə-'i:ə]	la diarrhée
constipation	la constipation
to suffer from	souffrir
hypertension	d'hypertension
a skin disease	une maladie de
	peau
a venereal disease	une maladie
(VD)	vénérienne
breast cancer	le cancer du sein
side effects	les effets
	secondaires
chemotherapy	la chimiothérapie
[,keməu'θerəpi]	

an injury	une blessure
to be injured	être blessé
to have a leg in	avoir une jambe
plaster	dans le plâtre
in a sling	en écharpe
to twist one's ankle	se fouler/se tordre
	la cheville
a sprain	une entorse
out-of joint	déboîté
to limp	boiter
to be handicapped	être handicapé
crippled	infirme
a wheelchair	un fauteuil roulant

the surgical wing	le bloc opératoire
the surgical shock	le choc opératoire
the operating theatre	la salle d'opération
a surgeon	un chirurgien
to undergo an	subir une opération
operation	
to perform an	opérer qn
operation on sb	
to be operated on for	être opéré de
open-heart surgery	une opération à
	coeur ouvert
to transplant an organ	greffer un organe
to lessen the risks of	diminuer les risques
rejection	de rejet
a donor	un donneur
to anaesthetize	anesthésier
[æ'-i-i-ai]	
an anaesthetist	un anesthésiste
to make an incision	faire une incision

to stitch up	recoudre	to take drugs	prendre des médicaments
to put stitches in a wound	suturer une plaie	antibiotics ['æ-i-ɑi'ɔ-i]	des antibiotiques
to dress a wound	panser une plaie	nose drops	des gouttes pour le nez
to spread	se propager		
to destroy cells	détruire des cellules	a disinfectant	un désinfectant
to amputate	amputer	a cotton swab	un tampon de coton
to be drip-fed	être alimenté par perfusion	cotton wool	de l'ouate
		a bandage ['æ-i]	un bandage
an oxygen mask	un masque à oxygène	gauze	de la gaze
		a sticking plaster	un sparadrap
to inoculate	inoculer	to tend a patient	soigner un malade
painful	douloureux	to keep alive	maintenir en vie
to writhe with pain	se tordre de douleur	to relieve	soulager
a throbbing pain	une douleur lancinante	to ease	atténuer
		to soothe	calmer
excruciating	atroce	to slow the course of an illness	ralentir le cours d'une maladie
bearable	supportable		
curable/incurable	curable/incurable	to get better	aller mieux
catching, contagious	contagieux	to gain strength	gagner des forces
		to improve	(s') améliorer
		to recover from	se remettre de
a treatment	un traitement	to survive	survivre
a remedy	un remède	to prove effective	s'avérer efficace
a painkiller	un analgésique	to worsen	s'aggraver
a sleeping pill	un somnifère	to weaken	(s') affaiblir
syrup	du sirop	to cure, to heal	guérir

You look the picture of health !	Tu respires la santé !
I have a pain in my back.	J'ai mal au dos.
It hurts !	Ca fait mal !
She's poorly at the moment.	Elle est souffrante en ce moment.
You'll catch your death of cold !	Tu vas attraper la mort par ce froid !
He's physically impaired by bad health.	Il est physiquement diminué à cause d'une mauvaise santé.
He's at death's door.	Il est à l'article de la mort.
I am immunized against that disease.	Je suis immunisé contre cette maladie.
His face was scarred by smallpox.	Son visage était marqué par la petite vérole.
He's had two heart attacks.	Il a fait deux infarctus.
Don't exceed the dose !	Ne dépassez pas la dose !
She's put her knee out of joint.	Elle s'est démis le genou.
Do you know when his surgery is ?	Connais-tu ses heures de consultation ?
These patients need round-the-clock attention.	Ces malades requièrent des soins 24 heures sur 24.
This disease claims more lives than you think.	Cette maladie coûte plus de vies que vous ne l'imaginez.
She's waiting for a kidney transplant.	Elle attend la transplantation d'un rein.
He's just had a pacemaker installed.	Il vient de se faire placer un stimulateur cardiaque.

DEPRESSION AND MENTAL ILLNESS
LA DEPRESSION ET LA MALADIE MENTALE

nervous stress	la tension nerveuse
to suffer from mild stress	souffrir d'un léger stress
to be under stress	être stressé
a nervous breakdown	une dépression nerveuse
depressed	déprimé
to despair	désespérer
to feel blue, to brood	broyer du noir
prone to depression	enclin à la dépression
an obsession	une obsession
a neuvrosis	une névrose
a psychosis [sai'kəusis]	une psychose
anxious	angoissé
fatigue	la fatigue
insomnia	l'insomnie
overwork	le surmenage
boredom	l'ennui
to get bored	s'ennuyer
irritable	irritable
sleep disturbances	des troubles du sommeil
hysterical sobs	des sanglots convulsifs
memory losses	des pertes de mémoire
a failing memory	une mémoire défaillante
behavioural problems	des troubles du comportement
personality disorders	des désordres de la personnalité
emotional problems	des problèmes d'ordre émotionnel

a psychiatrist [sai'kaiətrist]	un psychiatre
psychiatry	la psychiatrie
psyche ['saiki]	le psychisme
psychological problems [,saikə'lɔdʒikəl]	des problèmes psychologiques
to psychoanalyze [,saikəu'ænəlaiz]	psychanalyser
the couch	le divan
the ego	le moi
group therapy	la thérapie de groupe
to focus on	se concentrer sur
the Oedipus ['i:-i-ə] complex	le complexe d'Oedipe
to interpret dreams	interpréter des rêves
the unconscious	l'inconscient
the subconscious	le subconscient

lunacy, madness	la folie
a lunatic, a maniac	un fou
a lunatic asylum [ə-'ai-ə]	un asile de fous
a mental hospital	un hôpital psychiatrique
to suffer from a mental illness	souffrir d'une maladie mentale
mad	fou, dément
a straitjacket	une camisole de force
to intern	interner
hysterical	hystérique
to have hallucinations	avoir des hallucinations

She can't put up with the stresses and strains of modern life.	Elle ne peut supporter les pressions et tensions de la vie moderne.
She suffers from regular bouts of depression.	Elle souffre régulièrement d'accès de dépression.
The suicide rate has increased dramatically.	Le taux de suicide a augmenté de façon dramatique.
Dreams harbour forbidden thoughts.	Les rêves abritent des pensées interdites.

FROM LIFE TO DEATH
DE LA VIE A LA MORT

Voir également "The start of life"

THE ORIGIN OF LIFE
L'ORIGINE DE LA VIE

anthropology	l'anthropologie
an anthropologist	un anthropologue
a primitive form of life	une forme de vie primitive
the roots of mankind	les racines de l'humanité
creation	la création
to create	créer
fundamentalism	le fondamentalisme
the fundamentalists	les fondamentalistes
Darwinism	le Darwinisme
evolution	l'évolution
natural selection	la sélection naturelle
scientific data	les données scientifiques
to support a doctrine	appuyer une doctrine
to believe in	croire en
to prove	prouver
a proof	une preuve
to show evidence of	offrir des signes de
to doubt [daut]	douter
to rely on sth	se fier à qc
to trust	se fier à
the generally accepted view	l'opinion généralement répandue
a landmark	un événement marquant
a digging team	une équipe qui fait des fouilles
a discovery	une découverte
to discover	découvrir
a major find	une découverte exceptionnelle

to unearth	déterrer
to spot	repérer
well-preserved	bien conservé
invaluable	inestimable
genuine, authentic	authentique
a fragment	un fragment
a specimen	un spécimen
a fossil	un fossile
a cave	une grotte, une caverne
a caveman	un homme des cavernes
cave paintings	les peintures rupestres
a skeleton	un squelette
a cell	une cellule
the nucleus	le noyau
bacteria	les bactéries
an invertebrate [i-'ə:-i-i]	un invertébré
a reptile ['e-ɑi]	un reptile
a primate ['ɑi-ei]	un primate
the first mammals	les premiers mammifères
a descendant	un descendant
to descend from	descendre de
the lineage ['i-i]	la lignée
genealogy	la généalogie
a genealogical tree	un arbre généalogique
an ancestor	un ancêtre
a human being	un être humain

People have been debating about human origins for centuries.
Such a find might shake the standard view of evolution.

Les gens discutent des origines humaines depuis des siècles.
Une telle trouvaille pourrait ébranler l'opinion généralement répandue sur l'évolution.

■ TIME AND DEATH : *LE TEMPS ET LA MORT*

the past	le passé	dead	mort
the present	le présent	to die	mourir
the future	le futur	the death rate	le taux de mortalité
eternity	l'éternité	the deceased	le défunt
eternal, everlasting	éternel	a death rattle	un râle
for ever	pour toujours	the deathbed	le lit de mort
fleeting	éphémère	dead and buried	mort et enterré
mortal/immortal	mortel/immortel	to depart from this world	quitter ce monde
a decade	une décennie		
a century	un siècle	an undertaker	un entrepreneur des pompes funèbres
a millenary	un millénaire		
a leap year	une année bissextile	the funeral	les funérailles
momentary	momentané	a shroud [au]	un linceul
to last	durer	to be in mourning for	porter le deuil de
a clock	une horloge	to mourn for	pleurer la mort de
an alarm clock	un réveil	to cry	crier, pleurer
to strike the hours	sonner les heures	to weep for sb	pleurer qn
a watch	une montre	a wreath [ri:θ]	une couronne
a stopwatch	un chronomètre	a tomb [tu:m],a grave	une tombe
an hourglass	un sablier	a gravedigger	un fossoyeur
a calendar	un calendrier	a coffin	un cercueil
		a burial	un enterrement
		to bury [e-i]	enterrer
man's life expectancy	l'espérance de vie de l'homme	a churchyard	un cimetière (près d'une église)
middle aged	d'un certain âge	a cemetery, a graveyard	un cimetière
to grow old	vieillir		
old age	la vieillesse	a crematorium	un crématorium
elderly	âgé	to be cremated	être incinéré
a Senior Citizen	une personne du 3ème âge	a widow/a widower	une veuve/un veuf
		a will	un testament
wrinkled	ridé	the heir to	l'héritier de
the living and the dead	les vivants et les morts	to inherit sth from sb	hériter qc de qn
		to leave a legacy to sb	laisser un héritage à qn
death	la mort		
a dying person	un moribond	the estate	le patrimoine

EUTHANASIA AND SUICIDE
L'EUTHANASIE ET LE SUICIDE

euthanasia [,iu-ə-'ei-iə]	l'euthanasie
an ethical debate	un débat éthique
an opponent	un adversaire
to oppose sth	s'opposer à qc
an advocate	un partisan
to advocate	prôner
an act of deliberate killing	un acte de mise à mort délibérée
a hospice	un hospice pour incurables
a terminally-ill patient	un malade en phase terminale
to be in the last phase of an illness	être dans la phase terminale d'une maladie
to be in the final stage	être dans la phase terminale
a bedridden invalid	un grabataire
a cripple	un infirme
an invalid chair	un fauteuil d'infirme
to be fed through a tube	être alimenté par un tube
to put up with sufferings	supporter les souffrances
to endure	supporter
to be a burden to	être un fardeau pour
to yearn for death	aspirer à mourir
to hasten death	hâter la mort
to prolong life	prolonger la vie
to put an end to	mettre fin à

to deal a terrible blow	porter un coup terrible
to end one's days	finir ses jours
to claim a right to	réclamer le droit de
to administer painkillers	administrer des calmants
to administer drugs	administrer des drogues
to switch off	débrancher
a life-support system	un respirateur artificiel
a lethal injection	une injection mortelle
painless	sans douleur
to legalize ['i:-ə-ai]	légaliser
incurable	incurable
to relieve	soulager
to postpone an excruciating decision	reporter une décision atroce
a suicide ['ui-ai] attempt	une tentative de suicide
a failed attempt	une tentative ratée
the alarming rate of suicide	le taux de suicide alarmant
suicidal tendencies	des tendances suicidaires
to commit suicide	se suicider
to drive sb to suicide	conduire qn au suicide
to kill oneself	se tuer

What's the use of being kept alive artificially ?	A quoi bon être maintenu en vie de façon artificielle ?
They claim the right to die with dignity.	Ils réclament le droit de mourir dignement.
He's been on a life-support system for months.	Il est sous assistance respiratoire depuis des mois.
Some people think the life-support system should be switched off.	Certaines personnes pensent que le respirateur artificiel devrait être débranché.
It will ease the family of a burden.	Cela soulagera la famille d'un fardeau.
The suicide rate has increased dramatically.	Le taux de suicide a augmenté de façon dramatique.

RELIGION : *LA RELIGION*

religion	la religion
theology	la théologie
monotheism	le monothéisme
polytheism	le polythéisme
a doctrine	une doctrine
disestablishment	la séparation de l'église et de l'état
to devote one's life to	consacrer sa vie à
to serve an ideal	servir un idéal
to take an oath	prêter serment
to seek perfection	chercher la perfection
to enter the priesthood	se faire prêtre
to have faith in God	avoir foi en Dieu
good and evil	le bien et le mal
eternity	l'éternité
eternal life	la vie éternelle
everlasting	éternel
celibacy	le célibat
morality	la moralité
chastity	la chasteté

Christendom	la Chrétienté
Christianity	le Christianisme
a Christian	un Chrétien
Catholicism	le Catholicisme
a Catholic	un Catholique
Roman Catholicism	le Catholicisme Romain
Protestantism	le Protestantisme
a Protestant	un Protestant
Anglicanism	l'Anglicanisme
an Anglican	un Anglican
the Anglican Church	l'Eglise Anglicane
the Church of England	l'Eglise d'Angleterre
the Orthodox Church	l'Eglise Orthodoxe
the Established Church	l'Eglise Etablie (la religion d'état)
the Baptist Church	l'Eglise Baptiste
the Presbyterians	les Presbytériens
the Mormons	les Mormons
the Quakers	les Quakers
the Methodists	les Méthodistes
the Congregationalists	les Congrégationalistes

Judaism	le Judaïsme
Hebrew	Hébreu
a Jew	un Juif
Jewish	juif
the Talmud	le Talmud
a synagogue	une synagogue
a rabbi	un rabbin
Islam	l'Islam
a Moslem	un Musulman
a prophet	un prophète
the Koran	le Coran
an imam	un imam
an ayatollah	un ayatollah
to wear a veil	se voiler
a chador	un tchador
a headscarf	un foulard
a turban	un turban
a mosque	une mosquée
the call to prayer	l'appel à la prière

the Almighty [ɔ:-'ɑi-i]	le Tout Puissant
God	Dieu
Jesus Christ	Jésus Christ
the Holy Spirit	le Saint Esprit
the Lord	le Seigneur
the Blessed Virgin	la Sainte Vierge
an angel	un ange
a prophet	un prophète
an Apostle	un Apôtre
a saint	un saint
sainthood	la sainteté
Purgatory	le Purgatoire
to go to paradise, to heaven	aller au paradis
to go to hell	aller en enfer
Satan ['ei-ə]	Satan
the devil	le diable
to be chased	être chassé

the fall of Adam and Eve	la chute d'Adam et Eve	to hear sb's confessions	confesser qn
the garden of Eden	le jardin d'Eden	to be merciful towards	être clément envers
Doomsday	le jour du jugement dernier	to reprove for	blâmer de
		to excommunicate	excommunier
Resurrection	la Résurrection	to bless	bénir
sacred	sacré	a blessing	une bénédiction
the Gospel	l'Evangile	religious observances	les pratiques religieuses
the Bible	la Bible		
the Holy Scriptures	les Ecritures Saintes	a member of a church	un membre d'une église
a sacrament	un sacrement		
a church	une église	pious [aiə]	pieux
a pulpit	une chaire	devout [i-'au]	dévôt
a pew [iu:]	un banc d'église	a practising Catholic	un Catholique pratiquant
to kneel [ni:l]	s'agenouiller		
a statue	une statue	a churchgoer	un pratiquant
a crucifix	un crucifix	a follower	un disciple
a rosary	un chapelet	the faithful	les fidèles
a hymn	un cantique	a staunch believer	un croyant fervent
a psalm [sɑ:m]	un psaume	to go to mass	aller à la messe
a prayer	une prière	bigotry	la bigoterie
to pray	prier	to become a convert to	se convertir à
incense	de l'encens	atheism	l'athéisme
a cassock	une soutane	an atheist	un athée
vestments	les vêtements sacerdotaux	a pagan	un païen
		a dissenter	un dissident
a spiritual leader	un chef spirituel	a freethinker	un libre penseur
the clergy	le clergé	a freemason	un franc maçon
a clergyman	un ecclésiastique	an agnostic	un agnostique
a priest	un prêtre (catholique)	a parish	une paroisse
		a parishioner	un paroissien
a rector	un curé (catholique)	fanaticism	le fanatisme
a rectory	un presbytère (catholique)	a fanatic	un fanatique
		a fundamentalist	un intégriste
a vicar	un pasteur (anglican)	to take a hard line	être intransigeant
		a trend towards moderation	une tendance à la modération
a vicarage	un presbytère (anglican)		
to preach	prêcher		
a parson	un pasteur	to commit a sin	commettre un péché
an abbot	un abbé	the seven deadly sins	les sept péchés capitaux
an abbey	une abbaye		
a bishop	un évêque	deadly	mortel
an archbishop	un archevêque	original	originel
a cardinal	un cardinal	to atone for one's sins	expier ses péchés
the Pope	le Pape	to redeem one's sins	racheter ses péchés
the Holy Father	le Saint Père	to repent for	se repentir de
a monk	un moine	to do penance	faire pénitence
a monastery	un monastère	to feel ashamed of	se sentir honteux de
a cloister	un cloître	to regret	regretter
a nun	une nonne	remorse	le remords
a convent	un couvent	to go to confession	aller se confesser
a place of worship	un lieu de culte	to beg for mercy	demander grâce
to have mercy on	avoir pitié de	to receive communion	communier

to make the sign of the cross	faire le signe de croix	a miracle	un miracle
to worship	révérer	a martyr	un martyr
to glorify	glorifier	martyrdom	le martyre
a pilgrimage	un pélerinage	beatification	la béatification
a pilgrim	un pélerin	to canonize	canoniser
a procession	une procession	canonization	la canonisation

He's been consecrated bishop.	Il a été sacré évêque.
God bless you !	Que Dieu vous bénisse !
Live in peace and harmony !	Vivez en paix et en harmonie !
It will trigger religious tensions.	Cela déclenchera des tensions religieuses.

SUPERSTITIONS AND WITCHCRAFT
LES SUPERSTITIONS ET LA SORCELLERIE

superstitious	superstitieux
to bring bad luck	porter malheur
an unlucky day	un jour néfaste
a four-leaved clover	un trèfle à quatre feuilles
a horseshoe	un fer à cheval
to walk under a ladder	passer sous une échelle
to be 13 at a table	être 13 à table
to spill salt	renverser du sel
to cross one's fingers	croiser les doigts
to break a mirror	casser un miroir
a black cat	un chat noir
a fortune teller	une diseuse de bonne aventure
to foretell	prédire
to prophesy ['ɔ-i-ɑi]	prophétiser
an omen	un présage
a foreboding	un pressentiment
dire predictions	des prédictions sinistres
to cast sb's horoscope	tirer l'horoscope de qn
an owl [ɑu]	un hibou
a crystal ball	une boule de crystal
an amulet	une amulette
to be lucky, fortunate	avoir de la chance

a medium	un médium
to communicate with	communiquer avec
to be in touch with	être en contact avec
telepathy	la télépathie
to have healing powers	avoir des pouvoirs de guérison
a faith healer	un guérisseur par la foi
to raise funds	collecter des fonds
a quack	un charlatan
to raise a spirit	évoquer un esprit

an evil spirit	un esprit malin	a ghost, a phantom	un fantôme
the evil eye	le mauvais oeil	an apparition	une apparition
to cast a spell on	jeter un sort à	a vision	une vision
under the spell of	ensorcelé par	an elf	un lutin
to break the spell	rompre le charme	to believe in spirits	croire aux esprits
to be spellbound	être envoûté	to be reincarnated	se réincarner
to be possessed	être possédé	invisible	invisible
to conjure up	faire apparaître	to haunt [ɔ:]	hanter
to exorcize	exorciser	to walk through walls	traverser les murs
an incantation	une incantation	strange, odd	étrange
a black mass	une messe noire	weird [iə]	surnaturel
a sacrifice	un sacrifice	unbelievable	incroyable
to go into a trance	entrer en transe	creaking floors	des parquets qui craquent
a witch	une sorcière		
a wizard	un sorcier	the clank of metal	le cliquetis du métal

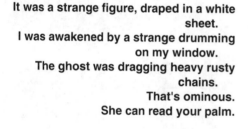

It was a strange figure, draped in a white sheet.	C'était une silhouette étrange, drapée dans un drap blanc.
I was awakened by a strange drumming on my window.	Je fus éveillé par un étrange tambourinement sur ma fenêtre.
The ghost was dragging heavy rusty chains.	Le fantôme traînait de lourdes chaînes rouillées.
That's ominous.	C'est de mauvais augure.
She can read your palm.	Elle lit dans les lignes de la main.

SCIENCE : *LA SCIENCE*

PHYSICS, CHEMISTRY AND MATHS
LA PHYSIQUE, LA CHIMIE ET LES MATHS

a scientist	un scientifique	algebra	l'algèbre
an inventor	un inventeur	geometry	la géométrie
an invention	une invention	to solve a problem	résoudre un problème
a research worker	un chercheur		
to research into	faire des recherches dans	to make a mistake	faire une erreur
		to count	compter
to serve mankind	servir l'humanité	to calculate	calculer
a laboratory	un laboratoire	to demonstrate	démontrer
to carry out experiments	faire des expériences	a demonstration	une démonstration
to discover	découvrir	to deduce	déduire
a discovery	une découverte	an assumption	une hypothèse
the astounding progress of	les progrès stupéfiants de	a theorem	un théorème
		a postulate	un postulat
a physicist	un physicien	an equation	une équation
a chemist	un chimiste	a function	une fonction
a microscope	un microscope	the square root	la racine carrée
['ɑi-ə-əu]		a conclusion	une conclusion
to magnify ['æ-i-ɑi]	grossir	the result	le résultat
a flask	un ballon	an operation	une opération
a test tube	une éprouvette	an addition	une addition
a lens	une lentille, un objectif	to add	additionner
		a sum	une somme
a burner	un brûleur	a subtraction	une soustraction
a formula	une formule	to subtract	soustraire
to use solvents	utiliser des solvants	a multiplication	une multiplication
a gas	un gaz	to multiply	multiplier
gaseous ['æ-iə]	gazeux	a product	un produit
a liquid	un liquide	a division	une division
solid/liquid	solide/liquide	to divide	diviser
an acid	un acide	a number	un nombre
to evaporate	s'évaporer	a figure	un chiffre
to melt	fondre	even/odd	pair/impair
to dissolve	(se) dissoudre	right, correct	vrai, correct
		false, wrong	faux
		to double	doubler
		to increase	croître
mathematics	les mathématiques	to decrease	décroître
a mathematician	un mathématicien	a square	un carré/une équerre
arithmetic	l'arithmétique		

a circle	un cercle
a rectangle	un rectangle
a triangle ['ɑi-æ-ə]	un triangle
a diamond ['ɑiə-ə]	un losange
a side	un côté
parallel to	parallèle à
perpendicular to	perpendiculaire à
the diameter	le diamètre
[ɑi-'æ-i-ə]	
the radius	le rayon

the bisector [ɑi- 'e-ə]	la bissectrice
the area	la surface
a right angle	un angle droit
acute/obtuse	aigu/obtus
a curve	une courbe
a straight line	une ligne droite
to draw a line	tracer une ligne
a protractor	un rapporteur
a pair of compasses	un compas

Two and two are four.	2 + 2 = 4
Twenty minus thirteen is seven.	20 - 13 = 7
Five multiplied by four is twenty.	5 x 4 = 20
Forty-five divided by five is nine.	45 : 5 = 9

SPACE : *L'ESPACE*

the universe	l'univers
the cosmos	le cosmos
a galaxy	une galaxie
the Milky Way	la Voie Lactée
the trail of a meteor	la queue d'un météore
a cluster of stars	un amas d'étoiles
star-studded	parsemé d'étoiles
a shooting star	une étoile filante
the solar system	le système solaire
a planet	une planète
a comet	une comète
dust particles	des particules de poussière
four light-years away	à quatre années lumière
a full moon	une pleine lune
a crescent	un croissant
a black hole	un trou noir
to rotate, to revolve	(faire) tourner
to spin round	tourner
to collide with	entrer en collision avec
the centre of gravity	le centre de gravité
astronomy	l'astronomie
an astronomer	un astronome
an observatory	un observatoire
a telescope	un télescope

the conquest of space	la conquête de l'espace
to conquer	conquérir
a research programme	un programme de recherche
to probe space	sonder l'espace
a space lab	un laboratoire spatial
a space flight	un vol spatial
a spaceship, a spacecraft	un vaisseau spatial
a shuttle	une navette

to simulate	simuler	a flying saucer	une soucoupe volante
to schedule	établir le programme	an encounter of the third type	une rencontre du troisième type
to launch a rocket	lancer une fusée	a Martian	un Martien
the countdown	le compte à rebours	an extraterrestrial, an alien	un extraterrestre
an unmanned satellite	un satellite sans équipage	an invasion	une invasion
to put into orbit	mettre en orbite	an invader	un envahisseur
to land on the moon	alunir	to invade	envahir
to set foot on	mettre le pied sur	a blazing light	une lumière flamboyante
to venture outside	s'aventurer à l'extérieur	dazzling	éblouissant
to explore	explorer	frightening	effrayant
weightless	en état d'apesanteur	to frighten	faire peur
a spaceman	un astronaute, un cosmonaute	mysterious	mystérieux
		to annihilate	anéantir
an astronaut	un astronaute	the unknown	l'inconnu
a cosmonaut	un cosmonaute		

a UFO (Unidentified Flying Object)	un OVNI

NATURE : *LA NATURE*

MOUNTAINS
LES MONTAGNES

a mountain range	une chaîne de montagnes
mountainous ['ɑu-i-ə]	montagneux
the summit	le sommet
a ridge	une crête
a peak	un pic
a ravine	un ravin
a gorge	une gorge
a precipice	un précipice
a pass	un col
a crevasse [i-'æ]	une crevasse
a crevice	une lézarde

a crack	une fissure
a glacier	un glacier
a chunk of ice	un gros morceau de glace
steep	à pic
to overhang	surplomber
to jut out	faire saillie
to wind [ɑi] **up**	monter en lacets
a winding road	une route en lacets
an avalanche barrier	une barrière d'avalanches

FORESTS : *LES FORÊTS*

a wood	un bois
woody	boisé
the underwood	le sous-bois
a grove [əu]	un bosquet
a copse	un taillis
a thicket	un fourré
a bush	un buisson
a cluster	un bouquet d'arbres
a glade	une clairière
an evergreen	un arbre à feuilles persistantes
a shrub	un arbuste
the trunk	le tronc
the bark	l'écorce
knotty ['nɔti]	noueux
the sap	la sève
the foliage ['əu-i]	le feuillage
a branch, a bough [bɑu]	une branche
a twig	une brindille/une petite branche
dead leaves	des feuilles mortes

to shed its leaves	perdre ses feuilles
a root	une racine
a fir cone	une pomme de pin
a pine needle	une aiguille de pin
moss	de la mousse
a fern	une fougère
poisonous mushrooms	des champignons vénéneux
to overrun	envahir
overgrown with	recouvert de
a beech [i:]	un hêtre
a birch tree	un bouleau
a cedar	un cèdre
an elm	un orme
a lime	un tilleul
an oak	un chêne
a pine [ai]	un pin
a plane	un platane
a poplar	un peuplier
a willow	un saule
a yew	un if
a woodcutter	un bûcheron

timber	du bois de construction	to split	fendre
		to fell trees	abattre des arbres
to saw	scier	to clear	défricher
a saw	une scie	an axe	une hâche
to splinter	briser en éclats	a log	une bûche

■ WATER : *L'EAU*

salt/fresh/stagnant water	de l'eau salée, douce, stagnante	a pond	un étang
		a pool	une mare
the Pacific Ocean	l'Océan Pacifique	a puddle	une flaque
the Atlantic Ocean	l'Océan Atlantique	the shore	le rivage
the Channel	la Manche	a bank	une rive
the Mediterranean Sea	la Mer Méditerranée	the mouth	l'embouchure
the North Sea	la Mer du Nord	to gnaw [nɔ:] at the banks	ronger les berges
the Red Sea	la Mer Rouge		
to run into the ocean	se jeter dans l'océan	to ooze [u:]	suinter
at low/high tide	à marée basse/ haute	to trickle	couler goutte à goutte
to rise	monter	to engulf	(s') engouffrer
to ebb	refluer	quicksands	les sables mouvants
the ebb and flow	le flux et le reflux	a marshland	une région marécageuse
a wave	une vague		
a billow	une lame	a swamp	un marécage
the swell	la houle	deep/shallow	profond/peu profond
the foam	l'écume	the coast	la côte
to roar	rugir	a bay	une baie
the current	le courant	the estuary	l'estuaire
with/against the stream	avec/contre le courant	an isthmus	un isthme
		an island ['ɑi-ə]	une île
downstream	en aval	a peninsula	une péninsule
a river	un fleuve/ une rivière	a pier	une jetée
		a gulf	un golfe
a stream	un torrent/ un ruisseau	a strait	un détroit
		a creek	une crique
a brook	un ruisseau	a cliff	une falaise
a tributary	un affluent	a promontory	un promontoire
a torrent	un torrent	rugged	déchiqueté
a spring	une source	to overhang	surplomber
a waterfall	une cascade	a harbour	un port
a lake	un lac	a fishing port	un port de pêche

■ THE COUNTRYSIDE : *LA CAMPAGNE*

to live in the country	vivre à la campagne	wilderness ['i-ə-i]	une région sauvage
a countryman	un paysan	a pastoral scene	une scène pastorale
the return to nature	le retour à la nature	the scenery, the landscape	le paysage
to live close to nature	vivre près de la nature		
		a strip of land	une bande de terre

91

over hill and dale	par monts et par vaux	the square	la place
at the foot of the hill	au pied de la colline	a fountain	une fontaine
a valley	une vallée	a bench	un banc
a vale	un vallon	the post office	la poste
to stretch	(s') étendre	the innkeeper	l'aubergiste
to spread	(s') étendre, (s') étaler	a fruit tree	un arbre fruitier
		an orchard	un verger
a village	un village	a pear/a peach/ a cherry tree	un poirier/un pêcher/ un cerisier
a villager	un villageois	an apple tree	un pommier
a hamlet	un hameau	a chestnut/	un châtaignier/
a cottage	une chaumière	a walnut/	un noyer/
a thatched roof	un toit de chaume	a hazel tree	un noisetier
whitewashed	blanchi à la chaux	a toolshed	une cabane à outils
a hut	une hutte	gardening tools	les outils de jardinage
a well	un puits		
to draw water from	puiser de l'eau de	a rake	un râteau
a ditch	un fossé	a shovel	une pelle
a bridge	un pont	a spade	une bêche
a by-road	une petite route	to trim, to prune	élaguer
cobbles	les pavés	to cut hedges	couper des haies
a cobbled road	une route pavée	to weed	désherber
a footpath	un sentier	weeds	les mauvaises herbes
a lane	un chemin		
a short-cut	un raccourci	a weedkiller	un désherbant
a rut	une ornière	a nettle	une ortie
a mansion	un château	a thistle	un chardon
the squire	le châtelain	a watering can	un arrosoir
the mayor	le maire	a hose	un tuyau d'arrosage
the church	l'église	to mow the lawn	tondre la pelouse
the churchyard	le cimetière		

▪ FLOWERS : *LES FLEURS*

a bluebell	une jacinthe	honeysuckle	du chêvrefeuille
a buttercup	un bouton d'or	ivy ['ɑi-i]	du lierre
a camelia	un camélia	lavender	de la lavande
a carnation	un oeillet	liliac ['ɑi-ə]	du lilas
a chrysanthemum [i-'æ-ə-ə]	un chrysanthème	a lily	un lis
		lily of the valley	du muguet
a cornflower	un bleuet	a nasturtium	une capucine
a cowslip	un coucou	an orchid	une orchidée
a crocus	un crocus	a pansy	une pensée
a daffodil	une jonquille	a peony	une pivoine
a daisy	une marguerite	a periwinkle	une pervenche
a dandelion ['æ-i-ɑiə]	un pissenlit	a pink	un oeillet
forget-me-not	du myosotis	a poppy	un coquelicot
a geranium [i-'ei-iə]	un géranium	a primrose	une primevère
		a rose	une rose
gladioli	des glaïeuls	a snowdrop	une perce-neige

a sunflower	un tournesol	a bud	un bouton
sweet peas	des pois de senteur	a flower bed	un parterre
a violet ['aiə-i]	une violette	a nosegay	un petit bouquet
a wallflower	une giroflée	a second flowering	une seconde
a petal	un pétale		floraison
the pistil	le pistil	in full bloom	en pleine floraison
the corolla [ə-'ɔ-ə]	la corolle	to bloom, to blossom	fleurir
the stamen ['ei-ə]	l'étamine	to fade	se fâner
the stem	la tige	a climbing plant	une plante
a thorn	une épine		grimpante

■ VEGETABLES : *LES LEGUMES*

an artichoke	un artichaud	lentils	des lentilles
asparagus	une asperge	a lettuce	une laitue
a bean	un haricot	mint	de la menthe
a beetroot	une betterave	an onion	un oignon
Brussels sprouts	des choux de	parsley ['ɑː-i]	du persil
	Bruxelles	peas	des petits pois
a cabbage ['æ-i]	un chou	a potato	une pomme de terre
a carrot	une carotte	a radish	un radis
a cauliflower	un chou-fleur	sorrel	de l'oseille
a cucumber ['uː-ʌ-ə]	un concombre	spinach ['i-i]	des épinards
fennel	du fenouil	thyme [ai]	du thym
French beans	des haricots verts	a tomato	une tomate
garlic	de l'aïl	watercress	du cresson
a leek	un poireau		

■ FRUIT : *LES FRUITS*

an almond	une amande	a pear	une poire
an apple	une pomme	a pineapple	un ananas
an apricot	un abricot	a plum	une prune
a banana	une banane	a prune	un pruneau
a blackberry	une mûre	a pumpkin	une citrouille
black currants	du cassis	a quince	un coing
a fig	une figue	a raspberry	une framboise
grapes	du raisin	red currants	des groseilles
a grapefruit	un pamplemousse		rouges
a hazelnut	une noisette	a strawberry	une fraise
a lemon	un citron	a walnut	une noix
a melon	un melon	ripe [ai]	mûr
a nectarine	un brugnon	rotten	pourri
a nut	une noix	juicy	juteux
an orange	une orange	sweet	sucré
a peach [iː]	une pêche	sour [auə]	acide
a peanut	une cacahuète		

WINE GROWING : *LA VITICULTURE*

a vine	une vigne	to reach full maturity	atteindre sa pleine maturité
a vine plant	un cep de vigne		
a vineyard	un vignoble	a brewery	une brasserie
a wine grower	un viticulteur	a distillery	une distillerie
to harvest the grapes	faire la vendange	a wine merchant	un marchand de vin
a grape picker	un vendangeur	wine tasting	la dégustation
a wine press	un pressoir	fruity	fruité
ideal conditions	des conditions idéales	tannin	le tannin
		a vintage wine	un vin millésimé
a barrel	un tonneau	a connoisseur	un connaisseur
to ripen	mûrir	[ˌɔ-ə-'ə:]	
to press	écraser	oenology [i:-'ɔ-ə-i]	l'oenologie
to ferment	fermenter		

It's a good vintage.	C'est une bonne année.
What vintage is this wine ?	De quelle année est ce vin ?
The heat has worked wonders, the wine will be excellent.	La chaleur a fait des merveilles, le vin sera excellent.
A storm has devastated all the winegrowing regions.	Une tempête a dévasté toutes les régions vinicoles.

ON THE FARM : *A LA FERME*

a farmbuilding	un bâtiment de ferme	a scarecrow	un épouvantail
		manure	du fumier
a farmer	un fermier	a dunghill	un tas de fumier
a farmer's wife	une fermière	to farm land	cultiver la terre
a farm hand	un employé agricole	mechanized farming	la motoculture
the farmyard	la cour de ferme	a pasture	un pâturage
a shed	une remise	a meadow	un pré/une prairie
a barn	une grange	a field	un champ
a tractor	un tracteur	the soil	la terre
a wheelbarrow	une brouette	arable	arable
a sickle	une faucille	fertile	fertile
a rake	un râteau	barren	stérile
a fork	une fourche	to lie fallow	être en jachère
straw	la paille	to grow, to cultivate	cultiver
a cart	une charrette	to yield	produire
horse-drawn	tiré par les chevaux	a plough [ɑu]	une charrue
a clod of earth	une motte de terre	to plough	labourer

to mow	faucher
to clear the land	défricher la terre
to fertilize ['ə:-i-ɑi]	fertiliser
fertilizers	des engrais
a threshing machine	une batteuse
a sowing machine	un semoir
a combine harvester	une moissonneuse-batteuse
to reap, to harvest	moissonner
the harvest	la moisson
a crop	une récolte
hay	du foin
a haystack	une meule de foin
straw	de la paille
wheat, corn	du blé
maize	du maïs
rye	du seigle
oats	de l'avoine
hops	du houblon
barley	de l'orge

a cattle breeder	un éleveur de bétail
breeding	l'élevage
the cattle	le bétail
the livestock	le cheptel
a herd	un troupeau de bovins
a flock	un troupeau d'ovins
a sow	une truie
a piglet	un porcelet
a pigsty ['i-ɑi]	une porcherie
a ram	un bélier
a sheep	un mouton
a ewe [iu:]	une brebis
a lamb [læm]	un agneau
a goat	une chèvre
a kid	un chevreau
the fleece	la toison
a he-goat	un bouc
a calf	un veau
an ox	un boeuf

a bull	un taureau
a cowshed	une étable
a donkey	un âne
a mare	une jument
a stallion	un étalon
a colt	un poulain
a filly	une pouliche
a stable	une écurie
a trough [trɔf]	un abreuvoir
the mane	la crinière
the hide	le cuir
a hoof	un sabot
a horseshoe	un fer à cheval
to chew the cud	ruminer
to bellow	beugler
to moo	meugler
to neigh	hennir
to rear up	se cabrer
to frolick	gambader
to graze	paître
to fatten	engraisser
to slaughter	abattre
a slaughter house	un abattoir
an epidemic	une épidémie
the poultry	la volaille
a henhouse	un poulailler
a hen	une poule
a chicken	un poulet
a chick	un poussin
a cock	un coq
a duck	un canard
a turkey	une dinde
a goose	une oie
a peacock	un paon
to quack	faire coin-coin
to cackle	caqueter
to crow cockadoodledoo	faire cocorico
to waddle	se dandiner
to lay eggs	pondre des oeufs
to hatch	(faire) éclore

THE WEATHER AND NATURAL DISASTERS
LE TEMPS ET LES CATASTROPHES NATURELLES

meteorology	la météorologie
a meteorologist	un météorologue
the weather report/ forecast	le bulletin/ les prévisions météorologiques
to forecast the weather	prévoir le temps
the weather conditions	les conditions atmosphériques
the climate ['ɑi-i]	le climat
temperate	tempéré
mild	doux
changeable	variable
unsettled	incertain

fair weather	du beau temps
to shine	briller
sunny spells	des périodes ensoleillées
bright intervals	des éclaircies
a heat wave	une vague de chaleur
a scorching sun	un soleil de plomb
the dog days	la canicule
sultry, stifling	étouffant

the wind speed	la vitesse du vent
to blow	souffler
a breeze	une brise
a gust of wind	un coup de vent
strong winds	des vents forts
a gale warning	un avis de coup de vent
biting	piquant
a hurricane	un ouragan
a cyclone ['ɑi-əu]	un cyclone
a typhoon [ɑi-'u:]	un typhon
a storm	une tempête
to storm, to rage	faire rage
a thunderstorm	un orage
stormy weather	un temps orageux
a clap of thunder	un coup de tonnerre

a flash of lightning	un éclair
to roar	gronder
to break out	éclater
to be sheltered from	être abrité de
a lull	une accalmie
a draught [drɑ:ft]	un courant d'air
to whirl	tourbillonner
to be blown away	être emporté par le vent

a cloud	un nuage
cloudless	dégagé
cloudy	nuageux
to cloud over	se couvrir
overcast	couvert
damp	humide
wet	mouillé
soaked, drenched	trempé
to clear away	se dégager
a rainbow	un arc en ciel
a drop of rain	une goutte de pluie
rainy weather	un temps pluvieux
to pour	pleuvoir à verse
a shower	une averse
a sudden shower	une giboulée
scattered showers	des pluies éparses
a drizzle	un crachin
to drizzle	bruiner
a hail storm	une averse de grêle

a mist	une brume	frost	la gelée
misty, foggy	brumeux	**hoarfrost**	la gelée blanche
a haze	une légère brume	**black ice**	le verglas
the fog	le brouillard	**thaw**	le dégel
to thicken	s'épaissir		
to dissipate	(se) dissiper		

		to snow	neiger
low temperatures	des températures	**a snowfall**	une chute de neige
	basses	**snowflakes**	des flocons de neige
below zero	en-dessous de zéro	**a snowball**	une boule de neige
chilly	frais	**a snowdrift**	une congère
icy	glacial	**a blizzard**	une tempête de
ice	la glace		neige
to freeze	geler	**a layer**	une couche
		to melt	fondre

What's the weather like ?	Quel temps fait-il ?
It's windy.	Il fait du vent.
The wind was gusting up to 110 miles per hour.	Le vent soufflait en bourrasques et atteignait 110 miles à l'heure.
There's thunder in the air.	Le temps est à l'orage.
It was the most violent storm ever recorded in England.	Ce fut la tempête la plus violente jamais enregistrée en Angleterre.
The weather is deteriorating.	Le temps se gâte.
And suddenly the weather turned foul.	Et soudain le temps s'est gâté.
It looks like rain.	On dirait qu'il va pleuvoir.
It's raining cats and dogs.	Il pleut à verse.
I hope the clouds will lift soon.	J'espère que les nuages vont bientôt se dissiper.
The temperatures may drop as low as ...	Il se peut que les températures chutent jusqu'à ....
It's clearing up.	Le temps s'éclaircit.
The weather is set fair.	Le temps est au beau fixe.

NATURAL DISASTERS
LES CATASTROPHES NATURELLES

a catastrophy	une catastrophe	**to threaten**	menacer
a calamity	une calamité	**to issue warnings**	lancer des
a nightmare	un cauchemar		avertissements
a tragedy	une tragédie	**to underestimate**	sous-estimer
a scourge	un fléau	**to minimize the danger**	minimiser le danger
to run a risk	courir un risque	**to take no heed of**	ne pas tenir compte
to forecast	prévoir		de

to jeopardize thousands of lives	mettre en danger des milliers de vies	the injured	les blessés
to catch sb unprepared	prendre qn au dépourvu	fatally injured	mortellement blessé
predictable	prévisible	a wound	une blessure
safety measures	les mesures de sécurité	casualties	les pertes
		the death toll .	le bilan des victimes
altruistic	altruiste	the dead	les morts
to take part in	prendre part à	killed instantly	tué sur le coup
to join the search	se joindre aux recherches	to survive	survivre
		a survivor	un survivant
a call for help	un appel à l'aide	crushed	écrasé
humanitarian help	l'aide humanitaire	swept away by	emporté par
a survival kit	un kit de survie	knocked down	démoli
first aid	les premiers secours	burnt/buried alive	brûlé/enterré vivant
to dispatch teams	envoyer des équipes	totally isolated from	complètement isolé de
a rescue team	une équipe de secours	cut off from the rest of the world	coupé du reste du monde
to rescue	secourir	to be trapped	être prisonnier
a rescuer	un sauveteur	to be left homeless	être laissé sans abri
to set up rescue operations	mettre en route des opérations de sauvetage	the rubble, the wreckage	les décombres
		to be reported missing	être noté manquant
to send relief	envoyer des secours	uprooted trees	des arbres déracinés
an efficient relief system	un système d'assistance efficace	shattered windows	des fenêtres brisées
to lend a hand	prêter secours	crumbled houses	des maisons en ruines
to handle emergencies	se charger des urgences	to face food shortages	faire face au manque de nourriture
to evacuate	évacuer	an outbreak of cholera	une éruption de choléra
an ambulance train	un train sanitaire		
a crane	une grue	to stink, to reek	puer
to clear the roads	dégager les routes	the stench	la puanteur
to comb the area	passer la région au peigne fin	heartbreaking	déchirant
experienced	expérimenté		
inexperienced	inexpérimenté	an earthquake	un tremblement de terre
to hamper	gêner		
to hinder	retarder, entraver	the epicentre	l'épicentre
to give up all hope	abandonner tout espoir	intensity	l'intensité
		an earth tremor	une secousse sismique
panic-stricken	pris de panique		
bewildered	déconcerté	a seismologist	un sismologue
terror-stricken	épouvanté	to rock	ébranler
desperate	désespéré	to quake	trembler
shocked	choqué	to sway	osciller
appalled at	épouvanté par	to collapse	s'effondrer
disbelief	l'incrédulité	to slip	glisser
to feel helpless	se sentir impuissant	cracked	fissuré
safe and sound	sain et sauf	a landslide	un glissement de terrain
unharmed	indemne		
to be hurt, to be injured	être blessé		

a dormant volcano	un volcan au repos	a fireman	un pompier
extinct	éteint	the fire brigade	la brigade des
active	en activité		pompiers
the crater	le cratère	fire watching	la surveillance
an eruption	une éruption		contre les incendies
to erupt	entrer en éruption	fire regulations	les consignes en
magma	le magma		cas d'incendie
ashes	les cendres	a firebug	un pyromane
a stone	une pierre	to set fire to	mettre le feu à
to spit out	cracher	to spread	(s') étendre
a lava flow	une coulée de lave	on fire	en feu
a mudslide	une coulée de boue	aflame	en flammes
		fireproof	ignifugé
		to contain a fire	contenir un feu
a flood [ʌ]	une inondation	to extinguish	éteindre
to flood	inonder		
to overflow its banks	sortir de son lit		
to be in spate	être en crue	drought [draʊt]	la sécheresse
the monsoon	la mousson	drought-stricken	frappé par la
the rainy season	la saison des pluies		sécheresse
to swell	gonfler	parched	desséché
muddy	boueux	to run dry	se tarir
a tidal wave	un raz-de-marée	a well	un puits
a dam	un barrage	to gain ground on	gagner du terrain
			sur
		to gnaw at	grignoter
a forest fire	un incendie de forêt	a barren land	une terre inculte

Most houses have been reduced to rubble.	La plupart des maisons ne sont plus q ⌐es décombres.
A landslide has wiped out the major roads.	Un glissement de terrain a complètement détruit les routes les plus importantes.
A horrible earthquake has rocked India.	Un tremblement de terre horrible a ébranlé l'Inde.
It registered 7 on the Richter scale.	Il a enregistré 7 sur l'échelle de Richter.
That volcano had remained dormant for 500 years.	Ce volcan était resté en repos pendant 500 ans.
His house was on fire.	Sa maison était en flammes.
He voluntereed as a fire fighter.	Il s'est proposé comme volontaire dans la lutte contre les incendies.
Electricity was cut and all the telephone lines were severed.	L'électricité était coupée et toutes les lignes téléphoniques interrompues.
Everywhere trees were uprooted and cars blown over.	Partout des arbres étaient déracinés et des voitures renversées.
The rescue team came too late.	Les secours sont arrivés trop tard.
Equipment was in short supply.	On manquait d'équipement.
The situation requires urgent medical attention.	La situation exige une attention médicale urgente.
The death toll is horrible.	Le nombre de morts est horrible.

ENERGY AND POLLUTION
L'ENERGIE ET LA POLLUTION

the energy crisis	la crise de l'énergie
to lack drastically	manquer sévèrement
to run out of	être à court de
to exhaust	épuiser
a shortage of	une pénurie de
to waste	gaspiller
to save	économiser
to reduce consumption	réduire la consommation
to consume	consommer
to depend on	dépendre de
to rely on	compter sur
the need for alternative sources of energy	le besoin en sources d'énergie de substitution
a by-product	un sous-produit, un dérivé

a coalmine, a colliery	une mine de charbon
a coal basin	un bassin houiller
a coalminer, a collier	un mineur
a gallery	une galerie
a prop	un étai
a shaft, a pit	un puits
a firedamp explosion	un coup de grisou
a landslide	un glissement de terrain
to extract	extraire
a slagheap	un terril

electricity	l'électricité
an electric wire	un fil électrique
a switch	un interrupteur
to switch on/off	allumer/éteindre
a fuse	un fusible
to fuse the lights	faire sauter les plombs

a blackout	une panne d'électricité
a power station	une centrale électrique
a power cut	une coupure de courant
a short-circuit	un court-circuit
a power line	une ligne à haute tension
a generator	un générateur
the current	le courant
peak hours	les heures de pointe
a bulb	une ampoule
a socket	une prise femelle
a plug	une prise mâle
to plug/ to unplug	brancher/ débrancher
to dam a river	construire un barrage sur un fleuve

natural gas	le gaz naturel
a solar power plant	une centrale solaire

oil	le pétrole
an oil field	un gisement pétrolifère
an oil rig	une plate-forme pétrolière
to drill	forer
offshore drilling	le forage en mer
a drilling ship	un navire de forage
an oil well	un puits de pétrole
a derrick	un derrick
a platform	une plate-forme
a barrel	un baril
a pipeline	un oléoduc

a refinery [i-'ɑi-ə-i]	une raffinerie	a chain reaction	une réaction en chaîne
an oil-producing country	un pays producteur de pétrole	to disintegrate	se désintégrer
an oil shock	un choc pétrolier	a breakdown	une panne
self-sufficiency in oil	l'autarcie en pétrole	faulty	défectueux
to soar	monter en flèche	a crack	une fissure
nuclear energy	l'énergie nucléaire	a leakage	une fuite
a nuclear power station	une centrale nucléaire	to leak	fuir
a cooling tower	une tour de refroidissement	to explode	exploser
		to irradiate	irradier
a pump	une pompe	to contaminate	contaminer
the core of the reactor	le coeur du réacteur	radioactive particles	des particules radioactives
the nucleus	le noyau		
to split the atom	fissionner l'atome	to be exposed to radiations	être exposé aux radiations
to release energy	libérer de l'énergie	a fallout shelter	un abri antiatomique
to store	emmagasiner		

◼ POLLUTION : *LA POLLUTION*

a source of pollution	une source de pollution	chemical industries	les industries chimiques
to pollute	polluer	a steelworks	une aciérie
a polluting activity	une activité polluante	a plant, a factory	une usine
		plastics	les matières plastiques
a nuisance	un embêtement		
a catastrophe [ə-'æ-ə-i]	une catastrophe	industrial waste	les déchets industriels
catastrophic	catastrophique	chemicals	les produits chimiques
noxious	nocif		
poisonous	toxique	toxic fumes	les fumées toxiques
unsafe	dangereux	untreated	non traité
to do irreversible damage	causer des dégâts irréversibles	pesticides ['e-i-ɑi]	les pesticides
		herbicides	les herbicides
to damage	endommager	insecticides	les insecticides
disastrous	désastreux	fertilizers	les engrais
a disaster	un désastre	detergents	les détergents
dire predictions	des prédictions terribles	exhaust fumes	les gaz d'échappement
to sacrifice	sacrifier	hydrocarbons	les hydrocarbures
an ecological nightmare	un cauchemar écologique	lead	du plomb
		rubbish	les détritus
nightmarish problems	des problèmes cauchemardesques	household waste	les ordures ménagères
pessimistic forecast	des prévisions pessimistes	a dustman	un éboueur
		a rubbish bin	une poubelle
problems related to	des problèmes liés à	a rubbish dump	une décharge
on a national scale	à l'échelle nationale	to dump into	jeter dans
to shudder at the thought of	trembler à la pensée de	to get rid of, to dispose of	se débarrasser de

to unload	décharger
to discharge into	décharger dans
to pour into	déverser dans
to flow into	s'écouler dans
to clog	boucher
to waste	gaspiller
open sewers	des égouts à l'air libre
strewn with litter	jonché de détritus
loaded with	chargé de
to degrade	dégrader
to destroy	détruire
to ravage	ravager
to endanger, to jeopardize	mettre en danger
to decimate	décimer
to contaminate	contaminer
to poison	empoisonner
to threaten	menacer
a threat	une menace
to mar the beauty of	gâcher la beauté de
to ruin the landscape	abîmer le paysage
to foul the air	salir l'air
unbreathable	irrespirable
to smell foul	puer
a stench	une puanteur
to stink	empester
to spread	(s') étendre
to belch out fumes	vomir des fumées
blackened by	noirci par
wrapped in a cloud	enveloppé d'un nuage
a mist, a haze	une brume
the smog	un brouillard mélangé de fumée
to float, to hover	planer
acid rain	la pluie acide
air pollution	la pollution atmosphérique

an oil tanker	un pétrolier
to carry crude oil	transporter du pétrole brut
an oil slick	une nappe de pétrole
washed ashore	rejeté sur la côte
to run aground	s'échouer
to capsize	chavirer
to be shipwrecked	faire naufrage
a blast	une explosion
to tow	remorquer
to float	flotter
a black tide	une marée noire

sticky	visqueux
tar	du goudron
covered with	couvert de
to affect marine life	affecter la vie marine
the fauna	la faune
the flora	la flore
to disperse	disperser
to clean up	nettoyer
to scrub	récurer, brosser
to skim	dégraisser
oil-sodden	détrempé par le pétrole
an oiled bird	un oiseau mazouté
unsuitable for swimming	déconseillé pour la baignade
a polluted beach	une plage polluée

deforestation	le déboisement
to fell, to cut down trees	abattre des arbres
to clear land	défricher des terres
timber	du bois de construction
the rain forest	la forêt tropicale
the Amazonian forest	la forêt d'Amazonie
to protect from the rain	protéger de la pluie
denuded	dénudé
defoliants	des défoliants
to exhaust the soil	épuiser le sol
to contribute to mud slides	contribuer à des glissements de terrain
to mourn the destruction of	pleurer la destruction de

the greenhouse effect	l'effet de serre
global warming	le réchauffement planétaire
to warm up	(se) réchauffer
ultra-violet rays	les rayons ultra-violets
ozone-friendly	qui ne détruit pas la couche d'ozone
the gap in the ozone layer	le trou dans la couche d'ozone
ozone-depleting	qui épuise l'ozone
to deplete	épuiser
to thin	réduire
to block the rays	bloquer les rayons

to produce climatic changes	produire des changements climatiques	to cause health risks	causer des riques pour la santé
		to develop illnesses	développer des maladies
the screech of brakes	le crissement des freins	to do harm	causer du tort
		lethal	mortel
the rumble of lorries	le grondement des camions	side effects	des effets secondaires
ear-shattering noises	des bruits assourdissants	to impair fertility	affaiblir la fertilité
		premature deaths	des morts prématurées
nerve-racking	qui met les nerfs à vif	infant mortality	la mortalité infantile
		congenital defects	des défauts congénitaux
a din	un vacarme	to develop cancer	attraper le cancer
to hoot one's horn	klaxonner	the cancer rate	le taux de cancer
		to breathe	respirer

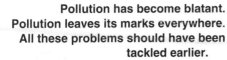

Pollution has become blatant.	La pollution est devenue flagrante.
Pollution leaves its marks everywhere.	La pollution laisse ses marques partout.
All these problems should have been tackled earlier.	On aurait dû s'attaquer à tous ces problèmes plus tôt.
Everybody should be seriously concerned by the pollution problem.	Tout le monde devrait être sérieusement concerné par le problème de la pollution.
The existing regulations prove insufficient.	Les règlements en vigueur s'avèrent insuffisants.
We've already set in motion a process of decline.	Nous avons déjà mis en route un processus de déclin.
People feel an urgent need to find a solution.	Les gens ressentent le besoin urgent de trouver une solution.
I'm afraid we're understating the extent of the fiasco.	J'ai bien peur que nous ne minimisions l'ampleur du fiasco.
This contributes to the pollution of the sea.	Ceci contribue à la pollution de la mer.
It's a substance dangerous to fish.	C'est une substance dangereuse pour les poissons.
The excessive felling of trees can't be accepted !	On ne peut accepter l'abattage excessif des arbres !
There are real dangers threatening the rain forest.	Il y a de réels dangers qui menacent la forêt tropicale.
It sears the lungs and the eyes.	Cela dessèche les poumons et les yeux.
The survivors show weakened immune systems.	Les survivants montrent des systèmes immunitaires affaiblis.
Life expectancies have fallen.	Les espérances de vie ont chuté.
Several deaths related to air pollution have been announced.	Plusieurs décès relatifs à la pollution de l'air ont été annoncés.
They suffer from severe ailments.	Ils souffrent de graves affections.

ENVIRONMENTAL CONSERVATION
LA DEFENSE DE L'ENVIRONNEMENT

ecology	l'écologie
an ecologist	un écologiste
ecological	écologique
the Ecology Party	les Verts
to be ecology-minded	avoir l'esprit écologique
green activism	le militantisme écologique
a green product	un produit écologique
hard-core environmentalists	des écologistes inconditionnels
to take the environment seriously	prendre l'environnement au sérieux
an expert	un expert
an advocate	un défenseur
a detractor	un détracteur
a staunch [ɔː] opponent	un adversaire acharné
to oppose sb	s'opposer à qn
to accuse of	accuser de
an argument for/ against	un argument pour/ contre
to claim	réclamer
the main issue	la question centrale
to campaign for	faire campagne pour
to stress the importance of	souligner l'importance de
to sound the alarm	sonner l'alarme
to launch a petition	lancer une pétition
to demand solutions	exiger des solutions
to be backed by	être soutenu par
to be appalled at	être consterné par
to forestall	anticiper
to cope with a problem	faire face à un problème
to face reality	faire face à la réalité
to be aware of	être conscient de
an awareness programme	un programme de sensibilisation
to spread awareness	élargir la prise de conscience

to stir public opinion	remuer l'opinion publique
to demonstrate in favour of	manifester pour
a demonstration	une manifestation
to gain in popularity	gagner en popularité
tough measures	des mesures sévères
to take drastic measures	prendre des mesures énergiques
to pay closer attention to	accorder une attention plus soutenue à
to warn sb against doing sth	déconseiller à qn de faire qc
to prove	prouver
to deny the evidence of	nier la preuve de
with impunity	en toute impunité
to ignore the rules	ne pas tenir compte des règles
to take no notice of	ne pas faire attention à
to turn a deaf ear to	faire la sourde oreille à
a penalty	une sanction
a sentence	une condamnation
to fine	condamner à une amende
to forbid, to ban	interdire
to regulate	régler
the regulation	le règlement

to control, to check	contrôler	a waste-disposal plant	une usine de destruction des ordures
to reduce	réduire		
to safeguard	sauvegarder		
to curb	maîtriser	an incinerator	un incinérateur
to repair the damage	réparer les dommages	to bury	enterrer
		to treat waste	traiter les déchets
to save energy	économiser l'énergie	a reprocessing plant	une usine de retraitement
to recycle [i-'ɑi-ə]	recycler	to control the output of returnable bottles	contrôler la production de des bouteilles consignées
recycled paper	du papier recyclé		
to reuse	réutiliser		
to process	traiter		
to clean up	nettoyer	disposable wrapping	un emballage perdu
to undergo testing	subir des tests	to require less packaging	nécessiter moins de conditionnement
labelled safe	catalogué sans danger		
		to treat water	traiter l'eau
biodegradable	biodégradable	to purify	purifier
anti-pollution devices	des moyens contre la pollution	alternative energy sources	des sources d'énergie de rechange
to halt the construction of	interrompre la construction de	to substitute	remplacer

The incident set up a wave of environmental activism.	L'incident a déclenché une vague d'activisme écologique.
Lots of people are taking steps to save the earth.	De nombreuses personnes prennent des mesures pour sauver la terre.
We must limit the damage caused to the natural environment.	Nous devons limiter les dommages causés à l'environnement naturel.
We should preserve the earth for the future generations.	Nous devrions préserver la terre pour les générations futures.
It's vital to preserve the ecosystem.	Il est vital de préserver l'écosystème.

WILDLIFE PROTECTION
LA PROTECTION DE LA FAUNE

a wildlife specialist	un spécialiste de la vie des animaux sauvages	animal-rights activists	les activistes pour les droits des animaux
WWF subscribers	les abonnés au WWF (World Wildlife Fund)	a pressure group	un groupe de pression
		a zoologist	un zoologiste
to subscribe to	être abonné à	a national park	un parc national
animal-conservation movements	les mouvements pour la protection des animaux	a game warden	un gardien chargé de la protection des animaux

a reserve	une réserve		
the endangered species	les espèces en voie d'extinction		
to be threatened with extinction	être menacé de disparition		
in danger of extinction	en danger d'extinction		
to threaten survival	menacer la survie		
to wipe out a species	anéantir une espèce		
to poach	braconner		
a poacher	un braconnier		
an anti-poaching patrol	une patrouille anti-braconnage		
to stop the import	arrêter l'importation		
indiscriminate hunting	une chasse aveugle		
to ban hunting	interdire la chasse		

to slaughter [ˈɔ:- ə]	massacrer	to save from extinction	sauver de l'extinction
to eradicate	supprimer	to rescue	sauver
clandestine	clandestin	to reintroduce	réintroduire
a trap	un piège	to return to the wild	remettre en liberté
to stalk a prey	traquer une proie	to restore the balance of nature	rétablir l'équilibre de la nature
to smuggle	faire de la contrebande	to abound	abonder
the ivory/fur trade	le commerce de l'ivoire/de la fourrure	to mate with	s'accoupler avec
to trade in	faire le commerce de	the mating season	la saison des amours
to meet the demand	répondre à la demande	new-born animals	des animaux nouveaux nés
to make money from	gagner de l'argent sur	flocks of migrating birds	des volées d'oiseaux migrateurs

They still number in thousands.	Ils se comptent encore par milliers.
This country is home to the largest colony of herons in the world.	Ce pays abrite la plus importante colonie de hérons du monde.
The import of exotic animals should be regulated.	On devrait réguler l'importation d'animaux exotiques.
There are lots of illegally poached elephants and rhinos.	Il y a des tas d'éléphants et de rhinocéros chassés illégalement.
The worldwide ban on ivory should take effect soon.	L'embargo sur l'ivoire, dans le monde entier, devrait entrer en vigueur bientôt.
These animals are driven out of their habitats.	Ces animaux sont chassés de leurs habitats.
A petition for their protection is pending.	Une pétition pour leur protection est en suspens.
Its horn is coveted to make daggers.	Sa corne est convoitée pour en faire des poignards.

ANIMALS AND HUNTING
LES ANIMAUX ET LA CHASSE

the RSPCA (the Royal Society for the Prevention of Cruelty to Animals)	la SPA
our dumb friends	nos amis les bêtes
a pet	un animal familier
a puppy	un chiot
a mongrel	un corniaud
a kitten	un chaton
a kennel	une niche
a cage	une cage
to bark	aboyer
to yelp	japper
to snarl	grogner
to whine	gémir
to stroke	caresser
to tame	apprivoiser
to wag its tail	remuer la queue
to prick up one's ears	dresser les oreilles

a guinea pig	un cochon d'Inde
a bat	une chauve souris
a mole	une taupe
a louse (lice)	un pou
a frog	une grenouille
a toad	un crapaud
a tortoise	une tortue
a turtle	une tortue de mer
a leech	une sangsue
a slug	une limace
a snail	un escargot
a worm [ə:]	un ver
a mouse (mice)	une souris

an insect	un insecte
a cricket	un grillon
a grasshopper	une sauterelle
a beetle	un scarabée
a dragonfly	une libellule
a fly	une mouche
a wasp [ɔ]	une guêpe
a bee	une abeille
a hive [ɑi]	une ruche
a swarm	un essaim
honey	du miel
wax	de la cire
to sting	piquer

a mosquito	un moustique
a butterfly	un papillon
a bug	une punaise
a flea	une puce
a clothes-moth	une mite
a caterpillar	une chenille
an ant	une fourmi
a scorpion	un scorpion
a ladybird	une coccinelle

a reptile	un reptile
a snake	un serpent
an adder	une vipère
a cobra	un cobra
a boa	un boa
a grass snake	une couleuvre
a rattlesnake	un serpent à sonnettes
a crocodile	un crocodile
an alligator	un alligator
a lizard	un lézard
to crawl	ramper
a snake bite	une morsure de serpent
venom	du venin
the fangs of a viper	les crochets d'une vipère
to be poisonous	être venimeux
a forked tongue	une langue fourchue
to hiss	siffler
to coil	s'enrouler
the coils of a snake	les anneaux d'un serpent

a turtle-dove	une tourterelle
a pigeon	un pigeon
a seagull	une mouette
a crow [əu]	une corneille
a raven, a rook	un corbeau
a magpie	une pie
a nightingale	un rossignol
a blackbird	un merle
a finch	un pinson
a sparrow	un moineau
a thrush	une grive
a lark	une alouette
a swallow	une hirondelle

a kingfisher	un martin-pêcheur	a wild beast	une bête sauvage
a woodpecker	un pic-vert	a lioness	une lionne
a heron	un héron	a lion	un lion
a stork	une cigogne	a lion cub	un lionceau
an ostrich	une autruche	a panther	une panthère
a duck	un canard	a tiger	un tigre
a pheasant	un faisan	a leopard ['lepəd]	un léopard
a partridge	une perdrix	a cheetah ['i:-ə]	un guépard
a quail	une caille	a monkey	un singe
a crane	une grue	a chimpanzee	un chimpanzé
a swan	un cygne	[,i-æ-'i:]	
a migratory bird	un oiseau migrateur	an ape [ei]	un grand singe
a bird of prey	un oiseau de proie	a baboon	un babouin
a vulture	un vautour	a gorilla	un gorille
an eagle	un aigle	a bear	un ours
a hawk	un faucon	an elephant	un éléphant
a feather	une plume	a jackal ['æ-ɔ:]	un chacal
fully-fledged	qui a toutes ses	a hyena [ɑi-' i:-ə]	une hyène
	plumes	a coyote	un coyote
down	du duvet	a lemur ['i:-ə]	un lémurien
a beak	un bec	a panda	un panda
claws	les serres	a buffalo	un buffle
to fly	voler	a rhinoceros	un rhinocéros
to flutter	voleter	[ɑi-'ɔ-ə-ə]	
to hover above	planer au-dessus de	a giraffe	une girafe
to swoop down on	piquer sur	a mongoose	une mangouste
to soar	s'élever	a hippopotamus	un hippopotame
to hop	sautiller	[,i-ə-' ɔ-ə-ə]	
to nest	se nicher, faire son	a camel	un chameau
	nid	a dromadery	un dromadaire
a nest	un nid	a hump	une bosse
to migrate	migrer	a trunk	une trompe
to twitter	gazouiller	a tusk	une défense
		a spot	une tache
		spotty	moucheté
a doe	une biche	tawny	fauve (couleur)
a stag, a deer	un cerf	a den	une tanière
a reindeer	un renne	a lair	un repère, une
an antelope	une antilope		tanière
a roe deer	un chevreuil		
antlers	les bois	to trumpet	barrir
a fox	un renard	to roar	rugir
a badger	un blaireau	to hibernate ['ɑi-ə-ei]	hiberner
a dormouse	un loir		
a beaver ['i:-ə]	un castor		
an otter	une loutre	to go hunting	aller à la chasse
a mink	un vison	a hunter	un chasseur
a hare	un lièvre	to hunt down	traquer
a squirrel	un écureuil	a hound	un chien de meute
a weasel	une belette	a pack of hounds	une meute de
a porcupine	un porc-épic		chiens
a rodent	un rongeur	fox-hunting	la chasse au renard
a boar	un sanglier	a game licence	un permis de chasse
		to raise game	lever du gibier
		a gamekeeper	un garde-chasse

to scent the game	flairer le gibier	to load a gun	charger un fusil
to comb the forest	passer la forêt au peigne fin	a rifle	une carabine
		a cartridge	une cartouche
to pursue	poursuivre	a cartridge belt	une cartouchière
to spot	repérer	to hit	atteindre
to be trapped	être pris au piège	to miss	manquer
a snare	un piège	to aim at sth	viser qc
to snare	poser des pièges	gaiters	des guêtres

FISH AND FISHING
LES POISSONS ET LA PÊCHE

a goldfish	un poisson rouge	an octopus	une pieuvre
small fry	du menu fretin	a tuna	un thon
a carp	une carpe	a whale	une baleine
a pike	un brochet	a sperm whale	un cachalot
a salmon ['sæmən]	un saumon	a walrus	un morse
a sardine	une sardine	a dolphin	un dauphin
a herring	un hareng	a shark	un requin
a trout	une truite	a sea lion	une otarie
an eel	une anguille	a seal	un phoque
an anchovy	un anchois	scales	les écailles
cod	la morue	gills	les ouïes
a perch	une perche	a fin	une nageoire
shellfish	les crustacés	a tentacle	une tentacule
a crab	un crabe		
a lobster	un homard		
a shrimp	une crevette	to go fishing	aller à la pêche
a crayfish	une langouste/ une écrevisse	a fisherman	un pêcheur
		line-fishing	la pêche à la ligne
a jelly fish	une méduse	a fishing rod	une canne à pêche
oysters	des huîtres	to cast a line	lancer une ligne
mussels	des moules	a hook	un hameçon
cockles	des coques	a bait	un appât
a sea-urchin	un oursin	a maggot	un asticot
a starfish	une étoile de mer	a worm	un ver
a squid	un calmar		

EDUCATION
L'ENSEIGNEMENT

the Ministry of Education	le Ministère de l'Education Nationale
the education system	le système d'éducation
to educate	instruire, éduquer
educated	instruit
uneducated	sans éducation
to raise the educational level	élever le niveau d'éducation
to instruct	instruire
to attend school	aller à l'école
school attendance	la scolarisation
compulsory schooling	la scolarité obligatoire
the school-leaving age	l'âge de fin de scolarité
school fees	les frais de scolarité
the school bus service	le service de ramassage scolaire
a scholarship student	un boursier
to receive a grant	recevoir une bourse
the curriculum	le programme scolaire
on the syllabus	au programme
the timetable	l'emploi du temps
a term	un trimestre
the summer holidays	les vacances d'été
a class	un cours
a period	une heure de cours
the break	la récréation
extracurricular activities	des activités extra-scolaires
equality of opportunities	l'égalité des chances
disparities	les disparités
to reduce the differences	réduire les différences
to level	niveler
to stream	répartir par niveaux
the IQ (Intellectual Quotient)	le QI (Quotient Intellectuel)
abilities, skills	les aptitudes, les compétences

various types of schools	différents types d'écoles
a state school	une école publique
a private school	une école libre
an independent school (GB)	une école libre
a nursery school	une école maternelle
a primary school (GB)	une école primaire
an elementary school (GB-US)	une école primaire
a preparatory (prep) school (GB)	une école primaire privée
an infant school (GB)	les classes entre 5 et 7 ans
a junior school (GB)	les classes entre 7 et 11 ans
a public school (GB)	un collège secondaire privé
a secondary school	un lycée
a comprehensive school (GB)	un lycée polyvalent
a grammar school (GB)	un lycée classique
a technical school (GB)	un collège technique
a junior high school (US)	un collège
a high school (US)	un lycée
a training college	une école spécialisée
a university	une université
a faculty	une faculté
the Faculty of Arts	la faculté des lettres
a college	un établissement d'enseignement supérieur
to go to college (GB)	faire des études supérieures

the redbrick universities (GB)	les universités de briques rouges (de fondation récente)
a boarding school	un internat
a boarder	un interne
a day school	un externat
a day pupil	un externe
a boys'/girls' school	une école de garçons/de filles
a co-educational school	une école mixte
a crammer's school	une boîte à bachot
a form (GB), a grade (US)	une classe
the 1st/the 6th form (GB)	la 6e, la 1ère
the upper 6th (GB)	la Tle
the 6th grade (US)	la 6e
a school-age child	un enfant en âge de scolarité
a schoolboy/ a schoolgirl	un écolier/ une écolière
a student	un étudiant
a graduate	un licencié, un diplômé
an undergraduate	un étudiant non diplômé
to graduate	obtenir sa licence (université)

a classroom	une salle de classe
a lecture hall	un amphithéâtre
a library ['ɑi-ə-i]	une bibliothèque
the playground	la cour de récréation
a dormitory	un dortoir
a satchel	un cartable
a schoolbook	un livre de classe
a textbook	un livre de cours
a copybook, an exercise book	un cahier
a rough book	un cahier de brouillon
a notebook	un carnet
a sheet of paper	une feuille de papier
tracing paper	du papier calque
a binder ['ɑi-ə]	un classeur
a folder	une chemise
a pencil case	une trousse
a ball-point pen	un stylo à bille
a feltpen	un feutre
a pencil	un crayon

glue	de la colle
ink	de l'encre
a rubber	une gomme
to rub out	gommer
a ruler	une règle
a piece of chalk	une craie
a duster	un chiffon

the teaching staff	le personnel enseignant
the teachers'room	la salle des professeurs
a head teacher	un professeur principal
a teacher-training course	un stage pédagogique
the head of the department	le chef du département
the school board	le conseil d'établissement
a schoolmaster	un instituteur
a teacher	un professeur dans le secondaire
a professor	un professeur en faculté
a lecturer (GB)	un assistant à l'université
a fellow (GB)	un chargé de cours à l'université
parent-teacher associations	les associations de parents d'élèves
pedagogy	la pédagogie
to transmit knowledge	transmettre le savoir
to stick to one's principles	rester fidèle à ses principes
to teach the basic skills	enseigner les matières de base
to vary one's teaching	varier son enseignement
modern teaching methods	des méthodes d'enseignement modernes
competent	compétent
fair/unfair	juste/injuste
energetic	énergique
demanding	exigeant
understanding	compréhensif
to arouse interest	susciter l'intérêt
to explain	expliquer
an explanation	une explication
to encourage	encourager
to advise [ə-'ɑi]	conseiller

a piece of advice	un conseil
to reward	récompenser
to evaluate	évaluer
to mark papers	corriger des copies
to do remedial work	donner des cours de rattrapage
to give private lessons	donner des cours particuliers
teaching aids	du matériel pédagogique
a slide projector	un projecteur de diapositives
an overhead projector	un rétroprojecteur
a tape recorder	un magnétophone
a video recorder	un magnétoscope
a language laboratory	un laboratoire de langues

a subject	une matière
the three R's	les trois matières de base
Reading	la lecture
Writing	l'écriture
Arithmetic	l'arithmétique
History and Geography	l'histoire et la géographie
Civics	l'instruction civique
Physics and Chemistry	la physique chimie
Algebra and Geometry	l'algèbre et la géométrie
Biology [ɑi- 'ɔ-ə-i]	la biologie
Economics	l'économie
P. T. (Physical Training)	l'éducation physique
foreign languages	les langues étrangères
Technology	la technologie
Drawing	le dessin
to study ['ʌ-i]	étudier
to resume one's studies	reprendre ses études
to focus one's attention on	fixer son attention sur
to tackle a subject	s'attaquer à un sujet
to specialize in	se spécialiser dans
to rack one's brains	se creuser la tête
to ponder over	réfléchir à
to think of	penser à
to infer	déduire
to learn by heart/ by rote	apprendre par coeur/sans essayer de comprendre

to revise [i- 'ɑi]	réviser
to improve	(s') améliorer
good at/bad at	bon/mauvais en
to excel in	exceller en
to have a great deal of autonomy	avoir beaucoup d'autonomie
a good mark	une bonne note
to keep up an average	maintenir sa moyenne
a report	un bulletin
a dictation	une dictée
a translation	une traduction
to translate into	traduire en
to sum up	résumer
to spell	épeler, orthographier
to ask/to answer a question	poser/répondre à une question
to fill in a grid	remplir une grille
to tick	cocher
an oral/a written exam	un examen oral/ écrit
to prepare	préparer
to sit for an exam	passer un examen
to succeed	réussir
successful	qui a réussi
to fail	échouer
a failure	un échec
a competitive exam	un concours
lucky	chanceux
unlucky	malchanceux
a diploma, a certificate	un diplôme
a degree	un diplôme universitaire
to qualify as, to graduate	obtenir un diplôme
the G.C.S.E. (General Certificate of Secondary Education)(A level/ O level) (GB)	l'équivalent du "bac"
B Sc (Bachelor of Science) (GB)	licencié és Science
B A (Bachelor or Arts) (GB)	licencié és Lettres

illiterate	illettré
lazy	paresseux
mischievous	méchant, espiègle
restless	remuant
talkative	bavard
dull, slow-witted	à l'esprit lent
sly	timide

average	moyen	self-discipline	l'auto-discipline
absent-minded	distrait	authority	l'autorité
careless	négligent	authoritarian	autoritaire
to get bored	s'ennuyer	strict, severe	sévère
a dunce	un cancre	to break the rules	enfreindre le règlement
a drop out	un étudiant qui abandonne ses études	to disrupt a class	déranger un cours
to drop out of school	abandonner ses études	to disobey sb	désobéir à qn
		disobedient	désobéissant
to play truant	faire l'école buissonnière	impolite	impoli
		rude	insolent
to slacken one's efforts	relâcher ses efforts	a rumpus	un chahut
		to threaten	menacer
to repeat a year	doubler une année	to forbid	interdire
clever, intelligent, bright, brainy	intelligent	to take no notice of	ne tenir aucun compte de
outstanding	remarquable	to be told off	se faire disputer
studious	studieux	to be punished	être puni
hard-working	travailleur	a punishment	une punition
shrewd	perspicace	to reproach sb with sth	reprocher qc à qn
quiet	calme	to be expelled from school	être renvoyé de l'école
quick-witted	qui à l'esprit vif	to deserve	mériter
conscientious	consciencieux	to be in detention	être collé
gifted for	doué pour	a detention	une retenue
motivated	motivé	corporal punishment	le châtiment corporel
self-confident	qui a confiance en soi	to beat	battre
careful	soigneux	to cane sb	donner le fouet à qn
obedient	obéissant	to slap sb's face	gifler qn
to obey sb	obéir à qn	a thrashing	une correction
discipline	la discipline		

They have raised the school-leaving age to 18.	Ils ont prolongé la scolarité obligatoire jusqu'à 18 ans.
They should understand such reforms are for the sake of students.	Ils devraient comprendre que de telles réformes sont pour le bien des étudiants.
They say education should be child-centred.	Ils disent que l'éducation devrait être centrée sur l'enfant.
Special emphasis is laid on languages in that school.	Dans cette école on accorde une importance particulière aux langues.
We must bear in mind the role played by parents.	Nous devons garder à l'esprit le rôle joué par les parents.
Parental pressure often contributes to success.	La pression des parents contribue souvent au succès.

It's forbidden to litter the classrooms with paper, to stick chewing-gums under the tables, and to write obscenities on the blackboard.	Il est interdit de joncher les salles de classe de papiers, de coller des chewing-gums sous les tables, et d'écrire des obscénités sur le tableau.
The dates of the holidays vary from one area to another.	Les dates des vacances varient d'une région à l'autre.
It's within everyone's grasp.	C'est à la portée de tout le monde.
He has a good grasp of French.	Il a une solide connaissance du français.
His teachers say he is endowed with exceptional gifts.	Ses professeurs disent qu'il est doté de dons exceptionnels.
She's far above my school level.	Elle est d'un niveau bien supérieur au mien.
Do you speak German fluently ?	Parles-tu l'allemand couramment ?
He failed even the most basic tests.	Il a échoué même aux tests de base.
I had no inkling of it !	Je n'en avais pas la moindre idée !
Our English teacher enjoys stumping us !	Notre professeur d'anglais aime bien nous poser des colles !
He did everything he could to be expelled ... and he was !	Il a fait tout ce qu'il a pu pour être renvoyé ... et il l'a été !
He's the brains of the family !	C'est le cerveau de la famille !
I can cope in English.	Je me débrouille en anglais.
He's got a lot to cope with !	Il a du pain sur la planche !
I'm stuck !	Je sèche !
The first question stuck me.	J'ai séché sur la première question.
He's decided to read Law.	Il a décidé d'étudier le droit.
The standard of the exam was low.	Le niveau de l'examen était bas.
I'm afraid they all lack brains !	J'ai bien peur qu'ils ne soient tous stupides !
I'm afraid I got mixed up !	J'ai bien peur d'avoir tout mélangé !

THE CONSUMER SOCIETY
LA SOCIETE DE CONSOMMATION

the affluent society	la société d'abondance
a consumer	un consommateur
consumerism	la défense du consommateur
consumer goods	les biens de consommation
a customer	un client
the purchasing power	le pouvoir d'achat
to purchase	acheter
to spend money on	dépenser de l'argent en
to afford	avoir les moyens de s'acheter
to pay for	payer
to pay in cash	payer en espèces
by instalments	en plusieurs versements
a credit card	une carte de crédit
to buy on credit	acheter à crédit
by mail-order	par correspondance
to have the choice	avoir le choix
to make up one's mind	se décider
a deposit	un acompte
the value	la valeur
the price, the cost	le prix
an inclusive price	un prix tout compris
a price list	un tarif
competitive prices	des prix compétitifs
to sell at half price	vendre à moitié prix
the selling price	le prix de vente
to set a price	fixer un prix
skyrocketing prices	des prix qui montent en flèche
to increase	augmenter
a rise	une augmentation
a drop, a fall	une baisse
to cut, to reduce prices	réduire les prix
to discuss the price	discuter le prix
to haggle over the price	chicaner sur le prix
to bargain over an article	marchander un article
a good bargain	une bonne affaire
a special offer	une offre spéciale
a discount	une remise
sales	des soldes
to exchange	échanger
VAT (Value Added Tax)	la TVA
a receipt	un reçu
an invoice	une facture
to set up a shop	ouvrir un magasin
a shopping centre	un centre commercial
a shopping trolley	un caddie
a shop sign	une enseigne
a shop window	une vitrine
to go window shopping	faire du lèche vitrines
to shop around for	faire les magasins pour comparer
a shopkeeper	un commerçant
a shop assistant	un vendeur, un employé
a butcher's shop	une boucherie
a caterer	un traiteur
ready-made dishes	des plats préparés
a sweetshop	une confiserie
a cake shop	une pâtisserie
a baker's shop	une boulangerie
a grocer's shop	une épicerie
a greengrocer's shop	un magasin de fruits et de légumes
a dairy	une crémerie
a fishmonger's shop	une poissonnerie
a news agency	une agence de presse
a newspaper stall	un kiosque à journaux
a tobacconist's shop	un bureau de tabac

a bookshop	une librairie
a jeweller's shop	une bijouterie
a salesman	un vendeur
a department store	un grand magasin
a branch	une succursale
multi-storied	à plusieurs étages
the shoe department	le rayon des chaussures
a display window	un étalage
to display	exposer
free entrance	entrée libre
opening/closing time	l'heure d'ouverture/ de fermeture
the counter	le comptoir
a shelf	une étagère
a retailer	un détaillant
retail/wholesale trade	la vente au détail/ en gros
a retailer	un détaillant
a wholesaler	un grossiste
a supplier	un fournisseur
to supply with	approvisionner
to flood the market with	inonder le marché de
an order form	un bon de commande
to give an order for sth	passer commande de qc
made to order	fait sur commande
cash with order/ on delivery	paiement à la commande/à la livraison

to be delivered overnight	être livré du jour au lendemain
to take delivery of	prendre livraison de
to keep a delivery time	respecter un délai de livraison
to cancel	annuler
to complain about	se plaindre de
the after-sales service	le service après-vente
to take stock	faire l'inventaire
to dispose of the stock	écouler le stock
in stock	en stock
out of stock	épuisé
a shortage	une pénurie
wares, goods	les marchandises
luxury goods	les produits de luxe
manufactured goods	les produits manufacturés
to manufacture	fabriquer
a line/a range of products	une ligne/une gamme de produits
to produce	produire
overproduction	la surproduction
an article, an item	un article
a sample	un échantillon
packaging	le conditionnement
postage and packing	les frais de port et d'emballage
to wrap [æ]	emballer
to label	étiqueter
a label	une étiquette

Prices have gone up tremendously.	Les prix ont terriblement augmenté.
Is it included in the price ?	Est-ce inclus dans le prix ?
Do you think it's worth more ?	Crois-tu que cela vaut davantage ?
It depends on how much you're prepared to pay.	Cela dépend de combien tu es prêt à payer.
He's a good salesman.	C'est un bon vendeur.
I'm afraid this article is sold out.	J'ai bien peur que cet article ne soit épuisé.
The stocks are running low.	Les stocks s'amenuisent.
We'll never meet the deadline !	Nous ne respecterons jamais la date limite !

ADVERTISING : *LA PUBLICITE*

to advertise ['æ-ə-ɑi]	faire de la publicité
an advertising campaign/agency	une campagne/ une agence de publicité
an advert	une réclame, une publicité
selling techniques	les techniques de vente
a bill, a poster	une affiche
a billboard, a hoarding	un panneau d'affichage
a slogan, a catchword	un slogan
a neon sign	une enseigne au néon
a leaflet	un prospectus

to sponsor	sponsoriser
to draw the attention of	attirer l'attention de
to insist on	insister sur
to focus one's attention on	concentrer son attention sur
to lay stress on	mettre l'accent sur
to attract	attirer
to manipulate	manipuler
to lure	persuader par la ruse
to entice	allécher
to influence	influencer
to persuade	persuader
to tempt	tenter

I've seen it advertised on TV.	J'ai vu une publicité là-dessus à la télé.
That will induce people to buy.	Cela incitera les gens à acheter.
It appeals to your imagination.	Cela parle à votre imagination.

ECONOMY
L'ECONOMIE

to join the EEC (European Economic Community)	adhérer à la CEE
the Common Market	le Marché Commun
to become a member	devenir membre
the European Parliament	le Parlement Européen
the currency snake	le serpent monétaire
a common currency	une monnaie commune
the ECU (European Currency Unit)	l'unité monétaire européenne
a monetary policy	une politique monétaire
to attain	parvenir à
to achieve an aim	atteindre un but
with giant strides	à pas de géant
to comply with the rules	respecter le règlement

an economic crisis	une crise économique
a floundering economy	une économie qui patauge
in dire economic straits	dans une situation économique désespérée
recession	la récession
to collapse	s'effondrer
to stagnate	stagner
to be at a standstill	être au point mort
sluggish	stagnant
to slacken	ralentir
to worsen	s'aggraver
bleak prospects	de mornes perspectives
grim	sinistre
on the brink of	au bord de
to sound the alarm	tirer la sonnette d'alarme
pessimistic	pessimiste
to tighten one's belt	se serrer la ceinture

to take unpopular austerity measures	prendre des mesures d'austérité impopulaires
to keep a low profile	garder un profil bas
to solve	résoudre
to start afresh	recommencer
to improve, to brighten	(s') améliorer
encouraging figures	des chiffres encourageants
growth	la croissance
booming	florissant
to give a stimulus	donner un coup de fouet
to develop, to expand	(se) développer
to modernize ['ɔ-ə-ɑi]	moderniser
to innovate	innover
to adjust to	(s') adapter à
to catch up with	rattraper

a planned economy	une économie planifiée
a five-year plan	un plan quinquennal
a state-run economy	une économie dirigée par l'état
a state-controlled enterprise	une entreprise étatisée
to be centralized	être centralisé
to nationalize	nationaliser
to subsidize	subventionner
to intervene	intervenir
to set prices	fixer les prix
to outlaw free enterprise	mettre hors-la-loi la libre entreprise

capitalism	le capitalisme
a capitalist	un capitaliste
private property	la propriété privée
to strengthen the private sector	renforcer le secteur privé
to privatise ['ɑi-i-,ɑi]	privatiser
a free market	un libre marché
to involve free competition	impliquer la libre concurrence
to compete with sb	faire concurrence à qn
fierce competition	une concurrence acharnée
to outrun competitors	distancer les concurrents
to liberalize	libéraliser
an incentive	une motivation
the magnet effect	l'effet aimant
to grow rich	s'enrichir
to make, to earn money	gagner de l'argent
to generate money	produire de l'argent
to make a fortune	faire fortune
to earn one's living	gagner sa vie
to make a profit	faire des bénéfices
profit-making	à but lucratif
soaring profits	des bénéfices en hausse
to increase	augmenter
to prosper, to thrive	prospérer
prosperous, thriving	prospère
to contribute to the prosperity of	contribuer à la prospérité de
to freeze the prices of	geler les prix de
the inflation rate	le taux d'inflation
to curb inflation	contenir l'inflation
the law of supply and demand	la loi de l'offre et de la demande
to meet the demand	répondre à la demande
a share of the market	une part du marché
in the short-/mid-/long-term	à court/moyen/long terme
foreign trade	le commerce extérieur
trade barriers	les barrières douanières
the balance of trade	la balance commerciale
the foreign debt	la dette étrangère
to extend the market	étendre le marché
to import	importer
to export	exporter

to have strained relations with	avoir des relations tendues avec
close commercial links	des liens commerciaux étroits
a businessman	un homme d'affaires
to be in business	être dans les affaires
to run a business	diriger une affaire
to conclude a deal	conclure un marché
to start from scratch	partir de zéro
to found a firm	créer une compagnie
to undertake	entreprendre
entrepreneurial spirit	l'esprit d'entreprise
an individual initiative	une initiative individuelle
to be at the head of a company	être à la tête d'une société
to manage	gérer
a joint venture company	une co-entreprise
a venture capital	un capital risques
a partner	un associé
a shareholder	un actionnaire
to acquire shares	acquérir des parts
a man of straw	un homme de paille
the management	la direction
the manager	le directeur
the director general	le directeur général
the chairman	le président
the Board of Directors	le conseil d'administration
the sales manager	le directeur commercial
the executive secretary	le secrétaire général
a top executive	un cadre supérieur
trustworthy, reliable [i- 'ɑiə-ə]	digne de confiance
to merge	fusionner
to absorb	absorber
to be taken over by	être repris par
to be well-off	vivre dans l'aisance
rich, wealthy	riche
to flaunt one's wealth	étaler sa richesse
to roll in money	rouler sur l'or
to spend lavishly	dépenser sans compter
to squander one's fortune	dilapider sa fortune
to live beyond one's income	vivre au-dessus de ses moyens
to waste money	gaspiller de l'argent
the standard of living	le niveau de vie
a status symbol	un signe extérieur de richesse

an upstart	un parvenu
spendthrift	dépensier

a factory	une usine
a factory worker	un ouvrier
heavy/light industry	l'industrie lourde/ légère
metallurgy	la métallurgie
a metallurgist	un métallurgiste
a steelworks	une aciérie
a steelworker	un sidérurgiste
a blast furnace	un haut fourneau
a foundry	une fonderie
cast-iron	de la fonte
to cast metal	couler du métal
a metal sheet	une plaque de métal
to convert into	transformer en
a crane	une grue
an assembly line	une chaîne de montage
to assemble	assembler
repetitive work	un travail répétitif
menial	subalterne
the output	la production
to decline	décliner
to shut down	fermer définitivement
obsolete	dépassé
to develop robotics	développer la robotique
to robotize	robotiser
to automate	automatiser
to relieve sb of	soulager qn de

the accountancy	la comptabilité
an account book	un livre de comptes
the balance sheet	le bilan
the turnover	le chiffre d'affaires
the profit margin	la marge bénéficiaire
the assets and liabilities	l'actif et le passif
overhead expenses	les frais généraux
the profit and loss	les pertes et profits
the financial profile	le profil financier
to get into debt	s'endetter
a creditor	un créancier
to pay back	rembourser
the terms of payment	les conditions de paiement
to delay	différer

to check	vérifier
a legal adviser	un conseiller juridique
a chartered accountant	un expert comptable
a bank account	un compte en banque
a banker	un banquier
a bank clerk	un employé de banque
a cashier	un caissier
transactions	des transactions
to open an account	ouvrir un compte
a current account	un compte courant
an overdraft	un découvert
to be in the red	être à découvert
to make a deposit	faire un dépôt
to withdraw money	retirer de l'argent
a debtor	un débiteur
the payee	le bénéficiaire
a cheque book	un chéquier
to cash a cheque	encaisser un chèque
a crossed/ blank cheque	un chèque barré/ en blanc
to fill in	remplir
to sign [ɑi]	signer
a credit card	une carte de crédit
a sum of money	une somme d'argent
a banknote	un billet de banque
a coin	une pièce de monnaie
a safe	un coffre-fort
savings	les économies
to guarantee	garantir
to borrow from sb	emprunter à qn
to lend sb sth	prêter qc à qn
to offer financial backing	proposer un soutien financier
to grant a loan	consentir un prêt
the interest rate	le taux d'intérêt
monthly repayments	des rembourse- ments mensuels
the financial market	le marché financier
the Stock Exchange	la Bourse
a stockbroker	un agent de change
a speculator	un spéculateur
to speculate	spéculer
a share	une action
an investor	un investisseur
an investment	un investissement
to invest	investir
a slump	une baisse soudaine
to slump (down)	s'effondrer
to devalue	dévaluer

to revalue	réévaluer	a tax accountant	un conseiller fiscal
the tax authority	le Trésor Public	bankruptcy	la faillite
the income tax	l'impôt sur le revenu	to go bankrupt	faire faillite
to pay taxes	payer des impôts	to be on the verge of	être au bord de la
the taxpayer	le contribuable	bankruptcy	faillite
the tax collector	le percepteur	to teeter on the edge	être sur le point de
to levy a tax on	lever un impôt sur	of bankruptcy	faire faillite
tax-free	exonéré d'impôt	to file for banruptcy	déposer le bilan
tax adjustment	le redressement	to be mired in debt	être dans les dettes
	fiscal		jusqu'au cou
tax evasion	la fraude fiscale	to suffer a loss	essuyer une perte
a tax haven	un paradis fiscal	to make up for	compenser les
to be heavily taxed	être lourdement	losses	pertes
	imposé		

He's made of money.	Il roule sur l'or.
Business was brisk a few years ago.	Les affaires marchaient bien il y a quelques années.
This might trigger a worldwide recession.	Ceci pourrait déclencher une récession mondiale.
The firms must struggle for survival in this competitive market.	Les entreprises doivent lutter pour survivre dans ce marché compétitif.
They're trying to eliminate all the trade barriers.	Ils essaient d'éliminer toutes les barrières commerciales.
Business is looking up.	Les affaires reprennent.
They're enjoying unprecedented growth.	Ils jouissent d'une croissance sans précédent.
Such prospects should attract investors into our country.	De telles perspectives devraient attirer les investisseurs dans notre pays.

WORKING LIFE
LA VIE ACTIVE

the labour force	la main d'oeuvre
a wage earner	un salarié
skilled/unskilled	qualifié/non qualifié
hierarchy [ˈaɪə-ɑː-i]	la hiérarchie
the boss	le patron
the employer	l'employeur
the employers	le patronat
wages	les salaires
the salary	le traitement
paid holidays	les congés payés
unpaid leave	un congé sans solde
social welfare	la sécurité sociale
the social security benefits	les prestations sociales
the professional classes	les professions libérales
the working class	la classe ouvrière
a blue-collar worker	un col bleu (travailleur manuel)
a white-collar worker	un col blanc (employé de bureau)
a factory worker	un ouvrier en usine
an apprentice	un apprenti
a technician	un technicien
an executive	un cadre
an engineer	un ingénieur
a mechanic	un mécanicien
a craftsman	un artisan
an electrician	un électricien
a joiner	un menuisier
a plasterer	un plâtrier
a glazier	un vitrier
a locksmith	un serrurier
a carpenter	un charpentier
a plumber	un plombier
a bricklayer	un maçon
a window cleaner	un laveur de carreaux
a dustman	un éboueur
a lorry driver	un camionneur
a postman	un facteur
a civil servant	un fonctionnaire
a bank clerk	un employé de banque
a secretary	une secrétaire

a shopkeeper	un commerçant
a cashier	un caissier
a waiter	un serveur
a cook	un cuisinier
a hairdresser	un coiffeur
a reporter, a journalist	un journaliste
a businessman	un homme d'affaires
an artist	un artiste
a musician	un musicien
a conductor	un chef d'orchestre
a writer	un écrivain
a pilot	un pilote
a dentist	un dentiste
a chemist	un pharmacien
a surgeon	un chirurgien
a nurse	une infirmière
an architect	un architecte
a judge	un juge
a lawyer	un juriste
a barrister	un avocat
a solicitor	un notaire

to look for a job	chercher du travail
a job seeker	un demandeur d'emploi
to apply for a job	poser sa candidature pour un emploi
to read the small ads	lire les petites annonces
to fill in an application form	remplir une demande
to give sb a chance	donner une chance à qn
to call sb for an interview	convoquer qn pour une entrevue
a vacancy	un poste vacant

to hire sb	embaucher qn	to toil	travailler dur
to recruit	recruter	to devote one's life	consacrer sa vie
the necessary	les aptitudes, les	to one's job	à son travail
qualifications	qualifications	to feel bound to a firm	se sentir lié à une
	nécessaires		compagnie
abilities	les aptitudes, les	a workaholic	un bourreau du
	compétences		travail
the know-how	le savoir-faire	to be overworked	être surmené
a vocation	une vocation	to do extra hours	faire des heures
a dead-end job	un travail sans		supplémentaires
	débouchés	to be promoted	être promu
a part-/full-time job	un travail à temps	to get promotion	obtenir de
	partiel/complet		l'avancement
job security	la sécurité d'emploi	motivating	motivant
adaptability	la faculté	engrossing	captivant
	d'adaptation	stimulating	stimulant
on-the-job training	la formation sur le	efficient	efficace
	tas	competent	compétent
voluntary work	le bénévolat	skilful	adroit
to earn one's living	gagner sa vie	clumsy	maladroit
to have an opportunity	avoir l'occasion de	to retire [i- 'aiə]	prendre sa retraite
to do sth	faire qc	to be retired	être retraité
to compete for the job	rivaliser pour	to live on a pension	vivre d'une pension
	obtenir l'emploi	an old-age pension	une pension
to strive to	faire son possible		vieillesse
	pour	to be pensioned off	être mis à la
to reach one's goal	atteindre son but		retraite
to take responsibilities	prendre des		
	responsabilités		

◼ WOMEN AT WORK : *LES FEMMES AU TRAVAIL*

the fair sex	le beau sexe	sex discrimination	la discrimination
a feminist	un(e) féministe		sexiste
Women's Lib	le MLF	discriminatory	des attitudes
to have a right to	avoir le droit de	attitudes	discriminatoires
women's rights	les droits des	to enable sb to do sth	donner à qn la
	femmes		possibilité de
equal opportunities	l'égalité des		faire qc
	chances	to allow sb to do sth	autoriser qn à
equality	l'égalité		faire qc
the condition of	la condition des	male/female	mâle/femelle
women	femmes	to be prejudiced	avoir des préjugés
an activist	un militant	against	contre
to claim	revendiquer	without bias [aiə]	sans parti pris
a claim	une revendication	bias(s)ed	qui n'est pas
to demand	exiger		impartial
to fight for	se battre pour	to be judged by the	être jugé d'après
to struggle	lutter	same standards	les mêmes critères
to discriminate	établir une	professional life	la vie
	discrimination		professionnelle

a demeaning job	un travail avilissant	to feel frustrated	se sentir frustré
to hold top jobs	occuper des postes importants	to be confined to the house	être obligé de rester chez soi
a full-time/part-time job	un travail à temps complet/à mi-temps	to be trapped at home	être coincé chez soi
to work flexi-time	avoir des horaires souples	to feel inferior to	se sentir inférieur à
to feel free	se sentir libre	to have complexes	avoir des complexes
expectations	les attentes, les espérances	sexual harassment	le harcèlement sexuel
to have/to lack ambition	avoir/manquer d'ambition	a sex object	un objet sexuel
ambitious	ambitieux	sexism	le sexisme
to take up a career	embrasser une carrière	male chauvinism	la phallocratie
to fulfil oneself	se réaliser	a male chauvinist	un phallocrate
self fulfilment	l'épanouissement	the battle of the sexes	la bataille des sexes
liberated	libéré	family life	la vie de famille
emancipated	émancipé	to encroach on	empiéter sur
to compete with	faire concurrence à	boredom	l'ennui
to face	faire face à	to get bored	s'ennuyer
a hard choice	un choix difficile	to endure monotony	supporter la monotonie
to put up with, to endure	supporter		
to lack	manquer de	dull, dreary	morne
to share with	partager avec	to raise children	élever des enfants
to benefit from	être avantagé par	to be on maternity leave	être en congé de maternité
to grant	accorder	a nanny	une nounou
to conform to	se conformer à	a day nursery	une crèche
to fit a stereotype	cadrer avec un stéréotype	the household chores	les corvées ménagères

It's blatant sexism.	C'est du sexisme flagrant.
Men haven't yet overcome their strong bias towards sexism.	Les hommes n'ont pas encore surmonté leur net penchant au sexisme.
He's sexist in his language.	Il est sexiste dans son langage.
She's treated as a sexual object.	Elle est traitée comme un objet sexuel.
Lots of things stand in the way of progress.	Un tas de choses se dressent dans la voie du progrès.
Women are still banned from certain jobs.	Les femmes sont encore exclues de certains emplois.
They aren't allowed to enter some male dominated fields.	Elles ne sont pas autorisées à pénétrer certains domaines réservés aux hommes.
They wonder what their place in society is.	Elles se demandent quelle est leur place dans la société.
Equal pay for equal work.	A travail égal salaire égal.
Women should be offered equal opportunities.	On devrait offrir les mêmes chances aux femmes.

Mental attitudes ought to be changed.	Les attitudes mentales devraient être changées.
I don't think we've achieved genuine equality between the sexes.	Je ne pense pas que nous ayons atteint la véritable égalité entre les sexes.
Most of them are stuck at home.	La plupart d'entre elles sont coincées chez elles.
She's devoted her life to her husband and children.	Elle a consacré sa vie à son mari et à ses enfants.
I'd have liked to combine motherhood and career.	J'aurais aimé combiner la maternité et la carrière.

■ UNEMPLOYMENT : *LE CHÔMAGE*

the unemployment rate	le taux de chômage
to be unemployed	être au chômage
the unemployment benefit	l'allocation chômage
a job centre	un bureau de l'A.N.P.E
out-of-work	sans travail
to find oneself jobless	se retrouver sans travail
to be on the dole	toucher le chômage
to be supported by	recevoir une aide financière de
to compensate for	indemniser pour
to be made redundant	être licencié
to be fired, dismissed	être renvoyé
to be hard hit by	être durement touché par
to give up	abandonner
to quit	quitter
to give in one's notice	donner sa démission
to feel let down	se sentir abandonné
to feel ashamed	avoir honte
to give way to despair	céder au désespoir
to feel deceived	se sentir trompé
despondent	découragé
to resign oneself to (+ing)	se résigner à
to face reality	faire face à la réalité
to react	réagir
to attend evening classes	assister à des cours du soir
to retrain	(se) recycler
a job-creation scheme	un plan de création d'emplois
to slip into poverty	glisser dans la pauvreté
to be poverty stricken	être indigent
to live in extreme poverty	vivre dans la misère
to live precariously	vivre de façon précaire
to live from hand to mouth	vivre au jour le jour
to make both ends meet	joindre les deux bouts
to have slender means	avoir des revenus modestes
to be utterly destitute	être dans le dénuement le plus complet
in need	dans le besoin
to be in dire straits	être dans une situation désespérée
to tighten one's belt	se serrer la ceinture
to do without	se passer de
penniless	sans le sou
to be broke	être fauché
to be short of money	être à court d'argent
to have a scanty income	avoir un maigre revenu
the under-privileged	les économiquement faibles
the destitute	les indigents
the have-nots	les démunis
the scum of society	le rebut de la société
a drop-out	un marginal
a misfit	un inadapté
a tramp	un clochard
to be down and out	être clochard
a beggar	un mendiant
to beg	mendier

the homeless	les sans abri
without fixed abode	sans domicile fixe
the Salvation Army	l'armée du salut
a squatter	un squatter
to squat in a house	squattériser une maison
a shelter	un abri
a slum	un taudis
a makeshift home	un logement de fortune
a shantytown	un bidonville
wretched conditions	des conditions misérables
unwholesome	malsain
filthy	dégoûtant
squalid	sordide
filth, squalor	la saleté
grimy ['ɑi-i]	crasseux
smelly	malodorant
derelict	en ruines
peeling-off paint	de la peinture qui s'écaille

rusty	rouillé
rotten	pourri
no running water	pas d'eau courante
leaking ceilings	des plafonds avec des fuites
broken window panes	des vitres cassées
crumbling walls	des murs qui tombent en ruines
shabby-looking	d'apparence pauvre
in rags, in tatters	en loques
threadbare	râpé
to be on relief	bénéficier des aides sociales
to be on welfare	recevoir l'aide sociale
the Welfare State	l'Etat Providence
welfare benefits	les avantages sociaux
to be entitled to	avoir droit à

■ UNIONISM : *LE SYNDICALISME*

a trade union	un syndicat
a trade unionist	un syndicaliste
a union representative	un représentant syndical
a shop steward	un délégué syndical
a closed shop	une usine où ne sont admis que les membres du syndicat maison
an open shop	une usine où l'appartenance syndicale n'est pas prise en compte
to join	adhérer à
a member	un membre
a comrade	un camarade
a feeling of togetherness	un sentiment de camaraderie
solidarity	la solidarité
to stick together	être solidaires
labour-management relations	les relations patrons-ouvriers
the workers' grievances	les doléances des ouvriers
to demand	exiger

to claim	revendiquer
to voice claims	exprimer des revendications
a bone of contention	un sujet de discorde
to threaten	menacer
labour unrest	l'agitation ouvrière
social conflicts	les conflits sociaux
working conditions	les conditions de travail
to put up with	supporter
to work on an assembly line	travailler à la chaîne
security	la sécurité
unsafe	dangereux
unendurable	insupportable
demeaning	avilissant
menial	subalterne
repetitive	répétitif
dull, tedious	ennuyeux
monotonous	monotone
exhausting	épuisant
badly-paid	mal payé
the wage demand	la revendication salariale
a wage increase	une augmentation de salaire

a wage settlement	un accord salarial
better wages	de meilleurs salaires
to keep one's purchasing power	garder son pouvoir d'achat
to get a rise	obtenir une augmentation
to exploit	exploiter
a sweat shop	une usine où les ouvriers sont exploités
a wave of strikes	une vague de grèves
a sit-down strike	une grève sur le tas
a wild-cat strike	une grève sauvage
a hunger strike	une grève de la faim
to stage a strike	organiser une grève
on strike	en grève
the right to strike	le droit de grève
a striker	un gréviste
a strike-picket	un piquet de grève
for an indefinite period	pour une période illimitée
to cripple, to paralyze	paralyser
to take part in	prendre part à
a protest march	une marche de protestation
to launch a petition	lancer une pétition
to distribute leaflets	distribuer des tracts

to demonstrate	manifester
to stage a demonstration	organiser une manifestation
a demonstrator	un manifestant
to chant slogans	chanter des slogans
to wave banners	brandir des bannières
to negotiate	négocier
the end of the negotiations	la fin des négociations
to disagree with	être en désaccord avec
to reach a deadlock	aboutir à une impasse
to take emergency measures	prendre des mesures d'urgence
to lock out	fermer une usine (pour interdire l'accès aux ouvriers)
to dismiss	renvoyer
to yield to	céder à
to grant	accorder
to meet the demands	satisfaire les exigences
to come to a compromise	aboutir à un compromis
to reach an agreement	parvenir à un accord

What day are you off ?	Quel jour es-tu en congé ?
I've still got ten days holiday to come.	J'ai encore dix jours de congé à prendre.
"Vacancy for a typist ".	"On cherche une dactylo".
I'm sure she'll make her way in life.	Je suis sûr qu'elle fera son chemin dans la vie.
The job doesn't suit him.	Le travail ne lui convient pas.
They're desperate for teachers at the moment.	Ils ont désespérément besoin de professeurs en ce moment.
He works an eight-hour shift.	Il fait les trois-huit.
He's on shifts.	Il fait les postes.
Stop talking shop !	Arrêtez de parler boulot !
Why don't you train him to take over from you ?	Pourquoi ne le formes-tu pas, pour qu'il te succède ?
A lack of skills among jobless workers is partly to blame for the high unemployment rate.	Un manque de compétences parmi les chômeurs est en partie responsable du taux de chômage élevé.
They should play a greater part in the factory life.	Ils devraient jouer un rôle plus important dans la vie de l'usine.

OFFICE EQUIPMENT
LE MATERIEL DE BUREAU

a secretary — une secrétaire
bilingual [ɑi-'i-ə] — bilingue
trilingual [ɑi-'i-ə] — trilingue
to work in an office — travailler dans un bureau
red tape — la paperasserie
the bureaucratic maze — le dédale bureaucratique
bureaucracy — la bureaucratie

to send a telex — envoyer un télex
to fax — envoyer par télécopie
a fax — un télécopieur
by fax — par télécopie
to get information on the minitel — obtenir un renseignement par minitel
word processing — le traitement de texte
a word processor — une machine de traitement de texte
a dictaphone — un dictaphone
a photocopier — une photocopieuse
a photocopy — une photocopie
to photocopy — photocopier
a typewriter — une machine à écrire
to type a letter — frapper une lettre
to take sth down in shorthand — prendre qc en sténo

correspondence — la correspondance
to make a draft — faire un brouillon
in abbreviated form — en abrégé
a registered letter — une lettre recommandée
a form — un formulaire
a folder — une chemise
a binder — un classeur
a writing pad — un bloc-notes
a diary — un agenda

an envelope — une enveloppe
the mail, the post — le courrier
by return of post — par retour du courrier
in duplicate — en double exemplaire
with acknowledgement of receipt — avec accusé de réception
certified as a true copy — certifié conforme
the sender — l'expéditeur
the addressee — le destinataire
the address — l'adresse
the postcode — le code postal
postal rates — les tarifs postaux
postal services — les services postaux
to stamp a letter — affranchir une lettre
to stick a stamp on — coller un timbre sur
a franking machine — une machine à affranchir

a computer — un ordinateur
computer science — l'informatique
a computer scientist — un informaticien
a computer programmer — un programmeur
CAI (Computer Assisted Instruction) — l'EAO (Enseignement Assisté par Ordinateur)
a microcomputer — un micro-ordinateur
hardware — le matériel
software — le logiciel
a terminal — un terminal
a liquid-crystal screen — un écran à cristaux liquides
to print — imprimer
a laser printer — une imprimante à laser

a keyboard	un clavier	to debug	déboguer
the mouse	la souris	to delete	supprimer
a disk drive	un lecteur de disquette	to modify	modifier
a floppy disk	une disquette	to code/to decode	coder/décoder
data processing	le traitement des données	to classify	classer
a data bank	une banque de données	a computer pirate	un pirate
data capture	la saisie des données	to phone sb, to ring sb up	téléphoner à qn
coded instructions	des instructions codées	to answer the phone	répondre au téléphone
a password	un mot de passe	on the phone	au téléphone
a component	un composant	to make a phone call	faire un appel
an integrated circuit	un circuit intégré	a trunk call	un appel interrurbain
the memory capacity	la capacité de mémoire	a reverse-charge call	un appel en PCV
a programming language	un langage de programmation	to dial [aɪə] a number	composer un numéro
the binary code	le code binaire	to wait for the dialling tone	attendre la tonalité
a byte	un octet	to lift the receiver	décrocher
a compiler	un compilateur	to connect	mettre en communication
compatible with	compatible avec	to hold the line	rester en ligne
reliable [ɪ- 'aɪə-ə]	fiable	to be cut off	être coupé
to store	mettre en mémoire	a wrong number	un mauvais numéro
to display	afficher	out-of-order	en dérangement
to dump	jeter	the speaking clock	l'horloge parlante
to plug in	(se) brancher	the directory	l'annuaire
to wire	connecter	ex-directory	sur la liste rouge
to disconnect	débrancher	an answering machine	un répondeur
to feed	alimenter	to leave a message	laisser un message
to load	charger		

"Approved".	"Lu et approuvé".
I acknowledge receipt of your letter.	J'accuse réception de votre lettre.
In reply to your letter, we shall do our utmost to satisfy your demand.	En réponse à votre lettre, nous ferons de notre mieux pour satisfaire votre demande.
We are pleased to inform you that ...	Nous sommes heureux de vous informer que ...
If you require further details, let us know.	Si vous avez besoin de détails supplémentaires, faites-le nous savoir.
We are sending it to you under separate cover.	Nous vous l'envoyons sous pli séparé.

Please find enclosed ...	Veuillez trouver ci-joint ...
We are hoping to receive an answer soon.	Nous espérons recevoir une réponse bientôt.
We are looking forward to hearing from you.	Dans l'attente de vous lire.

Who's speaking ?	Qui est à l'appareil ?
Hold on please.	Ne raccrochez pas s'il vous plaît.
I'll put you through to him.	Je vous le passe.
I'm afraid he isn't in.	J'ai bien peur qu'il ne soit sorti.
Could you speak up please ?	Pourriez-vous parler plus fort s'il vous plaît ?
I'm sorry but this is the wrong number.	Je suis désolé mais c'est un mauvais numéro.
The line's engaged.	La ligne est occupée.
The line's gone dead.	Nous avons été coupés.

EMIGRATION AND RACISM
L'EMIGRATION ET LE RACISME

to emigrate	émigrer
an emigrant	un émigrant
immigration	l'immigration
to immigrate	immigrer
an immigrate	an immigrant
a foreigner	un étranger
a newcomer	un nouvel arrivant
to originate from	être originaire de

Algeria/Algerian	l'Algérie/algérien
America/	l'Amérique/
American	américain
Argentina/Argentinian	l'Argentine/argentin
Australia/	l'Australie/
Australian	australien
Austria/Austrian	l'Autriche/autrichien
Belgium/Belgian	la Belgique/belge
Brazil/Brazilian	le Brésil/brésilien
Bulgaria/	La Bulgarie/
Bulgarian	bulgare
Canada/Canadian	le Canada/canadien
China/Chinese	la Chine/chinois
Denmark/Danish	le Danemark/danois
Egypt/Egyptian	l'Egypte/égyptien
England/English	l'Angleterre/anglais
Finland/	la Finlande/
Finnish	finlandais
France/French	la France/français
Germany/	l'Allemagne/
German	allemand
Greece/Greek	la Grèce/grec
Great Britain/	la Grande-Bretagne/
British	britannique
Holland/	la Hollande/
Dutch	hollandais
India/Indian	l'Inde/indien
Iraq/Iraqui	l'Irak/iraquien
Ireland/Irish	l'Irlande/irlandais
Israel/Israeli	Israël/israëlien
Italy/Italian	l'Italie/italien
Japan/Japanese	le Japon/japonais
Morocco/Moroccan	le Maroc/marocain
New Zealand/	la Nouvelle-Zélande/
New Zealand	néo-zélandais
Northern Ireland/	l'Irlande du Nord/
Irish	irlandais

Norway/	la Norvège/
Norwegian	norvégien
Poland/Polish	la Pologne/polonais
Romania/	la Roumanie/
Romanian	roumain
Russia/Russian	la Russie/russe
Scotland/Scottish	l'Ecosse/écossais
Spain/Spanish	l'Espagne/espagnol
Sweden/Swedish	la Suède/suédois
Switzerland/Swiss	la Suisse/suisse
Tunisia/Tunisian	la Tunisie/tunisien
The United States/	les Etats-Unis
American	américain
Wales/	le Pays de Galles/
Welsh	gallois
Yugoslavia/	la Yougoslavie/
Yugoslavian	yougoslave

to be persecuted	être persécuté
to be forced to move	être obligé de partir
to be deported from,	être expulsé de
to be expelled from	
to flee a country	s'enfuir d'un pays
to escape to a neutral	s'enfuir dans un
country	pays neutre
to run away from	s'enfuir de
a dissident	un dissident
to leave one's native	quitter son pays
place	natal
to be in search of	être à la recherche
	de
to dream of	rêver de

to look forward to	attendre avec impatience de
to be attracted by	être attiré par
to be lured by a better life	être leurré par l'attrait d'une vie meilleure
better prospects	des perspectives meilleures
enticing [i- 'ɑi-i]	séduisant
the pursuit of happiness	la poursuite du bonheur
a promised land	une terre promise
a haven	un refuge
a host country	un pays d'accueil
to endure hardships	endurer des épreuves
to struggle	lutter
to die of hunger, to starve	mourir de faim
to suffer from	souffrir de
boat people	les boat people
to be stranded	être laissé en rade
to drown	se noyer
to shove back to sea	repousser à la mer
an epidemic	une épidémie
to risk one's life	risquer sa vie
risky	risqué
precarious	précaire
exhausting	épuisant
a high mortality rate	un taux de mortalité élevé
to survive	survivre
skinny	décharné
starving	affamé
in ragged clothes	en haillons
barefoot	pieds nus
penniless	sans ressources
homeless	sans foyer
to go through the customs	passer la douane
a customs officer	un douanier
a passport holder	le détenteur d'un passeport
a work permit	un permis de travail
an exit visa	un visa de sortie
false documents	des faux papiers
to smuggle in	faire entrer clandestinement
to enter a country illegally	entrer clandestinement dans un pays
to flood	inonder
to arrive in staggering numbers	arriver en nombres stupéfiants

to swarm into	entrer en masse
to come in waves	arriver par vagues
a skyrocketing number	un nombre qui monte en flèche
to outnumber	surpasser en nombre
to flock West	partir en masse vers l'Ouest
to head for a country	se diriger vers un pays
to leave one's native country	quitter son pays natal
to apply for political asylum [ə- 'ɑi-ə]	demander l'asile politique
to apply for the right of abode	demander le droit d'asile
to be on a waiting list	être sur une liste d'attente
to seek shelter	chercher un abri
a menial job	un emploi subalterne
to supply cheap labour	fournir de la main d'oeuvre bon marché
to get low-paid jobs	obtenir des boulots mal payés
to be exploited	être exploité
a sweat shop	un atelier où les ouvriers sont exploités
to work on the side	travailler au noir
poor hygiene conditions	des conditions d'hygiène médiocres
the slums	les quartiers pauvres
a shanty town	un bidonville
squalid	sordide
filthy	crasseux
to feel unwanted	se sentir indésirable
to mistrust sb	se méfier de qn
to spurn	rejeter avec mépris
to be the prey of	être la proie de
to be deprived of	être privé de
the language barrier	la barrière de la langue
to be uprooted	être déraciné
to be cut off from one's roots	être coupé de ses racines
to lose one's identity	perdre son identité
to be caught between	être pris entre
to ostracize ['ɔ-ə-ɑi]	mettre au ban de la société
the clash of two cultures	le conflit de deux cultures

shattered hopes	des espérances brisées
disillusioned	désillusionné
to settle	s'installer
to adapt	(s') adapter
to adjust to	s'adapter à
to mix with, to blend with	se mélanger avec
to start afresh	recommencer
to acquire citizenship	acquérir la citoyenneté
the immigration policy	la politique d'immigration
to open the frontiers	ouvrir les frontières
to patrol	patrouiller
to abolish/to tighten controls	supprimer/ renforcer les contrôles
to curtail/to curb immigration	mettre un frein à l'immigration
to check	réfréner
to restrict	restreindre
to limit	limiter
to erect barriers	ériger des barrières
to keep out	empêcher d'entrer
to put a stop to	arrêter

to send back	renvoyer
to get rid of	se débarrasser de
to adopt a quota system	adopter un système de quotas
to reduce	réduire
to decrease	diminuer
to increase	augmenter
to stem the tide of	endiguer le flot de
a desperate bid	une tentative désespérée
to gain admittance	être autorisé à entrer
to let in	laisser entrer
to favour	favoriser
to ease the process of assimilation	faciliter le processus d'assimilation
to take integration measures	prendre des mesures d'intégration
to grant permission to stay	accorder la permission de rester
to grant refugee status	accorder le statut de réfugié
to naturalize	naturaliser
to absorb	absorber

We don't know how to handle the problem of immigration.	Nous ne savons pas comment traiter le problème de l'immigration.
Immigration has become the hottest political issue.	L'immigration est devenue le problème politique le plus passionné.
It seems impossible to absorb a new wave of immigrants.	Il semble impossible d'absorber une nouvelle vague d'immigrants.
The embassies are besieged by constant floods of immigrants.	Les ambassades sont assiégées par des flots constants d'immigrants.
They stand a chance of being resettled as refugees.	Ils ont une chance d'être réinsérés comme réfugiés.
They apply for citizenship as political refugees.	Ils font une demande de citoyenneté en tant que réfugiés politiques.
Their set of values is different from ours.	Leur ensemble de valeurs est différent du nôtre.
They feel robbed of their identity and of their culture.	Ils se sentent dépossédés de leur identité et de leur culture.
They feel excluded from this society.	Ils se sentent exclus de cette société.
There is very little prospect for them to find a job.	Il y a très peu d'espoir pour eux de trouver un emploi.
Most of them are in a sorry plight.	La plupart d'entre eux sont dans une situation critique.
They are blamed for the high unemployment rate.	Ils sont tenus responsables du taux de chômage élevé.

133

RACISM : *LE RACISME*

a multi racial society	une société multi raciale
race relations	les relations interraciales
racial segregation	la ségrégation raciale
racial hatred	la haine raciale
an outburst of racism	une explosion de racisme
racist theories	des théories racistes
to endure discrimination	supporter la discrimination
discriminatory	discriminatoire
to discriminate against	établir une discrimination envers
to be prejudiced against	avoir des préjugés contre
a flagrant disparity between	une disparité évidente entre
pride	la fierté
a feeling of superiority	un sentiment de supériorité
to assert one's superiority	affirmer sa supériorité
to feel inferior to	se sentir inférieur à
to have an inferiority complex	avoir un complexe d'infériorité
to exacerbate racial tensions	exacerber les tensions raciales
a majority	une majorité
a minority	une minorité
coloured people	les gens de couleur
the colour of the skin	la couleur de la peau
fair-/dark-skinned	à la peau claire/ brune
to despise, to scorn	mépriser
scornful	méprisant
contemptuous	dédaigneux
mistrust	la méfiance
hostility	l'hostilité
tolerant/intolerant	tolérant/intolérant
domineering	dominateur
to insult, to abuse	insulter
to jeer at	se moquer de
taunts [ɔ:]	des sarcasmes
to humiliate	humilier
to threaten	menacer
to warn	prévenir
to accuse of	accuser de
to be held responsible for	être tenu responsable de
to be denied the right to	se voir refuser le droit de
fair/unfair	juste/injuste
resentful	plein de ressentiment
revenge-seeking	qui cherche à se venger
reprisals	des représailles
in retaliation for	pour se venger de
to trigger a riot	déclencher une émeute
to flout the law	faire fi de la loi
apartheid	l'apartheid
to dismantle	démanteler
to put an end to	mettre fin à
to be bus(s)ed separately	être emmenés dans des bus différents
a white man	un blanc
the White South Africans	les Blancs d'Afrique du Sud
the white supremacy	la suprématie de la race blanche
an Afrikaner	un Africaner
to achieve equality	obtenir l'égalité
to obtain equal rights	obtenir des droits égaux
to enjoy the same rights as	jouir des mêmes droits que
to be on equal footing with	être sur un pied d'égalité avec
equal to	égal à
to assert one's rights	faire valoir ses droits

to campaign for	faire campagne pour	non-violent	non violent
to plead a cause	plaider une cause	peaceful	paisible
to preach tolerance	prêcher la tolérance	to accept the	accepter les
to soothe anger	apaiser la colère	differences	différences
to stage a protest	organiser une	to live in harmony	vivre en harmonie
march	marche de	with	avec
	protestation	to assimilate	assimiler
to demonstrate	manifester	to integrate	intégrer
to reduce tensions	réduire les tensions		

Unfortunately, old attitudes die hard.

Malheureusement, les vieilles attitudes ont la vie dure.

It's a country plagued by racial tensions.

C'est un pays tourmenté par les tensions raciales.

They're reduced to utter helplessness.

Ils sont réduits à l'impuissance totale.

Such differences should be banned.

On devrait abolir de telles différences.

Black people have been stripped of their manhood there.

Là-bas, les noirs ont été dépouillés de leur qualité d'homme.

A protest demonstration against apartheid has been decided on.

Une manifestation de protestation contre l'apartheid a été décidée.

South Africa has officially desegregated its public facilities.

L'Afrique du Sud a officiellement supprimé la ségrégation raciale de ses installations publiques.

They've removed the "Whites only" signs from public places.

Ils ont enlevé les panneaux "uniquement les blancs sont admis " des endroits publics.

They're now entitled to equal opportunities.

Maintenant ils ont droit aux mêmes chances.

CONTEMPORARY PROBLEMS
LES PROBLEMES CONTEMPORAINS

DRUGS : *LA DROGUE*

drug traffic	le trafic de drogue
the drug underworld	le milieu de la drogue
a drug dealer	un fournisseur de drogue
a drug trafficker	un trafiquant de drogue
a drug lord	un seigneur de la drogue
the big wigs	les gros bonnets
a middleman	un intermédiaire
a pusher	un revendeur
a refiner	un raffineur
a refining lab	un laboratoire où l'on raffine la drogue
a network	un réseau
a thriving trade	un commerce prospère
a profit-making business	une affaire lucrative
to flourish	prospérer
to earn illegal revenue	toucher des revenus illégaux
a source of supply	une source d'approvisionnement
clandestine	clandestin
a shipment	une cargaison
to deliver sth	livrer qc
a poppy field	un champ de pavots
to plant	planter
corruption, bribery	la corruption
to bribe	soudoyer
dirty money	l'argent sale
to launder the drug money	blanchir l'argent de la drogue
the mafia	la mafia
a mob	un gang
a mobster	un truand
an easy prey	une proie facile
a scourge, a plague	un fléau

a hard/soft drug	une drogue dure/ douce
to take drugs	se droguer
drug consumption	la consommation de drogue
drug habit	l'accoutumance à la drogue
drug addiction	la toxicomanie
a drug addict	un toxicomane
to get used to	s'habituer à
to be dependent on	être dépendant de
to develop a habit	s'accoutumer
to indulge in	s'adonner à
to crave for	avoir un besoin maladif de
a casual user	qn qui se drogue occasionnellement
to hype up	se piquer
to shoot up	se shooter
heroin	l'héroïne
crack	le crack
cocaine [ə- 'ei]	la cocaïne
hashish	le haschisch
a depressant	un dépresseur
a sleeping pill	un somnifère
a tranquillizer	un calmant
a joint	un joint
to smoke grass	fumer de l'herbe
to snort powder	priser de la poudre
a substitute	un produit de remplacement
to inject into a vein	injecter dans une veine

a syringe	une seringue	to call to sb for help	appeler qn au secours
an injection	une piqûre	to give up	renoncer
an overdose	une dose trop forte	to undergo treatment	faire une cure de
to exceed the dose	dépasser la dose	for drug addiction	désintoxication
to poison	empoisonner	to come off drugs	se faire
poisonous	toxique		désintoxiquer
pernicious	pernicieux	a relapse	une rechute
fatal	fatal		
harmful	nocif		
to do harm	faire du mal	the Narcotics Squad	la Brigade des Stupéfiants
to destroy cells	détruire des cellules	a narcotics agent	un agent de la
to sap strength	saper la force		Brigade des
to impair one's health	s'abîmer la santé		Stupéfiants
to enslave	réduire en esclavage	to tackle the problem	s'attaquer au problème
to seek solace ['ɔ-i] in	chercher la consolation dans	to provide anti-drug aid	fournir une aide contre la drogue
to brighten one's outlook	éclaircir ses perspectives	to combat drugs	combattre la drogue
to fill a vacuum	combler un vide	to struggle against	lutter contre
to escape from reality	échapper à la réalité	to launch a campaign against	lancer une campagne contre
to feel depressed	se sentir déprimé	to declare war on	déclarer la guerre à
to lose one's illusions	perdre ses illusions	to infiltrate a group	s'infiltrer dans un groupe
irresponsible	irresponsable		
to be influenced by	être influencé par	to dismantle a network	démanteler un réseau
to be aware/unaware	être conscient/ inconscient	to train dogs	dresser des chiens
to feel the effects of	ressentir les effets de	to sniff	renifler
side effects	des effets secondaires	to search	fouiller
to surrender to despair	s'abandonner au désespoir	hard to detect	difficile à détecter

He's on drugs.	Il se drogue.
He's addicted to drugs.	C'est un drogué.
The number of addicts has skyrocketed.	Le nombre d'intoxiqués est monté en flèche.
It provides users with a sense of well-being.	Cela procure une impression de bien-être aux utilisateurs.
The urgency of the problem has been underlined.	L'urgence du problème a été soulignée.
They smuggle more and more drugs into Europe.	Ils font entrer en Europe de plus en plus de drogues en contrebande.
The smugglers find ingenious ways of sneaking the drug in.	Les contrebandiers trouvent des moyens ingénieux de faire entrer la drogue en cachette.
Some couriers gulp down heroin-filled condoms.	Certains messagers engloutissent des préservatifs emplis d'héroïne.

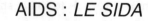

sexual intercourse	des rapports sexuels	a blood test	une analyse de sang
sex hygiene ['ɑi-i:]	l'hygiène sexuelle	a blood transfusion	une transfusion de
to indulge in free sex	s'adonner librement		зang
	au sexe	contaminated blood	du sang contaminé
to change partners	changer de	a contagious disease	une maladie
	partenaires		contagieuse
a loose life	une vie dissolue	a venereal disease	une maladie
pornography	la pornographie		vénérienne
eroticism	l'érotisme	a sexually transmitted	une maladie
a prostitute	une prostituée	disease	sexuellement
to prostitute oneself	se prostituer		transmissible
a brothel	un bordel	the aids virus	le virus du sida
a lesbian	une lesbienne	to catch aids	contracter le sida
a homosexual, a gay	un homosexuel	AIDS (the Acquired	le SIDA
a fairy, a pansy	un pédé	Immune Deficiency	
a tranvestite	un travesti	Syndrome)	
obscene	obscène	to be H.I.V.	être séropositif
shady	louche	to inoculate against	vacciner contre
understanding	compréhensif	lethal	mortel
tolerant	tolérant	hopeless	désespéré
disgrace	le déshonneur	immune from	immunisé contre
shame	la honte	to damage the	abîmer le système
to be ashamed of	avoir honte de	immune system	immunitaire
to be aware of	être conscient de	to be immunized	être immunisé
a taboo subject	un sujet tabou	to be exposed to	être exposé à un
a condom, a sheath	un préservatif	a virus	virus
to launch an	lancer un	to test negative/	avoir un résultat
information	programme	positive	négatif/positif
programme	d'information		au test
to run a risk	courir un risque	healthy	en bonne santé
a threat	une menace	to cure, to heal	guérir
a cell	une cellule	to recover from	se remettre de
a blood group	un groupe sanguin		

His strength is failing.	Ses forces l'abandonnent.
They're at increased risk of sexually transmitted infections.	Ils sont à haut risque d'infections transmises sexuellement.
Donors should be tested for infectious diseases.	Les donneurs devraient être soumis à des tests, afin de déceler les maladies contagieuses.
It raises a troubling question.	Cela pose une question troublante.

ALCOHOLISM : *L'ALCOOLISME*

alcohol	l'alcool	to have a hangover	avoir la gueule de bois
a chronic alcoholic	un alcoolique chronique	to impair one's health	s'abîmer la santé
a hard drinker	un gros buveur	to shun alcohol	fuir l'alcool
to drink like a fish	boire comme un trou	to refrain from drinking	s'abstenir de boire
a drunkard	un ivrogne	to get sober	devenir sobre
drunkenness	l'ivrognerie	to curb alcohol abuse	réduire l'abus d'alcool
to be drunk	être soûl		
to get drunk	se soûler	to ban the sale of	interdire la vente de
to take to drinking	se mettre à boire	to dry out	se faire désintoxiquer
to be tipsy	être éméché		
to enjoy the taste of	apprécier le goût de	to undergo treatment for alcoholism	faire une cure de désintoxication
to toss off	avaler d'un coup		
to reel	tituber		

SMOKING : *LE TABAC*

tobacco	le tabac	to impair one's health	s'abîmer la santé
a tobacconist	un marchand de tabac	to do harm	faire du mal
		to lose the taste of food	perdre le goût de la nourriture
to smoke	fumer	to cause lung cancer	causer le cancer du poumon
a heavy smoker	un gros fumeur		
a non-smoker	un non-fumeur	to link tobacco to cancer	associer le tabac au cancer
a cigarette lighter	un briquet		
a box of matches	une boîte d'allumettes	an anti-tobacco campaign	une campagne anti-tabac
a cigar	un cigare	anti-smoking measures	des mesures anti-tabac
a pipe	une pipe		
a butt	un mégot	to regulate tobacco sales	contrôler les ventes de tabac
tar	le goudron		
ashes	les cendres	to reduce consumption	réduire la consommation
an ashtray	un cendrier		
to breathe	respirer	to ban	interdire
out of breath	essoufflé	to restrict	restreindre
to inhale	inhaler	to warn	prévenir
to swallow the smoke	avaler la fumée	to give up	abandonner
to cough	tousser		

You should stop smoking ! Tu devrais arrêter de fumer !
It's prejudicial to your health ! C'est préjudiciable à ta santé !

VIOLENCE : *LA VIOLENCE*

■ OFFENCES : *LES DELITS*

to have a clean record	avoir un casier vierge
to break the law	enfreindre la loi
to do wrong	mal agir
legal/illegal	légal/illégal
an offender	un délinquant
a pickpocket	un voleur à la tire
to pilfer	chaparder
shoplifting	le vol à l'étalage
purse snatching	le vol à l'arrachée
petty larceny	un petit larcin
a theft, a robbery	un vol
a thief, a robber	un voleur
to rob sb of sth	dérober qc à qn
to steal	voler
a burglary	un cambriolage
a burglar	un cambrioleur
to burgle	cambrioler
to raid, to hold-up a bank	braquer une banque
to break into a safe	forcer un coffre-fort
to go joyriding	faire une virée dans une voiture volée
a breach of the peace	un attentat à l'ordre public
an aggression, an assault	une agression
assault and battery	coups et blessures
to molest	brutaliser
to attack	attaquer
to be sexually assaulted	subir des violences sexuelles
a rapist	un violeur
to rape	violer
adultery	l'adultère
a kidnapper	un ravisseur
to kidnap	kidnapper
to abduct	enlever
an anonymous letter	une lettre anonyme
to receive death threats	recevoir des menaces de mort
to demand a ransom	demander une rançon

to commit a crime	commettre un crime
a premeditated murder	un assassinat
a murderer	un meurtrier
a cold-blooded murder	un meurtre accompli de sang-froid
to kill	tuer
a killer	un tueur
to stab	poignarder
manslaughter	l'homicide involontaire
savagely	sauvagement
bloody	sanglant
awful	affreux
terrifying	terrifiant
staggering	bouleversant
alarming	alarmant
a forger	un faussaire
to forge	contrefaire
forgery	la contrefaçon
to falsify	falsifier
a fake note	un faux billet
a crook	un escroc
to swindle sb out of his money	escroquer de l'argent à qn
tax fraud	la fraude fiscale
a tax haven	un paradis fiscal
to embezzle	détourner des fonds
embezzlement	le détournement de fonds
widespread corruption	la corruption généralisée
to corrupt	corrompre
to bribe	soudoyer
a bribe	un pot-de-vin
open to bribery	corruptible
to blackmail	faire chanter
a blackmailer	un maître chanteur

an arsonist	un pyromane
to commit arson	provoquer un incendie
to loiter	traîner d'une manière suspecte

indecent behaviour	un attentat à la pudeur
a sadist	un sadique

■ DELINQUENCY : *LA DELINQUANCE*

to trigger vandalism	déclencher du vandalisme
a vandal	un vandale
an outbreak of violence	une explosion de violence
rivalries between	des rivalités entre
a gang	un gang
juvenile delinquency	la délinquance juvénile
in the suburbs	dans les banlieues
rough neighbourhood	du mauvais voisinage
skinheads	des skinheads
high unemployment	un chômage élevé
sociological factors	des facteurs sociologiques
social inequalities	les inégalités sociales
poverty	la pauvreté
poor housing conditions	de mauvaises conditions de logement
the economic recession	la récession économique
to have no moral values	ne pas avoir de valeurs morales
the lack of discipline	le manque de discipline
to cling to	s'accrocher à
to serve as an example	servir d'exemple
to look for opportunities	chercher des occasions
desperate	désespéré
hopeless	sans espoir
to feel abandoned	se sentir abandonné
to loiter	traîner
to prowl [ɑu]	rôder
rejected	rejeté
to collapse	s'effondrer
to behave badly	mal se comporter
to disrupt public order	perturber l'ordre public
to look for trouble	chercher des ennuis

to get out of control	échapper au contrôle
provocative	provocant
to provoke	provoquer
to smash shop windows	fracasser des vitrines
to throw litter everywhere	jeter des détritus partout
to hurl bottles at	lancer violemment des bouteilles sur
to overturn cars	renverser des voitures
to pelt with stones	bombarder avec des pierres
to ransack houses	piller des maisons
to plunder warehouses	piller des entrepôts
to set fire to	mettre le feu à
to set cars ablaze	embraser des voitures
to hurl Molotov cocktails	jeter des cocktails Molotov
to tear down posters	arracher des affiches
to paint slogans	peindre des slogans
to deface monuments	dégrader des monuments
to set up barricades	élever des barricades
to scribble	griffonner
to be daubed [ɔ:] with graffiti	être barbouillé de graffiti
to vandalize tombstones	saccager des pierres tombales
to loot, to plunder	piller
to go on the rampage	se livrer au saccage
to ransack	saccager
to intimidate	intimider
to brandish an arm	brandir une arme
an iron bar	une barre de fer
a stick	un bâton
a switchblade	un cran d'arrêt
to be rough with sb	malmener qn

141

to inflict minor injuries	infliger des blessures mineures	to flash the Victory sign	exhiber le V de la victoire
to knock sb unconscious	frapper qn jusqu'à ce qu'il soit inconscient	a rallying cry	un cri de ralliement
		to cordon off	interdire l'accès par un cordon de police
to trample to death	piétiner à mort	to tighten security	renforcer la sécurité
to utter threats	proférer des menaces	to disperse the crowd	disperser la foule
		to remove by force	enlever de force
to threaten	menacer	to break up	se disperser
a hooligan	un voyou	to restore order	rétablir l'ordre
football rowdies	les voyoux des matchs de football	to crush	réprimer
		to chase	poursuivre
		to resort to force	recourir à la force
to invade stadiums	envahir les stades	to club	matraquer
to ban alcohol sales	interdire les ventes d'alcool	tear gas	du gaz lacrymogène
		rowdiness	la bagarre, le chahut
		bloody clashes	des affrontements sanglants
to face growing unrest	faire face à une agitation grandissante	a skirmish	une escarmouche
		a riot [aiə]	une émeute
		a rioter	un émeutier
popular unrest	l'agitation populaire	to riot	se livrer à des émeutes
public resentment	la rancoeur publique	a wave of arrests	une vague d'arrestations
to gather	(se) rassembler		
disorderly	en désordre	to avoid bloodshed	éviter un bain de sang
out of control	hors de contrôle		

That has set off a cycle of violence.	Cela a déclenché un cycle de violence.
Violence has returned to England's troubled cities.	La violence est revenue dans les villes agitées d'Angleterre.
All these urban areas are hit by rioting.	Toutes ces zones urbaines sont touchées par de violentes bagarres.
They've been banned from playing.	On leur a interdit de jouer.

TERRORISM : *LE TERRORISME*

an act of terrorism	un acte de terrorisme	to wage a terrorist campaign	mener une campagne de terrorisme
a terrorist, a gunman	un terroriste		
a terrorist bombing	un attentat à la bombe	to launch an attack	déclencher une attaque
a wave of terrorist attacks	une vague d'attaques terroristes	to sponsor terrorism	cautionner le terrorisme
		to destabilize	déstabiliser

an extremist	un extrémiste	to point a gun at	pointer une arme sur
a commando	un commando	to shoot at close	faire feu à bout
a captor	un ravisseur	range	portant
to take sb captive	faire qn prisonnier	to pull the trigger	appuyer sur la
a hijacker	un pirate de l'air		gâchette
to hijack a plane	détourner un avion	to plant a bomb	poser une bombe
the intended target	la cible voulue	a parcel bomb	un colis piégé
to take hostages	prendre des otages	a bombing attempt	un attentat à la
to hold sb as a	détenir qn en otage		bombe
hostage		a bomb scare	une alerte à la
to be kept as a	être gardé en otage		bombe
hostage		a time bomb	une bombe à
the fate of	le sort de		retardement
to be trapped	être coincé	packed with	bourré d'explosifs
to serve as human	servir de boucliers	explosives	
shields	humains	to blow up	(faire) sauter
at the mercy of	à la mercie de	to explode	exploser
a ransom demand	une demande de	to supply weapons	fournir des armes
	rançon	to hit a target	toucher une cible
to be tortured	être torturé	to aim at	viser
to be subjected to	être soumis à un	in the name of	au nom de
brutal treatment	traitement brutal	a hiding place	une cachette
to blindfold	bander les yeux	without bloodshed	sans effusion de
to issue an ultimatum	fixer un ultimatum		sang
to issue threats	lancer des menaces	cautious	prudent
to endanger sb's life	mettre en danger la	to rescue, to save	sauver
	vie de qn	to free, to release	libérer
a mock execution	un simulacre	to swap	échanger
	d'exécution	to meet the demands	céder aux exigences

■ INSECURITY : *L'INSECURITE*

security measures	des mesures de	an alarm signal	un signal d'alarme
	sécurité	a vigilante [i-i- 'æ-i]	un membre
to improve security	améliorer la sécurité		d'un groupe
a security device	un système de		d'autodéfense
	sécurité	self-defence	l'autodéfense
to feel safe	se sentir en sécurité	from self-protection	pour sa propre
to ensure sb's safety	assurer la sécurité		protection
	de qn	to protect one's	protéger ses biens
emergency measures	des mesures	property	
	d'urgence	a reinforced door	une porte blindée
to set off an alarm	déclencher une	to lock	fermer à clé
	alarme	to bolt	verrouiller

Self-protection is a booming business. L'auto-protection est un commerce en plein essor.

I've had my phone number unlisted. Je me suis fait mettre sur la liste rouge.

The passengers are searched before boarding. Les passagers sont fouillés avant l'embarquement.

■ THE POLICE : *LA POLICE*

a police officer	un officier de police	**a whistle**	un sifflet
a policeman	un policier	**a shield**	un bouclier
a PC (Police Constable)	un agent de police	**a gas mask**	un masque à gaz
a police inspector	un inspecteur de police	**a holster**	un étui de révolver
		a revolver	un révolver
a bobby (GB)	un flic (affectueux)	**to be armed**	être armé
a superintendent (GB)	un commissaire de police	**a water cannon**	un canon à eau
		a tear gas	un gaz lacrymogène
a cop	un flic	**handcuffs**	les menottes
a police squad	une brigade de police	**to handcuff sb**	passer les menottes à qn
a police intervention	une intervention de la police	**to beat up**	passer à tabac
the mounted police	la police montée	**to be on the beat**	faire une ronde
a strong force of police	un fort détachement de police	**to patrol a district**	patrouiller dans un quartier
an armed brigade	une brigade armée	**to maintain order**	maintenir l'ordre
the police station	le commissariat	**to prevent**	empêcher
a police car	une voiture de police	**to dissuade from**	dissuader de
a private detective, investigator	un détective privé	**to suspect of**	soupçonner de
the security forces	les forces de sécurité	**to have suspicions**	avoir des soupçons
		to investigate	faire une enquête
a police raid	une descente de police	**to call for an investigation**	demander à ce que l'on ouvre une enquête
police protection	la protection policière	**to conduct an inquiry**	mener une enquête
police custody	la garde à vue	**to search**	fouiller, perquisitionner
the police files	les fichiers de la police	**a search/arrest warrant**	un mandat de perquisition/d'arrêt
police brutality	la brutalité policière	**to be on the trail of**	être sur la trace de
an armoured car	une voiture blindée	**to trace sb**	suivre la trace de qn
a bulletproof vest	un gilet pare-balles	**to hunt down**	traquer
a bodyguard	un garde du corps	**to join a manhunt**	se joindre à une chasse à l'homme
under the escort of	sous l'escorte de	**fingerprints**	les empreintes digitales
a club	un gourdin		
to club	matraquer	**a clue**	un indice
a rubber truncheon	une matraque en caoutchouc	**evidence**	des preuves
		to interrogate	interroger

to intervene	intervenir	a police informer	un indicateur
to open fire on	ouvrir le feu sur	to deliver sb to the	remettre qn à la
to obey a summons	obéir à une	police	police
	sommation	to report to the police	signaler à la police
a denunciation	une dénonciation	to unveil	dévoiler
to denounce	dénoncer	to catch sb	prendre qn sur le
to betray	trahir	red-handed	fait
a betrayal	une trahison	to put under arrest	mettre en état
to inform against sb	dénoncer qn		d'arrestation

The police are on his track. — La police est sur sa piste.
The police are making inquiries. — La police enquête.
The area has been cordoned off by the police. — L'endroit a été interdit, au moyen d'un cordon de police.

LAW : *LA LOI*

JUSTICE : *LA JUSTICE*

judiciary power	le pouvoir judiciaire
the civil code	le code civil
a court of law	un tribunal
the court of appeal (GB)	la cour d'appel
the court of justice	le palais de justice
a juvenile court	un tribunal pour mineurs
a court room	une salle d'audience
the Bench (GB)	la cour, les magistrats
the Old Bailey (GB)	la cour d'assises de Londres
the Inns of Court (GB)	les écoles de droit de Londres
to read law	faire des études de droit
the Lord Chief Justice	le Président du Tribunal du Banc du Roi
the Lord Chancellor (GB)	le Garde des Sceaux
the public prosecutor	le Procureur de la République
the attorney general (GB)	le Procureur Général
a JP (Justice of the Peace) (GB)	un juge de paix
the district attorney (US)	le Procureur de la République
a district court (US)	une cour fédérale
the Supreme Court (US)	la Cour Suprême
a judge	un juge
to judge, to try	juger
a judgment	un jugement
to follow the procedure	suivre la procédure
to administer justice	rendre la justice
by statute	selon la loi
a lawyer	un homme de loi
a solicitor	un avocat, un notaire

a barrister	un avocat
a magistrate	un magistrat, un juge
the counsel for the defence (GB)	l'avocat de la défense
the counsel for the prosecution (GB)	l'avocat du ministère
the accused, the defendant	l'accusé
the plaintiff	le plaignant
fees	les honoraires
to have to report for jury duty	être convoqué comme juré
a juror	un juré
to be composed of	être composé de
to hear a case	instruire un procès
to try a case	juger une affaire
a trial [aiə]	un procès, un jugement
to go on trial	passer en jugement
to be sent for trial	être traduit en justice
to bring sb to trial	faire passer qn en justice
to await trial	attendre le jugement
to turn up for trial	se présenter au procès
to appear before the court	apparaître devant le tribunal
to be tried for	être jugé pour
to take sb to court	faire un procès à qn
to prosecute	poursuivre en justice
to sue at law	intenter un procès
in camera	à huis clos
to clear the court	faire évacuer la salle
to swear	jurer

to take the oath	prêter serment	harsh	sévère
the hearing of witnesses	l'audition des témoins	adamant ['æ-ə-ə]	inflexible
an eye witness	un témoin oculaire	to be acquitted	être acquitté
to bear witness to sth	témoigner de qc	the acquittal	l'acquittement
to bear false witness	porter un faux témoignage	to be freed	être libéré
		to get away with	s'en tirer avec
the witness box	la barre des témoins	to be convicted of	être reconnu coupable de
to call as a witness	appeler comme témoin		
		the culprit	le coupable
the witness for the prosecution/for the defence	le témoin à charge/ à décharge	to be sentenced to	être condamné à
		to pronounce a sentence	rendre une condamnation
to witness sth	être témoin de qc	to receive a prison sentence	être condamné à une peine de prison
to testify	témoigner		
to alter one's testimony	modifier son témoignage		
to produce an alibi ['æ-i-ɑi]	fournir un alibi	a suspended sentence	une peine avec sursis
		life imprisonment	la réclusion à perpétuité
to cross-examine	faire subir un contre interrogatoire	to be severely punished	être sévèrement puni
to collect evidence	rassembler des preuves	to remain unpunished	rester impuni
		to abolish/to restore the death sentence	abolir/restorer la peine de mort
to elicit the facts	tirer les faits au clair		
to indict [i- 'ɑi]	accuser	capital punishment	la peine capitale
to impeach	mettre en accusation	unworthy of man	indigne de l'homme
		to commute a sentence	commuer une peine
to be accused of	être accusé de		
to deny the accusation	nier l'accusation	to grant a remission of sentence	accorder une réduction de peine
to charge with	inculper de		
to plead guilty	plaider coupable	hard labour	les travaux forcés
to allege	prétendre	to deter	dissuader
to speak on behalf of	parler au nom de	a last request	une dernière requête
to have extenuating circumstances	avoir des circons- tances atténuantes		
on the plea that ...	en invoquant que ...	to blindfold sb	bander les yeux à qn
to make a plea of self-defence	plaider la légitime défense		
		the Death Row (US)	les cellules des condamnés à mort
to make a plea for mercy	implorer la clémence		
to lie	mentir	hanging	la pendaison
to beg for one's life	implorer pitié pour sa vie	the gallows	la potence
		the scaffold	l'échafaud
		the executioner	le bourreau
to avow	avouer	to be beheaded	être décapité
to confess to a crime	avouer un crime	a firing squad	un peloton d'exécution
a full confession	des aveux complets		
to return a verdict	prononcer un verdict	to execute	exécuter
fair/unfair	juste/injuste	the electric chair	la chaise électrique
to be found innocent	être déclaré innocent	to give an injection	faire une piqûre
		painless	indolore
to lack evidence	manquer de preuves		
leniency	la clémence		
lenient	clément		

PRISON : *LA PRISON*

to send sb to jail	envoyer qn en prison	squalid cells	des cellules sordides
to jail sb for life	condamner qn à perpétuité	to enforce discipline	imposer la discipline
a jailor	un géôlier	to deprive of liberty	priver de liberté
to be sent to prison	être envoyé en prison	a watchtower	un mirador
to imprison	emprisonner	under the stern gaze of	sous le regard fixe et sévère de
to keep a prisoner under guard	garder un prisonnier à vue	to endure	supporter
the prison population	la population pénitentiaire	corporal punishment	le châtiment corporel
a prison guard	un gardien de prison	psychological abuse	les mauvais traitements psychologiques
behind bars	derrière les barreaux		
to be locked up for	être enfermé pour	to put sb into solitary confinement	mettre qn en régime cellulaire
to be incarcerated	être incarcéré	a nightmare	un cauchemar
an inmate, a convict	un détenu	short visiting hours	des heures de visite courtes
to serve one's sentence	purger sa peine		
to pay for a crime	payer pour un crime	staff shortage	la pénurie de personnel
preventive detention	la détention préventive	to be treated as humans	être traités comme des êtres humains
a detention centre	un centre de détention	a riot	une révolte
a Borstal (GB)	une maison de redressement pour mineurs	to rebel against	se rebeller contre
		to rise up against	s'insurger contre
a rehabilitation centre	un centre de réadaptation	to escape, to run away, to abscond	s'enfuir
a rehabilitation programme	un programme de réinsertion	alternative punishment	une peine de substitution
a penitentiary	un pénitencier	released on parole	mis en liberté conditionnelle
a labour camp	un camp de travail	on probation	en liberté surveillée
conditions of detention	les conditions de détention	for good behaviour	pour bonne conduite
to face harsh conditions	faire face à des conditions dures	to be reintegrated into society	être réintégré dans la société
to be overcrowded	être surpeuplé	to grant the presidential pardon	accorder la grâce présidentielle
to pack prisoners into	entasser des prisonniers dans	to pardon	gracier
		to amnesty	amnistier

Such measures are intended to deter people from committing crimes. The Habeas Corpus Act provides a guarantee against imprisonment without trial.

De telles mesures ont pour but de dissuader les gens de commettre des crimes. L'Habeas Corpus Act fournit une garantie contre l'emprisonnement sans procès.

An accused person is considered innocent until proved guilty.	Un accusé est considéré innocent jusqu'à ce qu'il soit reconnu coupable.
They eventually handed the case over to him.	Ils ont fini par lui remettre l'affaire.
Such cases are still pending.	De telles affaires sont encore en suspens.
There are no charges brought against him.	Il n'y a aucune accusation portée contre lui.
I hope the truth will come out soon.	J'espère que la vérité se fera bientôt jour.
He's still in custody.	Il est encore en garde à vue.
He's been brought before the court several times.	Il est passé en jugement plusieurs fois.
He's been sentenced to ten years' imprisonment.	Il a été condamné à dix ans de prison.
The minor offenders have been granted amnesty.	On a accordé l'amnistie aux petits délinquants.
The problem is, they are isolated from the outside world.	Le problème est qu'ils sont isolés du monde extérieur.

GOVERNMENT
LE GOUVERNEMENT

VOTE FOR

ELECTIONS
LES ELECTIONS

the electoral system	le système électoral
the presidential/ general/municipal elections	les élections présidentielles/ législatives/ municipales
a by-election	une élection partielle
to call for an election	demander des élections
to hold an election	procéder à des élections
to launch an electoral campaign	lancer une campagne électorale
to campaign for/ against	faire campagne pour/contre
to tour an electoral district	faire la tournée d'une circonscription électorale
to canvass	faire du démarchage électoral
a constituency	une circonscription électorale
the constituents	les électeurs
the electorate	l'électorat
to elect	élire
to lower the voting age to	abaisser l'âge de vote à
to be entitled to vote	avoir le droit de vote
a citizen	un citoyen
a candidate	un candidat
a serious contender	un concurrent sérieux
an asset	un atout
a weak spot	un point faible
to announce a candidacy for	annoncer une candidature pour
an opinion poll	un sondage d'opinion
to take a poll	sonder
to run for president	se présenter comme candidat à la présidence
to raise funds for	recueillir des fonds pour
the campaign tactics	la stratégie électorale
a two-round system	un système à deux tours
to abstain from voting	s'abstenir
to go to the polls	aller aux urnes
polling day	le jour des élections
a polling station	un bureau de vote
the result of the poll	le résultat du scrutin
complicated voting procedures	des procédures de vote compliquées
to cast a vote	voter
a polling booth	un isoloir
a ballot box	une urne
a ballot paper	un bulletin de vote
to count the votes	compter les votes
to vote overwhelmingly for	voter en masse pour
to rally to	se rallier à
to gain/to lose ground	gagner/perdre du terrain
to soar	grimper
to be ahead/behind	être en tête/derrière
an overwhelming majority	une majorité écrasante
a stunning victory	une victoire étourdissante
a landslide victory	un raz-de-marée
to gain the victory over	remporter la victoire sur
to be elected	être élu
to deal a blow	porter un coup
a failure	un échec
to be defeated	être vaincu
a crushing defeat	une défaite cuisante
to sink	sombrer

According to public surveys, he'll be elected.	D'après les sondages d'opinion, il sera élu.
52 % of those polled supported him.	52 % des personnes interrogées étaient pour lui.
His approval rate stands at 52 %.	Sa côte d'approbation se situe à 52 %.
A recent public opinion poll showed that people don't like him.	Un récent sondage d'opinion a montré que les gens ne l'aiment pas.
His popularity has plummeted.	Sa popularité est descendue brusquement.
The campaign was marred by their lack of honesty.	La campagne a été gâchée par leur manque d'honnêteté.
He may well run for a second term.	Il se peut qu'il se présente pour un second mandat.
He failed to fulfil his promises.	Il n'est pas parvenu à tenir ses promesses.
His opponent raised thorny questions.	Son adversaire a soulevé des questions épineuses.

POLITICS : *LA POLITIQUE*

to dedicate one's life to politics	consacrer sa vie à la politique	a would-be politician	un prétendu politicien
to retire from politics	se retirer de la politique	to govern	gouverner
		ungovernable	ingouvernable
to dominate the political scene	dominer la scène politique	to rule, to run a country	diriger un pays
the political system/ climate	le système/le climat politique	a head of state	un chef d'état
a political party	un parti politique	at the head of	à la tête de
to be apolitical	être apolitique	the outgoing government	le gouvernement sortant
a political career/ battle	une carrière/une bataille politique	the legislative/ executive/ judiciary body	le corps législatif/ exécutif/ judiciaire
a political vacuum/ upheaval/ gimmick	un vide/un bouleversement/ une combine politique	in power	au pouvoir
		to have the power in one's hands	avoir le pouvoir dans les mains
to have close political connections with	avoir des contacts politiques étroits avec	to wield power	exercer le pouvoir
		to return to power	revenir au pouvoir
		to compete for sth	se disputer qc
to sidestep political responsibility	esquiver la responsabilité politique	to take over the leadership of a country	prendre la succession à la tête d'un pays
to make a political U-turn	faire volte-face en politique	the leadership contest	la lutte pour la direction
on the brink of political collapse	au bord de l'effondrement politique	a multi-party system	un système pluripartite
to crush political opposition	écraser l'opposition politique	a two-party system	un système bipartite

© éditions spratbrow photocopies interdites

151

to support a party	accorder son support à un parti
to assure sb of one's total support	assurer qn de son total support
to follow the party line	suivre la ligne du parti
the leader of a party	le chef d'un parti
to expel from	expulser de
to dissolve	dissoudre
to outlaw	déclarer illégal
to split	diviser
to merge	fusionner
to join	adhérer à
to found	créer
a right-/left-wing politician	un homme politique de droite/de gauche
to the extreme right	à l'extrême droite
the swing of the pendulum	le mouvement du pendule
a swing to the left	un revirement en faveur de la gauche
a staunch [ɔː] supporter	un supporter loyal
to be a stalwart supporter of	soutenir de façon inconditionnelle
a hardliner	un dur, un pur
a diehard	un dur à cuire
clashing personalities	des personnalités incompatibles
a cumbersome alliance [ə- 'aiə]	une alliance embarrassante
to be in opposition	être dans l'opposition
to suppress dissent	mettre fin aux dissidences
to silence	réduire au silence
to side with	se ranger du côté de
to trust sb	faire confiance à qn
to mistrust sb	se méfier de qn
to lose contact with	perdre le contact avec
to be in close touch with	être en rapport étroit avec
to win the confidence of	gagner la confiance de
to form a coalition	former une coalition
to promise	promettre
to interfere with	s'ingérer dans
to have the necessary charisma [kæ 'rizmə]	avoir le charisme nécessaire
daring	audacieux
strong-willed	volontaire

to abolish	abolir
to restore	restorer
to advise	conseiller
a close adviser	un proche conseiller
to appoint, to nominate	nommer
to replace	remplacer
to remove from office	révoquer
to dismiss	renvoyer
to demand the resignation of	demander la démission de
to reshuffle	remanier
to pass a law	passer une loi
to ratify	ratifier
to carry out	appliquer
to back up a proposal	appuyer une proposition
to draft a resolution	rédiger une résolution
to introduce a bill	présenter un projet de loi
to submit to	soumettre à
to approve of	approuver
to reject	rejeter
to have the power of veto	avoir le droit de véto
to tackle a problem	s'attaquer à un problème
to face daunting problems	faire face à des problèmes décourageants
to grapple with problems	se débattre avec des problèmes
to cope with a situation	faire face à une situation
a key issue	un problème clé
drastic measures	des mesures énergiques
to endorse reforms	avaliser des réformes
to slow the pace of reform	ralentir l'allure des réformes
a radical change	un changement radical
paved with good intentions	pavé de bonnes intentions
to stick to a programme	rester fidèle à un programme
to give an impetus to	donner une impulsion à
to consider as a top priority	considérer comme une priorité

to schedule ['ʃediu:l]	dresser le programme
to follow the policy of a wait-and-see policy	suivre la politique de une politique attentiste
to unveil a strategy	dévoiler une stratégie
to curb/to reduce inflation	mettre un frein à/ réduire l'inflation
to lower unemployment	abaisser le taux de chômage
to take affirmative action	prendre des mesures anti-discriminatoires en faveur des minorités
a massive tax cut	une réduction d'impôts massive
to handle/to dodge/ to solve a crisis	conduire/éviter/ résoudre une crise
to attend a meeting	assister à une réunion
to call off	annuler
to preside over a session	présider une séance
to hold a press conference	tenir une conférence de presse
on the agenda	à l'ordre du jour
to arouse/sustain interest	susciter/maintenir l'intérêt
to ignite [i- 'ɑi] a debate	enflammer un débat
a much debated question	une question très controversée
a heated debate	un débat animé
to raise a question	soulever une question
to discuss a problem	discuter d'un problème
to trigger a movement	déclencher un mouvement
to arouse fierce opposition	soulever une opposition virulente
to face growing dissent	faire face à une dissidence grandissante
to join in the protests	se joindre aux protestations
to voice an objection	soulever une objection
to rock the boat	semer le trouble
a cause of friction	une cause de désaccord
stalemated discussions	des discussions dans l'impasse
to have far-reaching implications	avoir des implications d'une portée considérable
to lobby	faire pression sur
a lobby	un groupe de pression
to be doomed to failure	être voué à l'échec
to ward off attacks	éviter les attaques
to curb abuses	contenir les abus
to quell disturbances	réprimer les troubles
to hamper freedom of action	gêner la liberté d'action
to hinder	faire obstacle à

If we don't learn from the mistakes of History we're doomed to repeat them.	Si nous ne retirons aucun enseignement des erreurs de l'Histoire, nous sommes condamnés à les répéter.
The government is cracking down on its expenditures.	Le gouvernement met un frein à ses dépenses.
The president is hand in glove with the leader of the party.	Le président est de connivence avec le chef du parti.
They ousted him from the chairmanship.	Ils l'ont évincé de la présidence.
He pays lip service to socialism.	A l'entendre, on dirait qu'il est socialiste.
He was caught in a crossfire of questions.	Il a été pris dans un feu roulant de questions.
He got a standing ovation.	Ils se sont levés pour l'ovationner.

democracy	la démocratie
democratic	démocratique
the Social Democratic Party	le parti démocrate
a republic	une république
a president	un président
to preside over	présider
socialism	le socialisme
a socialist	un socialiste
communism	le communisme
a communist	un communiste
a nationalist	un nationaliste
nationalist aspirations	des aspirations nationalistes
an empire ['e-aiə]	un empire
an emperor	un empereur
anarchy ['ænəki]	l'anarchie
an anarchist	un anarchiste
chaos ['keiɔs]	le chaos

a spy [ai]	un espion
to spy	espionner
to infiltrate agents into	faire s'infiltrer des agents dans
an informant	un informateur
to inform against sb, to give sb away	dénoncer qn
a denunciation	une dénonciation
a mole	une taupe
a traitor	un traître
to betray	trahir
a defector	un transfuge
to defect to the West	passer à l'Ouest
to eavesdrop on	écouter de façon indiscrète
to bug, to tap a phone	brancher sur table d'écoute
to monitor telephone calls	surveiller des appels téléphoniques
a state secret	un secret d'état
to pass on military secrets to	passer des secrets militaires à
to gather intelligence	recueillir des renseignements
CIA (Central Intelligence Agency)	la CIA

to restore monarchy ['mɔnəki]	restorer la monarchie
a monarch	un monarque
a sovereign ['sɔvrin]	un souverain

to reign over	régner sur
royalty	la royauté
His/Her Royal Highness	son Altesse Royale
a king	un roi
a kingdom	un royaume
the Queen Mother	la Reine Mère
the Prince Consort	le Prince Consort
the crown princess	la princesse héritière
to ascend the throne	monter sur le trône
to renounce	renoncer à
the coronation	le couronnement
to crown	couronner
the crown jewels	les joyaux de la couronne
a heir/a heiress to	un héritier/une héritière
to die heirless	mourir sans héritier
to succeed to	succéder à
hereditary	héréditaire
the court	la cour
a duke	un duc
a duchess ['ʌ-i]	une duchesse
an earl, a count	un comte
a countess	une comtesse
pageantry ['pædzəntri]	l'apparat
to confer a title	conférer un titre
to be given a peerage	être anobli
aristocracy	l'aristocratie
gentry	la petite noblesse
the Houses of Parliament	les Maisons du Parlement
the House of Commons	la Chambre des Communes
The House of Lords	la Chambre des Lords
the Speaker	le Président de la Chambre des Communes
the Privy Council	le Conseil Privé
the Shadow Cabinet	le Cabinet Fantôme
the State Opening of Parliament	l'ouverture solennelle du Parlement
the Dispatch Box	la tribune
an MP (Member of Parliament)	un député
a parliamentary system	un système parlementaire
a hung parliament	un parlement sans majorité

question time	l'heure réservée aux questions orales	the Woolsack	le Sac de Laine
the press gallery	la tribune de presse	the Conservative Party=the Tory Party	le Parti Conservateur
the Lord Chancellor	le Lord Chancelier		
the Chancellor of the Exchequer	le Chancelier de l'Echiquier (ministre des Finances)	the Labour Party	le Parti Travailliste
		the Liberal Party	le Parti Libéral
		the Trooping of the Colours	le salut aux couleurs (présentation du drapeau)
the Foreign Office	le Ministère des Affaires Etrangères		
the Home Office	le Ministère de l'Intérieur	the Changing of the Guard	la relève de la garde
the Home Secretary	le Ministre de l'Intérieur	a bearskin hat	un bonnet à poil
		the Union Jack	le drapeau britannique
the Health/Education Secretary	le Ministre de la santé/de l'éducation	the Order of the Garter	l'Ordre de la Jarretière
the corridor of the "ayes" and "nays"	le couloir des "oui" et des "non"		

The Chancellor of the Exchequer will preside over the meeting.
Le Chancelier de l'Echiquier présidera la réunion.

The laws don't become effective until the Queen has signed them.
Les lois ne prennent effet que lorsque la reine les a signées.

The monarchy survives but has no power.
La monarchie survit mais n'a aucun pouvoir.

the White House	la Maison Blanche	the Republicans	les Républicains
the House of Representatives	la Chambre des Députés	the Elephant	l'emblème du parti républicain
the Senate	le Sénat	the Radicals	les Radicaux
a senator	un sénateur		
the Secretary of the Treasury	le Ministre des Finances	a dictator	un dictateur
		dictatorship	la dictature
the Secretary of State	le Ministre des Affaires Etrangères	a tyrant ['ɑiə-ə]	un tyran
		tyrannic(al)	tyrannique
the State/Interior Department	le Ministère des Affaires Etrangères/ de l'Intérieur	a despot	un despote
		despotic	despotique
		a military junta	une junte militaire
the Attorney General	le Ministre de la Justice	a police state	un état policier
		iron-handed	à la main de fer
the Democrats	les Démocrates	authoritarian ways	des façons autoritaires
the Donkey	l'emblème du parti démocrate		

coercive methods	des méthodes coercitives
to oppress	opprimer
to repress	réprimer
to smother	étouffer
to muzzle	museler
to brainwash	faire un lavage de cerveau
to deter a few opponents	dissuader quelques opposants
to terrorize ['e-ə-ɑi]	terroriser
to rule by terror/ by force	gouverner par la terreur/par la force
to torture	torturer
ill treatment	des mauvais traitements
cruelty	la cruauté
heartless	sans coeur
inhuman	inhumain
to commit atrocities	commettre des atrocités
atrocious	atroce
to maim	estropier
to lacerate	lacérer
to burn	brûler
to beat to death	battre à mort
to scourge	châtier
to whip	fouetter
a summary execution	une exécution sommaire
human rights	les droits de l'homme
the Declaration of Human Rights	la Déclaration des Droits de l'Homme
a human rights organization	une organisation des droits de l'homme
to guarantee a right	garantir un droit
freedom of speech/ worship	la liberté de parole/ de culte
to denounce torture	dénoncer la torture
to violate principles	ne pas respecter des principes
to deny sb the right to	refuser à qn le droit de
to be involved in	être impliqué dans
to have a clear/guilty conscience	avoir bonne/ mauvaise conscience
to embezzle	détourner
a slush fund	une caisse noire
a cash gift	un cadeau en espèces

dishonest	malhonnête
a scandal	un scandale
scandalous	scandaleux
phoney	bidon
to turn a blind eye on	fermer les yeux sur
to circulate a rumour	faire courir un bruit
slanderous	diffamatoire
to slander sb	calomnier qn
to smear sb's reputation	salir la réputation de qn
a smear campaign	une campagne de diffamation
diplomacy	la diplomatie
a diplomat	un diplomate
the diplomatic corps	le corps diplomatique
to pay an official visit	rendre une visite officielle
peaceful coexistence	une coexistence pacifique
mutual understanding	la compréhension mutuelle
to restore relations with	restorer des relations avec
to establish ties with	établir des liens avec
to negotiate	négocier
to resume negotiations	reprendre les négociations
to become reconciled	se réconcilier
a summit conference	une conférence au sommet
a milestone	une date historique
to strike a deal	conclure un accord
to sign a treaty	signer un traité
to reach a compromise	parvenir à un compromis
to make conciliatory gestures	faire des gestes conciliants
to restore diplomatic ties with	rétablir des relations diplomatiques avec
to forge alliances [ə-'ɑiə-i] with	forger des alliances avec
a bone of contention	un sujet de dispute
to reach a deadlock	aboutir à une impasse
to break off diplomatic relations	rompre les relations diplomatiques

A CHANGING WORLD
UN MONDE EN MOUVEMENT

Voir également "Government"

communism	le communisme
the communist party	le parti communiste
a die-hard communist	un communiste inébranlable
Marxism-Leninism	le marxisme-léninisme
an egalitarian society	une société égalitaire
a one-party system	un système de parti unique
the dictatorship of the proletariat	la dictature du prolétariat
the welfare system	le système d'assistance sociale
the Welfare State	l'Etat Providence
state intervention	l'intervention de l'état
state control	le contrôle de l'état
state ownership	l'étatisation
central authority	le pouvoir central
centralism	le centralisme
the state apparatus [ˌæ-ə-'ei-ə]	la machine de l'état
to hold on to principles	s'accrocher à des principes
deeply rooted in	profondément enraciné dans
to play a key role in	jouer un rôle clé dans
stifling effects	des effets étouffants
to level down	niveler par le bas
to undermine incentives	saper les motivations
to restrict freedom	limiter la liberté
the red flag	le drapeau rouge
the hammer and sickle	le marteau et la faucille
the party activists	les militants du parti
to lack freedom	manquer de liberté
the militia	la milice
to censor	censurer

censorship	la censure
a propaganda campaign	une campagne de propagande
a doctrine	une doctrine
to indoctrinate	endoctriner
aging factories	des usines qui vieillissent
out-of-date, old-fashioned	démodé
to decay	tomber en ruines
decaying	décadent
to collapse	s'effondrer
to lag behind	traîner derrière
unimaginable	inimaginable
unthinkable	impensable
poorly equipped	mal équipé
to lack equipment	manquer d'équipement
collectivism	le collectivisme
to be collectivized	être collectivisé
a collective farm	une ferme collective
a plot of land	un lopin de terre
a bale of straw	une balle de paille
red tape	la paperasserie
mismanagement	la mauvaise gestion
inefficiency	l'inefficacité
efficient/inefficient	efficace/inefficace
the lack of skilled labour	le manque de main d'oeuvre qualifiée
absenteeism	l'absentéisme
widespread corruption	une corruption très répandue

to be corrupted	être corrompu	a call for reforms	un appel à des réformes
inflation	l'inflation	the process of reform	le processus de réforme
unemployment	le chômage		
the housing shortage	la pénurie de logements	a purge	une épuration
a shabby flat	un appartement miteux	to abolish	abolir
horrible living conditions	des conditions de vie horribles	to dismantle the system	démanteler le système
low living standards	un niveau de vie très bas	to overthrow	renverser
		a forced departure	un départ forcé
scarce goods	des marchandises très rares	to give an impetus to	donner un élan à
		to replace	remplacer
to live near the poverty line	vivre près du seuil de pauvreté	to transform into	transformer en
		to restructure	restructurer
restrictions	les restrictions	to modernize	moderniser
to line up for, to queue up for	faire la queue pour	['ɔ-ə-ɑɪ]	
		to allow competition	permettre la concurrence
to jostle for sth	jouer des coudes pour obtenir qc	to encourage private initiatives	encourager les initiatives privées
black market	le marché noir		
to barter	troquer	to loosen state control	desserrer le contrôle de l'état
to hoard [ɔ:]	faire des réserves	to permit pluralism	permettre le pluralisme
to introduce rationing	introduire le rationnement		
		the democratization process	le processus de démocratisation
a ration card	une carte de rationnement	to overhaul the system	remanier le système
an impoverished nation	une nation appauvrie	to shake off the yoke of	s'affranchir du joug de
on the brink of, on the verge of	sur le point de	to maintain the pace of change	maintenir l'allure du changement
		a step towards independence	un pas vers l'indépendance
to feel frustrated	se sentir frustré	on the road to democracy	sur la route de la démocratie
a thirst for change	une soif de changement	democratic	démocratique
a craving for, a longing for freedom	un grand désir de liberté	undemocratic	non démocratique
		to symbolize freedom	symboliser la liberté
to crave for, to long for	désirer ardemment		
to hope for	espérer	freedom of speech	la liberté de parole
to need desperately	avoir désespérément besoin de	an unalienable right	un droit inaliénable
		disappointed	déçu
to seek solace in	chercher consolation dans	to grow disillusioned	perdre ses illusions
to demand independence	exiger l'indépendance	the end of an era	la fin d'une époque
to regain	reconquérir		
to reach a goal	atteindre un but	the crumbling of the Berlin wall	l'effondrement du mur de Berlin
to aim at	viser	the dismantled wall	le mur démantelé
to question ideology	mettre l'idéologie en question	to knock down	abattre
		a barrier	une barrière
a historic breach	une rupture historique	the border	la frontière

the iron curtain	le rideau de fer	cries of joy	des cris de joie
to draw new boundaries	dessiner de nouvelles frontières	euphoria [iu-'ɔ:-iə]	l'euphorie
the German reunification	la réunification allemande	to be elated with joy	être transporté de joie
to be unified	être unifié	overwhelmed with joy	submergé de joie
the cost of unity	le prix de l'unité	to rejoice over	se réjouir de
a union	une union	to revel	se réjouir
to bind two peoples	unir deux peuples	to cheer	acclamer
a move towards	un mouvement vers	to applaud	applaudir
to merge	fusionner	to hoot one's horn	klaxonner
a historic moment	un moment historique	to pour into the streets	affluer dans les rues
a deep change	un changement profond	to flood the town	envahir la ville
a joint heritage	un héritage commun	to swarm into a country	entrer en masse dans un pays
a sense of identity	un sentiment d'identité	to stream into the streets	arriver dans les rues par flots

The economy is a shambles.	C'est la pagaille au niveau économique.
Even the basic items are missing.	Même les articles de base manquent.
It shows the sheer inefficiency of the system.	Cela montre la pure inefficacité du système.
Most people's wages still lag behind ours.	Les salaires de la plupart des gens ont encore du retard par rapport aux nôtres.
All the state-owned factories are overstaffed.	Toutes les usines étatisées ont des excédents de personnel.
Corruption is said to be rampant everywhere.	On dit que la corruption sévit partout.
It's an iron fist in a velvet glove.	C'est une main de fer dans un gant de velours.
They'll have to learn from their mistakes.	Ils devront apprendre de leurs erreurs.
I'm afraid it won't work wonders !	J'ai bien peur que cela n'accomplisse pas de miracles !
The collapse of communism has been hailed as the triumph of democracy.	La chute du communisme a été saluée comme le triomphe de la démocratie.

DEVELOPING COUNTRIES
LES PAYS EN VOIE DE DEVELOPPEMENT

underdeveloped	sous-développé	below the poverty level	en-dessous du seuil de pauvreté
the third-world countries	les pays du tiers monde	life expectancy	l'espérance de vie
a low-income country	un pays à faible revenu	the death rate	le taux de mortalité

health threats	des menaces pour la santé	to make serious efforts to	faire de sérieux efforts pour
incurable diseases	des maladies incurables	to increase assistance	accroître l'aide
to vaccinate	vacciner	to close a gap	combler un fossé
an epidemic	une épidémie	to suspend aid	suspendre l'aide
to eradicate a disease	faire disparaître une maladie	to catch up with	rattraper
to be threatened with starvation	être menacé de famine	to die from dehydration [,i-ɑi-'ei-ə]	mourir de déshydratation
to starve to death	mourir de faim	ill-fed	mal nourri
to suffer from malnutrition	souffrir de sous-alimentation	underfed	sous-alimenté
to have an empty stomach	avoir le ventre vide	to be deprived of food	être privé de nourriture
scanty meals	de maigres repas	food shortage	la pénurie de nourriture
illiteracy	l'analphabétisme	to depend on	dépendre de
to lag behind	être à la traîne	skinny	maigre
to impoverish	appauvrir	gaunt [ɔ:]	décharné
to intervene	intervenir	a swollen belly	un ventre gonflé
to give priority to	donner la priorité à	hollow cheeks	des joues creuses
		to look haggard	avoir l'air égaré

That broadens the gap between the haves and the have-nots.	Cela élargit le fossé entre les riches et les pauvres.
Money isn't distributed evenly.	L'argent n'est pas distribué de façon égale.
They try to grope their way out of poverty.	Ils essaient de se sortir de la pauvreté.
They're in a sorry plight.	Ils sont dans une situation critique.

WAR AND PEACE
LA GUERRE ET LA PAIX

to do one's military service	faire son service militaire
mandatory	obligatoire
fit/unfit for the service	apte/inapte au service
to enlist	s'engager
to join the army	s'engager dans l'armée
to be called up	être appelé sous les drapeaux
a conscientious objector	un objecteur de conscience
a volunteer	un volontaire
to recruit	recruter
a training camp	un camp d'entraînement
to drill	faire l'exercice
to march	marcher au pas
to salute	faire un salut
the army	l'armée
the infantry	l'infanterie
the cavalry	la cavalerie
the artillery	l'artillerie
the foreign legion	la légion étrangère
a battalion	un bataillon
a squadron	un escadron
a regiment	un régiment
the vanguard	l'avant garde
the rearguard	l'arrière garde
the troops of	les troupes de
the rank and file	les hommes de troupe
a soldier	un soldat
a warrior	un guerrier
the Unknown Warrior	le Soldat Inconnu
a reservist	un réserviste
a draftee	une recrue
a mercenary	un mercenaire
a deserter	un déserteur
a Tommy	un soldat britannique
a G I	un soldat américain
a non-commissioned officer	un sous-officier

a sergeant ['ɑ:-ə]	un sergent
a commissioned officer	un officier
a general	un général
a captain	un capitaine
a colonel ['kə:nəl]	un colonel
a lieutenant [lef'tenənt]	un lieutenant
an ally ['æ-ɑi]	un allié
an enemy	un ennemi
a sentry	une sentinelle
a battledress	une tenue de combat
a fatigue dress	un treillis
to wear a uniform	porter l'uniforme
well-/ill-trained	bien/mal entraîné
disciplined	discipliné
experienced/ inexperienced	expérimenté/ inexpérimenté
courageous	brave, courageux
courage ['ʌ-i]	le courage
on/off duty	de garde/pas de garde
on fatigue	de corvée
on leave	en permission

the RAF (Royal Air Force)	l'armée de l'air britannique
a war plane	un avion de guerre
a patrol plane	un avion de patrouille
a bomber	un bombardier
a supersonic bomber	un bombardier supersonique
a fighter	un avion de chasse
a helicopter	un hélicoptère
an air raid	un raid aérien
an air base/alert	une base/alerte aérienne

airborne troops	des troupes aéroportées	rising tensions	des tensions croissantes
a paratrooper	un parachutiste	the arms race	la course aux armements
		to expand military spending	accroître les dépenses militaires
the Admiralty ['æ-ə-ə-i]	l'Amirauté	to control disarmament	contrôler le désarmement
the Navy	la marine de guerre		
the naval forces	les forces navales	impending	imminent
the Marines	l'infanterie de marine américaine	to renounce the use of	renoncer à l'usage de
the fleet	la flotte	the balance of power	l'équilibre des forces
a warship	un navire de guerre	to destabilize a country	déstabiliser un pays
a vessel	un vaisseau	to be on sb's side	être du côté de
a submarine	un sous-marin	to side with	se ranger aux côtés de
a sea-based missile	un missile marin		
an aircraft carrier	un porte avions	a deterrent	une force de dissuasion
a cruiser	un croiseur	to deter	dissuader
		N.A.T.O. (North Atlantic Treaty Organization)	l'O.T.A.N.
the First/Second World War	la Première/ Deuxième Guerre Mondiale		
		the Union Jack	le drapeau anglais
the Gulf War	la Guerre du Golfe	the Stars and Stripes	le drapeau américain
a holy war	une guerre sainte		
a civil war	une guerre civile	to hoist the flag	hisser le drapeau
guerilla war	la guérilla	a banner	une bannière
Star Wars	la guerre des étoiles	to deploy troops	déployer des troupes
to get ready for war	se préparer à la guerre		
to brandish the threat of war	brandir la menace de la guerre	to take swift action	agir promptement
		to be on manoeuvres [ə-'uː-ə]	être en manoeuvres
to plunge a country into a war	plonger un pays dans une guerre	to fall under military control	tomber sous le contrôle militaire
to make war	faire la guerre		
to wage war against	faire la guerre à	a fight	une bataille, un combat
to be at war with	être en guerre contre	to fight a battle	livrer une bataille
in war time	en temps de guerre	a pitched battle	une bataille rangée
torn by war	ravagé par la guerre	a battle field	un champ de bataille
to take up arms against	prendre les armes contre		
		a skirmish	une escarmouche
to be armed to the teeth	être armé jusqu'aux dents	to attack	attaquer
		to resume the struggle	reprendre la lutte
to lead to international conflict	conduire à un conflit international	to launch an offensive	déclencher une offensive
a military conflict	un conflit militaire	to open fire	ouvrir le feu
to break out	éclater	to shoot at	tirer sur
to be mired in	être embourbé dans	to use gas against	utiliser des gaz contre
to spread like wild fire	se répandre comme une traînée de poudre	to wear a gas mask	porter un masque à gaz
to impose curfew	imposer le couvre-feu	to set an ambush	tendre une embuscade

to devastate	dévaster	within rifle range	à portée de fusil
to destroy	détruire	a gun	un révolver, un fusil
to bomb, to shell	bombarder	a machine gun	une mitrailleuse
to machine-gun	mitrailler	a bullet	une balle
to slaughter	massacrer	a cartridge	une cartouche
atrocities	les atrocités	ammunition	des munitions
to harm	faire du mal	a grenade	une grenade
to raid	faire un raid	a shell	un obus
to crush	écraser	a bomb	une bombe
to blow up, to explode	(faire) exploser	a mortar	un mortier
to land	débarquer	a mine	une mine
to invade	envahir	a tank	un tank
an invader	un envahisseur		
to evacuate	évacuer		
to conquer	conquérir	the Holocaust	l'Holocauste
to capture	capturer	a genocide ['e-ə-αi]	un génocide
to be taken prisoner	être fait prisonnier	a Jew	un Juif
to release	relâcher	anti-Semitism	l'antisémitisme
to occupy a territory	occuper un territoire	to deport	déporter
to outnumber	surpasser en nombre	mass deportations	des déportations massives
to strike back at, to retaliate against	user de représailles envers	to slaughter	massacrer
to impose an embargo on	imposer l'embargo sur	to persecute	persécuter
to maintain/to lift the embargo	maintenir/lever l'embargo	a death camp	un camp de la mort
to serve as a buffer between	servir de tampon entre	a labour camp	un camp de travail
a buffer zone	une zone tampon	barbed wire	du fil de fer barbelé
a no man's land	une zone neutre	a gas chamber	une chambre à gaz
a demilitarized zone	une zone démilitarisée	a crematorium	un crématorium
the headquarters	les quartiers généraux	to shovel	enlever à la pelle
		a mass grave	une fosse commune
to resist	résister	horror	l'horreur
to pull out of	se retirer de	horrifying	horrifiant
to withdraw one's troops	retirer ses troupes	to make a pilgrimage ['i-i-i]	faire un pélerinage
to retreat	battre en retraite	the nuclear threat	la menace nucléaire
to capitulate	capituler	a nuclear war	une guerre nucléaire
to surrender	se rendre	to pull the nuclear trigger	appuyer sur le bouton atomique
to be defeated	être vaincu	the H bomb (Hydrogen bomb)	la bombe H
a victor	un vainqueur		
victorious	victorieux	the neutron bomb	la bombe à neutrons
to win/to lose	gagner/perdre	long-range nuclear weapons	les armes nucléaires à longue portée
to respect the ceasefire	respecter le cessez-le-feu	a nuclear warhead	une tête nucléaire
to call a truce	établir une trêve	to launch a rocket	lancer une fusée
war damages	les dommages de guerre	a missile launcher	un lance missiles
conventional weapons	les armes conventionnelles	ballistic missiles	des engins balistiques
light arms	les armes légères	to devastate	dévaster
		to annihilate	anéantir

163

chemical warfare	les armes chimiques
to contaminate	contaminer
to decontaminate	décontaminer
radioactivity	la radioactivité
radioactive	radioactif
to be irradiated	être irradié
a lethal ['i:-ə] dose	une dose mortelle
a nuclear advocate	un partisan du nucléaire
a nuclear opponent	un adversaire du nucléaire
to be "antinuke" [ˌæ-i-'iu:]	être "antinucléaire"
a ban the bomb demonstration	une manifestation contre la bombe atomique

a civil war	une guerre civile
an upheaval	un soulèvement
an uprising	une insurrection
to lead the rebellion	conduire la rebellion
a rebel ['e-ə]	un rebelle
to rebel [i-'e] against	se rebeller contre
to foment a revolution	fomenter une révolution
an insurgent	un insurgé
to attempt a coup	faire une tentative de coup d'Etat
a dissident	un dissident
an opponent	un adversaire
a plotter, a conspirator	un conspirateur
a plot	un complot
to be on the brink of	être au bord de
to overthrow	renverser
to rise up against	se soulever contre
to unleash anarchy	déclencher l'anarchie
to take up arms	prendre les armes
to quell rebellion	étouffer la rebellion
to cling to power	s'accrocher au pouvoir
to go into exile ['e-ɑi]	partir en exil

to die for a cause/ for nothing	mourir pour une cause/pour rien
death	la mort
dead	mort
a victim	une victime
casualties	les pertes

the loss of	la perte de
to suffer heavy losses	subir de lourdes pertes
a corpse	un cadavre
killed in action	tué au combat
fatally wounded	mortellement blessé
to suffer from minor wounds	souffrir de blessures mineures
to grieve for the dead	pleurer les morts
strewn with	jonché de
bloody ['ʌ-i]	sanglant
inhuman	inhumain
cruel	cruel
cruelty	la cruauté
dreadful	épouvantable
horror	l'horreur
horrified	horrifié
fear	la peur
panic	la panique
terrified/scared	terrifié/effrayé
to survive [ə-'ɑi]	survivre
a survivor	un survivant

pacifism	le pacifisme
a pacifist movement	un mouvement pacifiste
peaceful	pacifique
in favour of peace	en faveur de la paix
at peace	en paix
in peacetime	en temps de paix
a peace treaty	un traité de paix
the peace process	le processus de paix
a peace-keeping force	une force de maintien de la paix
the U.N.O (United Nations Organization)	l'O.N.U
to commemorate a battle	commémorer une bataille
to celebrate	célébrer
to parade, to march past	défiler
a heroic deed	une action héroïque
a hero	un héros
a war veteran	un ancien combattant
a medal	une médaille
to reward	récompenser
to be decorated for	être décoré pour

War is the greatest scourge.	La guerre est le pire des fléaux.
There's a war looming ahead.	Il y a une guerre qui menace.
The war is escalating.	C'est l'escalade militaire.
This may well escalate into a wider conflict.	Ceci peut s'intensifier et donner naissance à un conflit plus étendu.
They're at daggers drawn with the neighbouring countries.	Ils sont à couteaux tirés avec les pays voisins.
The allies are still at loggerheads on a significant number of issues.	Les alliés sont encore en désaccord sur un nombre considérable de points.
Unfortunately it seems that History is doomed to repeat itself.	Malheureusement il semble que l'Histoire soit condamnée à se répéter.
He was commissioned lieutenant in 1981.	Il a été promu au grade de lieutenant en 1981.

THE UNITED STATES :
FROM DISCOVERY TO DEMOCRACY
LES ETATS-UNIS :
DE LA DECOUVERTE A LA DEMOCRATIE

THE PIONEERS : *LES PIONNIERS*

the early settlers	les premiers colons
the Founding Fathers	les Pères Fondateurs
the Pilgrim Fathers	les Pères Pélerins
the Mayflower	le Mayflower
the Puritans	les Puritains
the New World	le Nouveau Monde
a colony	une colonie
to found	créer, fonder
to settle	s'établir
to gather	(se) rassembler
a newcomer	un nouveau venu
an immigrant	un immigrant, un immigré
a parish	une paroisse
a parishioner	un paroissien
a churchman	un homme d'église
to have faith in God	avoir foi en Dieu
to believe in	croire en
a belief	une croyance
a blessing	une bénédiction
to bless	bénir
a prayer	une prière
to pray	prier
to mount the pulpit	monter en chaire
brotherhood	la fraternité
the Gospel	l'Evangile
the Bible	la Bible
a theocracy	une théocratie
to preach to a large congregation	prêcher devant une nombreuse assistance
austere	austère
severe, stern	sévère, dur
intolerant	intolérant
an adventure	une aventure
a discovery	une découverte
to discover	découvrir
to emigrate	émigrer

to set sail for	prendre la mer à destination de
to conquer	conquérir
an explorer	un explorateur
to explore	explorer
to land	débarquer
to reach land	atteindre la terre
to dream of	rêver de
to fulfil a dream	réaliser un rêve
to build a new nation	construire une nouvelle nation
to succeed	réussir
to fail	échouer
to symbolize ['i-ə-ɑi]	symboliser
to represent	représenter
a myth	un mythe
a paradise ['æ-ə-ɑi]	un paradis
prosperity	la prospérité
a land of promise	une terre de promesses
a shelter	un refuge
roots	des racines
to show heroism	faire preuve d'héroïsme
to be in a sad plight	être dans un triste état
storm-beaten, storm-lashed	battu par la tempête
perilous	périlleux
risky	risqué
hostile	hostile
enchanting	enchanteur
peaceful	paisible
hardships	les épreuves
an inhospitable land	une terre inhospitalière
virgin territories	des territoires vierges

barren	stérile	to acquire land	se rendre propriétaire d'une terre
vast	vaste		
wilderness	une région sauvage		
wild animals	les animaux sauvages	to drain swamps	assécher des marécages
a beast	une bête	to clear forests	défricher des forêts
biting insects	des insectes qui piquent	to plant	planter
		to cultivate	cultiver
a mosquito	un moustique	to grow	croître, (faire) pousser
a buffalo	un buffle		
starvation	la famine	to plough [ɑu]	labourer
to starve	mourir de faim	to sow	semer
privation [ɑi-'ei-ə]	la privation	to thrive	bien se développer, prospérer
famine	la famine		
a disease, an illness	une maladie	to hunt	chasser
to suffer from	souffrir de	to raise cattle	élever du bétail
to withstand	résister à	to survive	survivre
to die of	mourir de	sturdy	vigoureux, robuste
the mortality rate	le taux de mortalité	self-confident	sûr de soi
to grow disillusioned	perdre ses illusions	hard-working	travailleur
		energetic	énergique
to colonize ['ɔ-ə-ɑi]	coloniser	courageously	courageusement

The New World was a land of promise and hope.	Le Nouveau Monde était une terre de promesses et d'espoir.
There was a demand for equality of opportunity.	Il y avait une demande pour l'égalité des chances.
They had a tough time.	Ils ont connu beaucoup de difficultés.
Their experiment in self-government was without precedent.	Leur expérience d'autonomie gouvernementale était sans précédent.

THE WAR OF INDEPENDENCE
LA GUERRE D'INDEPENDANCE

Voir également "War and peace"

The Mother Country	la Mère Patrie	a longing for independence	une envie d'indépendance
to maintain supremacy	maintenir la suprématie		
		a thirst for freedom	une soif de liberté
oppression	l'oppression	to have full power	avoir les pleins pouvoirs
to feel oppressed	se sentir opprimé		
to put up with tyranny	supporter la tyrannie	to interfere with	s'immiscer dans
		to come into conflict with	entrer en conflit avec
to be submitted to	être soumis à		

to rebel against	se rebeller contre	to ratify the	ratifier la
to oppose	s'opposer à	**Constitution**	Constitution
to diverge	diverger	the Declaration of	la Déclaration de
to arouse anger	provoquer la colère	**Independence**	l'Indépendance
to withdraw from	(se) retirer de	the American	la Constitution
to ally [ə-'ɑi] oneself	s'allier avec	**Constitution**	Américaine
with		the Bill of Rights	la Déclaration des
to be united	être unis		Droits
to levy taxes	lever des impôts	to draft a resolution	rédiger une
to pass retaliatory	passer des mesures		résolution
measures	de rétorsion	to elect a president	élire un président
patriotic ardour	l'ardeur patriotique	to be chosen by	être choisi par
to approve of	approuver	to be appointed by	être nommé par
to disapprove of	désapprouver	to be ratified	être ratifié
to summon people	convoquer des gens	to be passed	être voté
to be firmly rooted	être fermement	to administer	gérer
	enraciné	a self-governing	une colonie
to contribute to	contribuer à	colony	autonome
to guarantee religious	garantir la liberté	the philosophy of	la philosophie de la
freedom	religieuse	democracy	démocratie
to rally to	se rallier à	the doctrine of	la doctrine de
to secede from	se séparer de	equality	l'égalité
to reform	réformer		
to proclaim	proclamer		
independence	l'indépendance		
to sign the	signer la		
Constitution	Constitution		

They didn't want to be deprived of their identity.	Ils ne voulaient pas être privés de leur identité.
That was the source of the rebellion.	Ce fut l'origine de la rebellion.
It became a subject of dissension between the colonists and the British government.	Cela devint un sujet de discorde entre les colons et le gouvernement britannique.
The authors of the Constitution set up a complex government.	Les auteurs de la Constitution instaurèrent un gouvernement complexe.
The American Constitution took effect in 1789.	La Constitution américaine prit effet en 1789.

THE FRONTIER AND THE INDIANS
LA FRONTIERE ET LES INDIENS

the opening of the frontier	l'ouverture de la frontière
the determination of frontiers	la délimitation des frontières
a border	une frontière
to travel West	voyager vers l'Ouest
to cross plains	traverser des plaines
to stretch endlessly	s'étendre sans fin
the myth of the West	le mythe de l'Ouest
a legendary figure	un personnage légendaire

a stagecoach	une diligence
a horse-drawn covered waggon	un chariot couvert tiré par des chevaux
a trail	une piste
to start a new life	commencer une nouvelle vie
to conquer	conquérir
to expand	(se) développer
a landowner	un propriétaire terrien
a speculator	un spéculateur
a herd	un troupeau
a hunter	un chasseur
a fur trader	un vendeur de fourrures
a trapper	un trappeur
an outlaw	un hors-la-loi
a rifle	une carabine
a gun	un fusil
a whip	un fouet
a spur	un éperon
a sheriff	un shérif
a saloon (bar)	un saloon
an Indian	un Indien
an Indian reservation	une réserve indienne

a Redskin	un Peau Rouge
a tribe [ɑi]	une tribu
a savage	un sauvage
a pale face	un visage pâle
a smoke signal	un signal de fumée
an arrow	une flèche
to shoot arrows	décocher des flèches
a bow [əu]	un arc
a scalp	un scalp
to scalp	scalper
a poisoned spear	une lance empoisonnée
to wear war paint	avoir les peintures de guerre
to encroach on	empiéter sur
to be entitled to	avoir droit à
to slay	tuer
to exterminate	exterminer
to crawl	ramper
to creep	se glisser, ramper
to capture	capturer
ruthless	impitoyable

And then it was legally opened to settlement.	Puis, ce fut légalement ouvert à la colonisation.
They were lured by the promise of free land.	Ils étaient attirés par la promesse de terres gratuites.

He was the fastest gun in the West.	C'était le plus rapide sur la gâchette, de tout l'Ouest.
The Indians were removed and sent to reservations.	Les Indiens furent déplacés et envoyés dans des réserves.
Myth and reality have always been entangled.	Le mythe et la réalité ont toujours été enchevêtrés.
Moving has affected the American character.	Le mouvement a affecté le caractère américain.

SLAVERY AND THE CIVIL WAR
L'ESCLAVAGE ET LA GUERRE DE SECESSION

slavery	l'esclavage
slave trade/traffic	le commerce/trafic d'esclaves
a slave dealer	un marchand d'esclaves
a slave state	un état esclavagiste
slave hunt	la chasse aux esclaves
a slave ship	un négrier
a slave insurrection	un soulèvement d'esclaves
to enslave	réduire en esclavage
to import slaves from Africa	importer des esclaves d'Afrique
to be born into slavery	être né esclave
a black man, a Negro	un noir
a nigger	un nègre
to undergo discrimination	subir la discrimination
to be ostracized	être frappé d'ostracisme
uprooted	déraciné
deprived of freedom	privé de liberté
the owner	le propriétaire
the master	le maître
obedient	obéissant
disobedient	désobéissant
to obey sb	obéir à qn
to respect	respecter
respectful of	respectueux de
dignity	la dignité
the stigma	le stigmate
shame	la honte
to be ashamed of	avoir honte de
to treat as humans	traiter en humains

to beat	battre
to whip	fouetter
to work on plantations	travailler dans des plantations
sugar cane	la canne à sucre
the cultivation of cotton	la culture du coton
brutal	brutal
loyal	loyal
faithful to	fidèle à
to flee	s'enfuir
a fugitive	un fugitif
to escape	(s') échapper
a controversy	une polémique
a motive	un motif
a conflict	un conflit
the outbreak of war	le déclenchement de la guerre
to trigger the war	déclencher la guerre
the War of Secession	la Guerre de Sécession

the Secessionists	les Sécessionnistes	to extol freedom	chanter les louanges de la liberté
the Abolitionists	les Abolitionnistes, les anti-esclavagistes	to enjoy freedom	jouir de la liberté
the Yankees	les Nordistes	the newly emancipated Negroes	les Noirs fraîchement émancipés
the Confederates	les Sudistes	the right to vote	le droit de vote
to be opposed to	être opposé à	to enfranchise	accorder le droit de
an opponent	un adversaire	[i-'æ-ɑi]	vote
an extremist	un extrémiste	to assert one's rights	faire valoir ses
to favour	être partisan de		droits
to advocate	plaider en faveur de	to grant	accorder
to indict slavery	mettre l'esclavage	to strengthen	consolider
[i-'ɑi]	en accusation	to authorize	autoriser
to be hostile to	être hostile à	to legalize	légaliser
to have the support of	avoir le support de		
a majority	une majorité		
a minority	une minorité	reconstruction	la reconstruction
a volunteer	un volontaire	to reconstruct	reconstruire
troops	des troupes	the wounds of war	les blessures de guerre
an army	une armée		
a victory	une victoire	restoration	la restauration
a defeat	une défaite	to restore	restorer
a slaughter	un massacre	consequences	des conséquences
heavy losses	de lourdes pertes	secret societies	des sociétés secrètes
hatred	la haine		
to surrender	se rendre	to resort to intimidation	avoir recours à l'intimidation
bloody ['ʌ-i]	sanglant		
to agree to a compromise	accepter un compromis	to prevent from (+ing)	empêcher de
to enact a law	promulguer une loi	to compel	contraindre
to emancipate a slave	affranchir un esclave	to tar and feather	passer au goudron et à la plume
to outlaw slavery	déclarer l'esclavage hors-la-loi	to frighten to death	faire mourir de peur
to abolish	abolir	to hang	pendre
to free the slaves	libérer les esclaves	to torture	torturer
to promote equality between	promouvoir l'égalité entre	to lynch	lyncher
to give citizenship to	donner la citoyenneté à		

It's a question which has given rise to much controversy.	C'est une question fort controversée.
Slavery was the general concern.	L'esclavage était l'inquiétude générale.
It was considered as a necessary evil.	C'était considéré comme un mal nécessaire.

LES NOTIONS

ET

LES FONCTIONS

EXPRESSING LACK OF OBLIGATION
L'ABSENCE D'OBLIGATION

You **don't have to** visit the Royal Palace if you don't feel like it.
Tu n'as pas besoin de visiter le Royal Palace si tu n'en as pas envie.

She **hasn't got to** explain it in detail.
Elle n'a pas besoin de l'expliquer en détail.

No need to hurry !
Pas besoin de te presser !

You **needn't** arrive before 6 p.m.
Tu n'as pas besoin d'arriver avant 6 heures de l'après-midi.

They **don't need to** be warned.
Ils n'ont pas besoin d'être prévenus.

He **needn't have** chang**ed** his car (but he did) ; what a waste of money !
Il n'avait pas besoin de changer sa voiture (mais il l'a fait) ; quel gâchis d'argent !

She convinced him that he **didn't need to** change his car (and he didn't).
Elle l'a convaincu qu'il n'avait pas besoin de changer sa voiture (et il ne l'a pas fait).

You **aren't obliged to** interview all of them.
Tu n'es pas obligé de tous les interviewer.

There's no reason why you should complain about it.
Il n'y a aucune raison pour que tu te plaignes de cela.

It's no use insist**ing**.
Cela ne sert à rien d'insister.

It's no good ask**ing** her.
Inutile de lui demander.

That's not absolutely necessary.
Cela n'est pas absolument nécessaire.

It's useless.
C'est inutile.

It isn't worthwhile.
Ce n'est pas la peine.

AGREEING WITH SOMEONE
L'ACCORD

Yes, I think so.
Oui, je pense.

I think the same as you do.
Je pense comme vous.

That's just what I think.
C'est exactement ce que je pense.

How true !
C'est bien vrai !

That's it !
C'est ça !

That's right !
C'est exact !

That's just it !
C'est tout à fait ça !

You're right !
Tu as raison !

She's absolutely right.
Elle a entièrement raison.

That's correct.
C'est correct.

I agree with you.
Je suis d'accord avec toi.

I quite agree.
Je suis tout à fait d'accord.

I couldn't agree more !
Tout à fait d'accord !

I'm with you there !
Là, je suis d'accord avec toi !

I'm entirely of your opinion.
Je suis tout à fait de votre avis.

I certainly go along with that !
Entièrement d'accord !

I take a similar view.
Je partage cet avis.

I share your views on this.
Je partage votre point de vue là-dessus.

PERMITTING AND FORBIDDING
L'AUTORISATION ET L'INTERDICTION

ASKING FOR PERMISSION : *DEMANDER LA PERMISSION*

Can I read it aloud ?	Puis-je le lire tout haut ?
Could I know what you're talking about ?	Pourrais-je savoir de quoi vous parlez ?
May I join you ?	Puis-je me joindre à vous ?
Is it all right if I park here ?	Est-ce que ça va si je me gare ici ?
Please, **let me** try.	S'il te plaît, laisse-moi essayer.
Are we allowed to come in ?	Sommes-nous autorisés à entrer ?
Do you mind if I stay ?	Cela ne vous ennuie pas si je reste ?
Would you mind my correcting your mistakes ?	Cela vous dérangerait-il que je corrige vos erreurs ?
I wonder if he'll grant me permission to have another day off .	Je me demande s'il m'accordera la permission de prendre un autre jour de congé.
I wonder if I could record them.	Je me demande si je pourrais les enregistrer.
Would it be possible for me to borrow one, please ?	Serait-il possible que j'en emprunte un, s'il vous plaît ?
Would you allow us to study it more in detail ?	Nous autoriseriez-vous à l'étudier plus en détail ?
I was wondering whether I could possibly advise them.	Je me demandais si je pourrais éventuellement les conseiller.
I hope it won't bother you if I do my homework here ?	J'espère que cela ne vous ennuiera pas si je fais mes devoirs ici ?
Would you be kind enough to let me add a word ?	Voudriez-vous être assez aimable pour me laisser ajouter un mot ?
Would you have any objection to our soften**ing** the hues ?	Verriez-vous un inconvénient à ce que nous adoucissions les teintes ?

GRANTING PERMISSION : *DONNER LA PERMISSION*

Of course, do !	Mais bien sûr, allez-y !
By all means, do !	Je vous en prie, faites !
Yes, go ahead !	Oui, allez-y !
Yes, **you can** buy it if you like it.	Oui, tu peux l'acheter si tu l'aimes bien.
Yes, darling, **you may** have your cake now.	Oui, chérie, tu peux avoir ton gâteau maintenant.
He **allowed us to** attend the lecture.	Il nous a autorisés à assister à la conférence.
Of course, **I don't mind**, come !	Bien sûr que ça ne me dérange pas, viens !
The peasants **will be allowed to** own some of the land.	Les paysans seront autorisés à posséder une partie de la terre.
She **let me** watch the film yesterday.	Elle m'a laissé regarder le film hier.
Of course, do stay, **there is no reason why you shouldn't** accompany us.	Bien sûr, restez, il n'y a aucune raison pour que vous ne nous accompagniez pas.
You have my permission to leave.	Je vous accorde la permission de partir.
She **was permitted to** smoke.	On lui a permis de fumer.
I'm quite happy for you to take it.	Je ne vois pas d'inconvénient à ce que tu le prennes.
I have no objection at all to your writing my name on that list.	Je n'ai aucune objection à ce que vous écriviez mon nom sur cette liste.

REFUSING PERMISSION : *REFUSER LA PERMISSION*

You know you **can't** play inside.	Tu sais que tu ne peux pas jouer à l'intérieur.
You **may not** drink alcohol.	Tu n'as pas le droit de boire d'alcool.
You **mustn't** call me at the office.	Tu ne dois pas m'appeler au bureau.
You **will not** go out tonight.	Tu ne sortiras pas ce soir.
You **shall not** repeat that again !	Tu ne répèteras pas ça ! (je te l'interdis)
Don't talk nonsense !	Ne dis pas de bêtises !
No begging outside the church.	Interdit de mendier devant l'église.
It's out of question !	C'est hors de question !
It's forbidden.	C'est interdit.
It's prohibited to park here.	Il est interdit de se garer ici.
You **aren't expected to** answer.	On ne s'attend pas à ce que tu répondes.
You **aren't supposed to** help him.	Tu n'es pas censé l'aider.
I won't let you go there alone.	Je ne te laisserai pas y aller seul.
She wouldn't let them cheat.	Elle ne les laisserait pas tricher.
I don't want her to hitch-hike.	Je ne veux pas qu'elle fasse de l'auto-stop.
He refused to give up.	Il a refusé d'abandonner.
He **was refused permission to** leave the barracks.	On lui a refusé la permission de quitter la caserne.
In those days, you **weren't allowed to** ask such questions.	En ce temps-là, on n'avait pas l'autorisation de poser de telles questions.
They **won't be permitted to** remain seated.	Ils n'auront pas la permission de rester assis.
You **aren't to** smoke here.	Vous ne devez pas fumer ici.
I categorically **forbid you to** scribble on the tables !	Je vous interdis catégoriquement de gribouiller sur les tables !
Nobody is to use this machine without their permission.	Personne ne doit utiliser cette machine sans leur permission.
You **will not** interfere in that quarrel !	Vous ne vous interposerez pas dans cette dispute !
He **would not** give me the list !	Il n'a pas voulu me donner la liste !

EXPRESSING DISLIKES
L'AVERSION

I **don't like** thinking about it.	Je n'aime pas y penser.
He **wouldn't like to** have his dinner in the kitchen.	Il n'aimerait pas prendre son dîner dans la cuisine.
I'm sure he **dislikes** dealing with that problem.	Je suis sûre qu'il n'aime pas traiter ce problème.
She **doesn't enjoy** swimming.	Elle ne prend pas de plaisir à nager.
He **isn't very interested in** sport.	Il n'est pas très intéressé par le sport.
I **don't feel like** eating now.	Je n'ai pas envie de manger maintenant.
I must say this singer **isn't** one of my favourites.	Je dois dire que ce chanteur n'est pas l'un de mes préférés.
She **isn't very keen on** writing.	Elle n'aime pas tellement écrire.
I **am not too keen on** sweets.	Je n'aime pas trop les bonbons.
I **am not very fond of** playing football.	Je n'aime pas tellement jouer au football.
It isn't my cup of tea.	Ce n'est pas ma tasse de thé.
Fishing isn't really my thing.	La pêche n'est pas vraiment mon truc.

Aren't you **sick of** hearing the same mistakes ?	N'en as-tu pas marre d'entendre les mêmes erreurs ?
Everybody'**s tired of** those changes.	Tout le monde est fatigué de ces changements.
He **can't stand** getting up early.	Il ne peut pas supporter de se lever tôt.
She **can't bear** being told what to do.	Elle ne peut pas souffrir qu'on lui dise ce qu'elle doit faire.
You **resent my** going out at night, don't you ?	Cela te déplaît que je sorte le soir, n'est-ce-pas ?
She **can't put up with** people who shout all the time.	Elle ne supporte pas les gens qui crient tout le temps.
He **can't endure** being disturbed.	Il ne peut pas souffrir d'être dérangé.
She **hates** driving at night.	Elle déteste conduire la nuit.
What I hate most of all is going to the dentist's.	Ce que je déteste par dessus tout, c'est aller chez le dentiste.
I **have an aversion to** spiders.	J'ai une répugnance envers les araignées.
He **dislikes** Africa intensely.	Il a l'Afrique en horreur.
There's nothing I dislike more than going to bed late.	Il n'y a rien qui me déplaise plus que d'aller me coucher tard.

WARNING SOMEONE
LES AVERTISSEMENTS

Be careful !	Fais attention !
Watch out !	Attention !
Mind where you're going !	Fais attention où tu vas !
Mind you don't swallow it !	Fais attention de ne pas l'avaler !
Take care not to fall !	Fais attention de ne pas tomber !
Make sure you don't forget anything !	Assure-toi de ne rien oublier !
I'm warning you !	Je te préviens !
Let me warn you !	Laisse-moi te prévenir !
Let me warn you not to trust him !	Laisse-moi te prévenir de ne pas lui faire confiance !
Beware of how you speak !	Surveille tes paroles !
Beware not to criticize them in public.	Fais attention de ne pas les critiquer en public.
Beware of the dog.	Attention, chien méchant.
If you don't sign this contract, **I won't** give you the money.	Si vous ne signez pas ce contrat, je ne vous donnerai pas l'argent.
You wouldn't dare !	Tu n'oserais pas !
Don't dare say that !	Je vous défends d'oser dire cela !
How dare you !	Vous osez !
Just try, and you'll see what will happen !	Essaie, tu verras ce qui arrivera !
Don't make any mistakes, **or she'll** be furious !	Ne fais pas d'erreur, sinon elle sera furieuse !
You'll be in trouble if you insist !	Tu auras des ennuis si tu insistes !

EXPRESSING PURPOSE AND INTENTION
LE BUT ET L'INTENTION

I'**m** leav**ing** him.	Je le quitte.
I'**m going to** attend evening classes.	Je vais assister à des cours du soir.
I **will** tell her the truth.	Je lui dirai la vérité.
He's **decided to** fly back to Los Angeles tomorrow.	Il a décidé de rentrer à Los Angeles en avion demain.
She came **with the intention of** learn**ing**.	Elle est venue avec l'intention d'apprendre.
It's their intention to find the murderer.	C'est leur intention de trouver le meurtrier.
He **has every intention of** work**ing** more.	Il est bien décidé à travailler davantage.
They **intend to** develop new programmes.	Ils ont l'intention de développer de nouveaux programmes.
They **mean to** have another baby.	Ils ont l'intention d'avoir un autre bébé.
He's **resolved to** stop drinking.	Il a pris la résolution d'arrêter de boire.
He **seems determined to** divorce her.	Il semble résolu à divorcer.
I know he **wants to** make a fuss.	Je sais qu'il veut faire des histoires.
They'**re willing to** innovate in that field too.	Ils veulent innover dans ce champ-là aussi.
Are you **planning to** write another book ?	Projetez-vous d'écrire un autre livre ?
I **have a good mind to** leave this place.	J'ai bien envie de quitter cet endroit.
She'**s thinking of** stag**ing** the play next month.	Elle songe à mettre la pièce en scène le mois prochain.
She's **made up her mind to** work more.	Elle a décidé de travailler davantage.
What have they come to Africa **for** ?	Dans quel but sont-ils venus en Afrique ?
They' ve come to Africa **to** study anthropology.	Ils sont venus en Afrique pour étudier l'anthropologie.
For what purpose does she want to take part in the contest ?	Dans quel but veut-elle participer au concours ?
She did it **in order to** be noticed.	Elle l'a fait dans le but de se faire remarquer.
I've brought it **for you to** read.	Je l'ai apporté pour que tu le lises.
He keeps the bedroom door open, **so as to** have an eye on the children.	Il garde la porte de la chambre ouverte pour avoir un oeil sur les enfants.
Her aim is to arrive there safe and sound.	Son but est d'arriver là-bas saine et sauve.
She **is to** get engaged soon.	Elle va se fiancer bientôt.
He **was to** help them (I don't know if he did).	Il allait les aider (je ne sais pas s'il l'a fait).
He **was to have given** me a lift, but he didn't come.	Il devait me déposer, mais il n'est pas venu.
I always hide the bottles, **so that** he will not be tempted.	Je cache toujours les bouteilles, de façon à ce qu'il ne soit pas tenté.

VOICING ABILITY
LA CAPACITE

I **can** type.	Je sais taper à la machine.
I'll do what I can to help you.	Je ferai ce que je pourrai pour t'aider.
When she was younger she **could** ride a horse.	Quand elle était plus jeune, elle savait monter à cheval.

Do you think he'**ll be able to** write a novel without any help ?	Pensez-vous qu'il saura écrire un roman sans aucune aide ?
She'**d** probably **be able to** carry out the experiment.	Elle serait probablement capable de faire l'expérience.
We **could** express it differently.	Nous pourrions l'exprimer autrement.
I'm sure you **could have become** a lawyer.	Je suis sûr que tu aurais pu devenir avocat.
She **is capable of** great things.	Elle est capable de grandes choses.
She **is strong enough to** lift that !	Elle est assez forte pour soulever ça !
Don't worry, I **know how to** use it.	Ne t'en fais pas, je sais comment l'utiliser.
It's perfectly possible.	C'est tout à fait possible.
That money will **enable** me **to** carry on.	Cet argent va me permettre de continuer.

EXPRESSING CAUSES AND CONSEQUENCES
LES CAUSES ET LES CONSEQUENCES

She's laughing **because** it's funny.	Elle rit parce que c'est drôle.
She felt **all the more** excited **because** he had talked to her.	Elle se sentait d'autant plus énervée qu'il lui avait parlé.
I couldn't understand anything, **because of** the strange words he used.	Je n'y comprenais rien, à cause des mots étranges qu'il utilisait.
It's my Dad's house ; **this is the reason why** I don't pay any rent.	C'est la maison de mon père ; c'est la raison pour laquelle je ne paie aucun loyer.
It is for this reason that she never looks at you in your eyes.	C'est pour cette raison qu'elle ne te regarde jamais dans les yeux.
He wasn't well-paid, **that's why** he left that job.	Il n'était pas bien payé, c'est pourquoi il a quitté ce travail.
Let me explain why I've decided to stay.	Laissez-moi expliquer pourquoi j'ai décidé de rester.
He did it **out of** fear.	Il l'a fait par peur.
Given the situation, we'll stay in France.	Etant donné la situation, nous resterons en France.
Judging by what is written here, you can't be held responsible.	A en juger par ce qui est écrit ici, vous ne pouvez être tenu pour responsable.
It is due to your lack of understanding.	C'est dû à ton manque de compréhension.
He was released, **on account of** his good behaviour.	Il a été relâché, pour cause de bonne conduite.
Thanks to her authority, things went well.	Grâce à son autorité, les choses se sont bien passées.
Since it is a new contract, we have to be very precise.	Puisque c'est un nouveau contrat, nous devons être très précis.
As the plane was late, we stayed in the airport for three hours.	Comme l'avion était en retard, nous sommes restés dans l'aéroport pendant trois heures.
Owing to their youth, we asked for their parents' permission.	En raison de leur jeunesse, nous avons demandé l'autorisation de leurs parents.
Following the war, the price of petrol has gone up.	A la suite de la guerre, le prix de l'essence a augmenté.
I can't buy it, **for lack of** cash.	Je ne peux pas l'acheter, faute d'argent comptant.

She thought it was a good book ; **therefore**, she bought it.	Elle pensait que c'était un bon livre ; donc, elle l'a acheté.
You don't work enough, **so**, you can't be rewarded.	Tu ne travailles pas assez, donc, tu ne peux pas être récompensé.
The result was negative ; **thus**, she felt relieved.	Le résultat était négatif ; donc, elle s'est sentie soulagée.
She has serious health problems ; **consequently**, she can't live normally.	Elle a de gros problèmes de santé ; par conséquent, elle ne peut vivre normalement.
As a consequence, he was fired.	Comme conséquence, il a été mis à la porte.
They check all the passports, **as a result of** possible terrorist attacks.	Ils vérifient tous les passeports, par suite d'éventuelles attaques terroristes.
She was **so** upset **that** she couldn't speak.	Elle était si bouleversée qu'elle ne pouvait parler.
He makes **such** mistakes **that** nobody trusts him.	Il fait de telles erreurs que personne ne lui fait confiance.

FROM CERTAINTY TO IMPROBABILITY
DE LA CERTITUDE A L'IMPROBABILITE

Definitely !	Sûrement !/Sans aucun doute !
Absolutely !	Absolument !
I'm 100% certain.	J'en suis sûr à 100%.
I'**m positive** on that point.	Je n'ai aucun doute là-dessus.
I **know for sure** that she's pregnant.	Je sais avec certitude qu'elle est enceinte.
She **is sure** she'll win.	Elle est sûre de gagner.
I **am convinced** it mustn't be taken seriously.	Je suis convaincu que ceci ne doit pas être pris sérieusement.
It's quite certain that your dog has swallowed it.	Il est certain que ton chien l'a avalé.
I'**m quite sure** it wouldn't bother him.	Je suis absolument sûr que cela ne le dérangerait pas.
I **could swear that** there will be another battle.	Je parierais qu'il y aura une autre bataille.
That will be him again !	Ca va encore être lui !
It's undeniable that they know each other.	Il est indéniable qu'ils se connaissent.
There's no doubt in my mind.	Il n'y a aucun doute dans mon esprit.
There can be no doubt.	Il ne peut y avoir aucun doute.
It's beyond all doubt that he witnessed the crime.	Il est incontestable qu'il a été témoin du crime.
I **have no doubt about** the answer.	Je n'ai aucun doute quant à la réponse.
It's obvious that she will refuse.	Il est évident qu'elle refusera.
I **can assure you** he gave me one.	Je peux t'assurer qu'il m'en a donné un.
He **is bound to** arrive last.	A coup sûr il arrivera dernier.
The chances are that he'll (eventually) win.	Il y a de fortes chances pour qu'il finisse par gagner.
There is a good chance that they will agree.	Il y a fort à parier qu'ils seront d'accord.
The odds are that it will be over by May.	Il y a gros à parier que ce sera terminé d'ici le mois de Mai.
It seems highly likely that he'll be appointed at the head of the firm.	Il y a de fortes chances pour qu'il soit nommé à la tête de l'entreprise.

I **bet** you £10 she won't come.	Je te parie £10 qu'elle ne viendra pas.
I **bet** he'll apologize to everyone.	Je parie qu'il s'excusera auprès de tous.
I **think** she'll remember me.	Je pense qu'elle se souviendra de moi.
It seems to me that I know them.	Il me semble que je les connais.
I **guess** he'll come, too.	Je suppose qu'il viendra aussi.
I **expect** she'll spend it all.	Je m'attends à ce qu'elle dépense tout.
I **suppose** it will be published by next month.	Je suppose que, d'ici le mois prochain, il sera publió.
I **believe** such theories will develop in the East.	Je crois que de telles théories se développeront à l'Est.
I **assume** that he'll be identified sooner or later.	Je présume qu'il sera identifié, tôt ou tard.
There is reason to believe that they've met before.	Il y a de bonnes raisons de croire qu'ils se sont rencontrés auparavant.
She **must be** his girlfriend.	Elle doit être sa petite amie.
She **must have been** surprised !	Elle a dû être surprise !
They **must have made** money with that !	Ils ont dû gagner de l'argent avec ça !
You **can't have** voted for that man !	Tu n'as pas pu voter pour cet homme !
It's more than probable that he won't understand.	Il est plus que probable qu'il ne comprendra pas.
It's probable that the situation will improve.	Il est probable que la situation s'améliore.
They'll **probably** win the elections.	Ils gagneront probablement les élections.
It will **probably not** be long before he realizes his mistake.	Ce ne sera probablement pas long avant qu'il ne se rende compte de son erreur.
This **is likely to** lead to more inflation.	Il est vraisemblable que ceci mène à davantage d'inflation.
The new emergency room **is not likely to** open in the end.	Il est peu probable que la nouvelle salle pour les urgences ouvre, finalement.
I **wouldn't be surprised if** he changed his mind.	Je ne serais pas surpris s'il changeait d'avis.
This could cause serious damage.	Ceci pourrait causer des dégâts sérieux.
It **may** be the only possibility.	Il se peut que ce soit la seule possibilité.
The newcomers **may** take over from them.	Il se peut que les nouveaux venus les remplacent.
It **may not** work out in the end.	Il se peut que ça ne fonctionne pas, finalement.
There **may have been** a genetic reason.	Ìl se peut qu'il y ait eu une raison génétique.
The new legislation **might** prove successful.	Il se pourrait que la nouvelle législation remporte un grand succès.
Perhaps the sea will be warm.	Peut-être que la mer sera chaude.
Maybe it will be easier than the first time.	Peut-être que ce sera plus facile que la première fois.
There's some doubt in my mind.	Il y a un doute dans mon esprit.
I doubt it.	J'en doute.
It raised a doubt in my mind.	Cela a jeté un doute dans mon esprit.
I **doubt that** they'll ever be able to raise so much money.	Je doute qu'ils soient jamais capables de rassembler tant d'argent.
It's doubtful whether it's true.	On se demande si c'est vrai.
I'm **rather sceptical about** their superiority.	Je suis plutôt sceptique quant à leur supériorité.
I'm **highly dubious about** the wisdom of their decision.	Je doute beaucoup de la sagesse de leur décision.
I **am not at all convinced that** they'll be expelled.	Je ne suis pas convaincu du tout qu'ils seront expulsés.
I **wonder if** they're married.	Je me demande s'ils sont mariés.
I **am not too sure that** they will cooperate.	Je ne suis pas si sûr de leur collaboration.

I **am not really sure that** this material doesn't shrink.	Je ne suis pas vraiment sûre que ce tissu ne rétrécisse pas.
I'**m not quite sure** it will be a success.	Je ne suis pas tout à fait sûr que ce sera un succès.
It isn't certain.	Ce n'est pas certain.
It isn't known for sure whether they're married.	On ne sait pas exactement s'ils sont mariés.
It's highly unlikely.	C'est très peu probable.
He **isn't likely to** follow your advice.	Il est peu probable qu'il suive tes conseils.
It's highly improbable that they could win the war.	Il est tout à fait improbable qu'ils puissent gagner la guerre.
It's very doubtful whether her book will be translated.	Il est très peu probable que son livre soit traduit.
There's but a small chance that he'll be admitted.	Il n'y a que peu de chances qu'il soit admis.
It's hardly to be expected that such an experiment will be carried out.	On ne peut guère s'attendre à ce qu'on procède à une telle expérience.
Even if she tried she wouldn't succeed.	Même si elle essayait, elle ne réussirait pas.

VOICING ANGER
LA COLERE

I don't think that's very clever !	Je ne trouve pas ça très intelligent !
Are you trying to be funny ?	Tu te crois drôle ?
You wouldn't dare !	Tu n'oserais pas !
Don't be silly !	Ne sois pas ridicule !
How dare you say that !	Comment oses-tu !
Hang it !	Zut !
Get lost !	Vas te faire voir !
Enough is enough !	Trop c'est trop !
That's the limit !	Ca c'est le comble !
This is too much !	C'est trop !
Rubbish !	Quelle blague !
Good riddance !	Bon débarras !
And what next ?	Et puis quoi encore ?
I won't swallow that !	Je ne vais pas avaler ça !
I'm warning you !	Je te préviens !
Just you wait !	Attends un peu !
Get out of my way !	Dégage !
That's the last straw !	C'est la goutte d'eau qui fait déborder le vase !
Mind your own business !	Occupe-toi de tes affaires !
It's none of your business !	Ca ne te regarde pas !
Shame on you !	Honte à vous !

It makes me see red !	Ca me fait voir rouge !
I have enough of that boy !	J'en ai assez de ce garçon !
I won't have it !	Je ne permettrai pas ça !
Why are you so angry with her ?	Pourquoi es-tu si fâché contre elle ?
Who do you take me for ?	Pour qui me prends-tu ?
For God's sake, leave me alone !	Pour l'amour de Dieu, laisse-moi seul !
I'm **fed up with** his lies.	J'en ai par-dessus la tête de ses mensonges.
I'm **fed up with** your interrupt**ing** me all the time.	J'en ai assez que tu m'interrompes tout le temps.
Why the hell didn't you wait for me ?	Bon sang, pourquoi ne m'as-tu pas attendu ?
I **won't stand** be**ing** treated like that.	Je ne supporterai pas d'être traité de cette façon.
I can't stand it any longer !	Je ne peux plus supporter ça !
I've heard as much as I can hear !	J'en ai assez entendu !
I **can't put up with** him !	Je ne peux pas le supporter !
I **won't put up with** that !	Je ne supporterai pas ça !
I'm **sick of** all this !	J'en ai assez de tout ça !
I'm fed up !	J'en ai marre !
That serves you right !	C'est bien fait pour toi !
I'm **sick and tired of** tell**ing** you !	Je me tue à te le répéter !
I'm **tired of** them !	Ils me font suer !
What makes me angry is that there is always something missing.	Ce qui me met en colère c'est qu'il manque toujours quelque chose.
She**'s cross with** you because you have disobeyed.	Elle est en colère contre toi parce que tu as désobéi.
He**'s furious with** them.	Il est furieux contre eux.
What on earth have you been doing ?	Mais bon sang, qu'avez-vous fait ?
What has that got to do with it ?	Qu'est-ce que ça a à voir avec ça ?
That gets on my nerves !	Ca m'énerve !
How on earth can you live in such a filthy place ?	Mais bon sang, comment pouvez-vous vivre dans un endroit aussi dégoûtant ?
There is no reason why I should stay here.	Il n'y a aucune raison pour que je reste ici.
What irritates me most is that nobody believes me.	Ce qui m'énerve le plus est que personne ne me croit.
I **won't tolerate** living among them.	Je ne tolèrerai pas de vivre parmi eux.
I can't accept this view !	Je trouve cette façon de voir les choses inacceptable !

MAKING COMPARISONS
LA COMPARAISON

My exercises are **as** difficult **as** yours.	Mes exercices sont aussi difficiles que les tiens.
The lecture in German was**n't as** easy to understand **as** the one in English.	La conférence en allemand n'était pas aussi facile à comprendre que celle en anglais.
It seems **less** interesting **than** at the beginning.	Ca semble moins intéressant qu'au début.
It's **twice as** big **as** France.	C'est deux fois plus grand que la France.
The cost would be much high**er than** that.	Le prix serait beaucoup plus élevé que cela.
She's much **more** sensible **than** her sister.	Elle est beaucoup plus raisonnable que sa soeur.

It would be worse than that if you were dismissed.	Ce serait pire que ça si tu étais renvoyé.
Don't you have anything better ?	Tu n'as rien de mieux ?
Such qualities are **more and more** difficult to find, nowadays.	De telles qualités sont de plus en plus difficiles à trouver, de nos jours.
You look young**er** and young**er** !	Tu as l'air de plus en plus jeune !
Her figure is **less and less** elegant.	Sa silhouette est de moins en moins élégante.
The high**er** the prices are, **the more** difficult it is for us.	Plus les prix sont élevés, plus c'est difficile pour nous.
The more I insist, **the more** he refuses.	Plus j'insiste, plus il refuse.
The less you speak to him, **the less** he shows off.	Moins on lui parle, moins il fait son malin.
The former was good, and the latter was excellent.	Le premier était bon, et le dernier était excellent. (de deux)
He is **the** tall**est** boy in the family.	C'est le garçon le plus grand de la famille.
The most expensive clothes are sold there.	Les vêtements les plus chers sont vendus là-bas.
It would probably be **the least** interesting.	Ce serait probablement le moins intéressant.
By comparison, it's cheaper.	En comparaison, c'est meilleur marché.
Compared to my mother-in-law, she's very understanding.	Comparée à ma belle-mère, elle est très compréhensive.
She acted **as if** she didn't understand.	Elle agissait comme si elle ne comprenait pas.
He behaves **like** a fool !	Il se conduit comme un idiot !
It's just the same.	C'est exactement la même chose.
She thinks **like** me.	Elle pense comme moi.
These two koalas **look exactly the same**, don't they ?	Ces deux koalas se ressemblent vraiment, n'est-ce-pas ?
I **can't see the difference** between the two	Je ne vois pas la différence entre les deux.
Her children **look exactly like** her.	Ses enfants lui ressemblent beaucoup
She's the very picture of her mother.	C'est le portrait craché de sa mère.
They**'re** very much **like** one another./ They**'re** very much **alike**.	Ils se ressemblent beaucoup.
I can't distinguish between the two.	Je n'arrive pas à faire la différence entre les deux.
It **smells like** French cooking.	Cela sent la cuisine française.
It **tastes like** pudding.	Cela a le goût du pudding.
She **sounds like** an American.	A l'entendre, on dirait une Américaine.
It**'s shaped like** a tube.	Cela à la forme d'un tube.
My life here **is similar to** what it was in America.	Ma vie ici est semblable à ce qu'elle était en Amérique.
There isn't much difference.	Il n'y a pas grande différence.
We have **the same** expectations **as** yours.	Nous avons les mêmes espérances que vous.
She bears no resemblance to her mother.	Elle ne ressemble pas du tout à sa mère.
He **looks** totally **different from** what I had imagined.	Il est totalement différent de ce que j'avais imaginé.
It's funny how **different** they are **from** each other.	C'est drôle comme ils sont différents l'un de l'autre.
She can't compare with your sister.	Il n'y a pas de comparaison entre elle et ta soeur.
There's no comparison between the two methods.	Il n'y a aucune comparaison entre les deux méthodes.
If you compare the two, you'll see the difference !	Si tu compares les deux, tu verras la différence !
We have very little in common !	Nous avons bien peu de choses en commun !

EXPRESSING CONDITION
LA CONDITION

If I see him, I'll give him the report. — Si je le vois, je lui donnerai le rapport.

If nothing is done to save the forest, it will soon be too late. — Si rien n'est fait pour sauver la forêt, il sera bientôt trop tard.

She'd feel more confident **if** she had responsibilities. — Elle aurait davantage confiance en elle si elle avait des responsabilités.

If I lived there I wouldn't go out at night. — Si j'habitais là-bas, je ne sortirais pas la nuit.

If you had stayed in bed, nothing would have happened. — Si tu étais resté au lit, rien ne serait arrivé.

They wouldn't have moved **if** they had felt at home. — Ils n'auraient pas déménagé s'ils s'étaient sentis chez eux.

As long as they do their duty, I have nothing to reproach them with. — Tant qu'ils font leur devoir, je n'ai rien à leur reprocher.

They said they would agree, **provided** the others followed them. — Ils ont dit qu'ils seraient d'accord, à condition que les autres les suivent.

Providing the rules are respected, there is no danger. — Pourvu que les règles soient respectées, il n'y a aucun danger.

He won't give up, **unless** one of us leaves the group. — Il n'abandonnera pas, à moins que l'un d'entre nous ne quitte le groupe.

They'll remain neutral, **on condition that** the others don't intervene. — Ils resteront neutres, à condition que les autres n'interviennent pas.

It depends on who is elected. — Cela dépend de qui est élu.

ADVISING SOMEONE
LE CONSEIL

ASKING FOR ADVICE : *DEMANDER CONSEIL*

I'd like some advice about it. — J'aimerais quelques conseils à ce sujet.

I need some advice. — J'ai besoin de conseils.

What would you **advise** me **to** do ? — Que me conseilleriez-vous de faire ?

I don't know what to do, could you advise me ? — Je ne sais que faire, pourriez-vous me conseiller ?

What do you think I should do ? — Que devrais-je faire, d'après vous ?

Don't you think I could try ? — Ne pensez-vous pas que je pourrais essayer ?

Wouldn't it be better for me to borrow one ? — Ne vaudrait-il pas mieux que j'en emprunte un ?

What would you do in my place ? — Que ferais-tu à ma place ?

GIVING ADVICE : *DONNER DES CONSEILS*

Follow my advice, and listen carefully. — Suis mon conseil, et écoute attentivement.

Take my advice : try and improve your French. — Suis mon conseil : essaie d'améliorer ton français.

If you want my advice, dismiss him. — Si tu veux un conseil, renvoie-le.

I **advise you to** wait. — Je te conseille d'attendre.

Believe me : give him his money back. — Crois-moi : rends-lui son argent.

Take my word for it, leave this place.	Crois-moi, quitte cet endroit.
Let me tell you this : it's too late.	Laisse-moi te dire ceci : il est trop tard.
It's up to you, of course, but **'I** wouldn't do it.	A toi de voir, bien sûr, mais moi je ne le ferais pas.
If I were in your shoes, I wouldn't wait.	A ta place, je n'attendrais pas.
If I were you, I'd behave properly in front of them.	Si j'étais toi, je me tiendrais bien, devant eux.
You'**d better** think twice about it !	Tu ferais mieux d'y réfléchir en deux fois !
She'**d better not** tear it.	Elle ferait mieux de ne pas le déchirer.
You **could** work more, couldn't you ?	Tu pourrais travailler davantage, n'est-ce-pas ?
Couldn't you make an effort ?	Tu ne pourrais pas faire un effort ?
Why don't you consult another doctor ?	Pourquoi ne consultes-tu pas un autre docteur ?
I'd advise you to have a quick look at it.	Je te conseillerais d'y jeter un rapide coup d'oeil.
Why not catch an earlier train ?	Pourquoi ne pas prendre un train plus tôt ?
Don't you think it would be a good idea to have a few days' holidays ?	Ne penses-tu pas que ce serait une bonne idée de prendre quelques jours de vacances ?
Personally, I think the best would be to stay in bed for a few days.	Personnellement, je pense que le mieux serait de rester au lit pendant quelques jours.
I think it would be better if you gave me the list.	Je pense que ce serait mieux si tu me donnais la liste.
They **shouldn't** talk so loudly.	Ils ne devraient pas parler si fort.
You **should** wait for us outside.	Tu devrais nous attendre dehors.
It's in your interest to leave this country for some time.	C'est dans ton intérêt de quitter ce pays pour quelque temps.
It's about time you studied foreign languages seriously.	Il serait temps que tu étudies les langues étrangères sérieusement.
You **ought to** be more humane with them.	Vous devriez vous montrer plus humains envers eux.
They **ought not to** criticize her.	Ils ne devraient pas la critiquer.
It might be an idea to record the lecture.	Ce pourrait être une idée que d'enregistrer la conférence.
You might as well ring her from here.	Tu pourrais aussi bien lui téléphoner d'ici.
It occurred to me that you **might as well** resign.	Il m'est venu à l'esprit que vous pourriez tout aussi bien démissionner.

COMFORTING SOMEONE
LA CONSOLATION

Don't worry about that !	Ne t'en fais pas pour ça !
You needn't worry !/No need to worry !	Inutile de t'inquiéter !
There's really no need to worry about it !	Il n'y a vraiment pas de raison de s'inquiéter à ce sujet !
I wouldn't worry so much if I were you.	Je ne m'inquiéterais pas autant si j'étais toi.
Don't let such silly things worry you !	Ne te laisse pas inquiéter par de telles bêtises !
It isn't as bad as that !	Ce n'est pas aussi grave que ça !
It's nothing important .	Ce n'est rien d'important.
It could be worse !	Cela pourrait être pire !
It's not that serious !	Ce n'est pas aussi grave !

It doesn't matter.	Cela ne fait rien.
Come on !	Allons !
Never mind !	Peu importe !
Cheer up !/Be brave !	Courage !
Take it easy !	Ne t'en fais pas !
Don't be so upset !	Ne te désole pas comme ça !
Pull yourself together !	Remets-toi !
There's no need to get so upset about that !	Inutile de te bouleverser comme ça !
There's no reason why you should be so alarmed !	Il n'y a aucune raison pour que tu sois aussi inquiet !
If it's any comfort to you, I'll stay.	Si cela peut te consoler, je resterai.
I'm sure things will turn out all right in the end.	Je suis sûr que les choses finiront par s'arranger.
You'll soon forget all this !	Tu oublieras tout ça très vite !
Things will be better soon.	Tout ira mieux bientôt.
Try not to think of it any more.	Essaie de ne plus y penser.
Every cloud has a silver lining.	Après la pluie le beau temps.
I know how you feel, darling.	Je sais ce que tu ressens, chérie.
What can I do to cheer you up ?	Que puis-je faire pour te remonter le moral ?
I can easily imagine how difficult it must be.	J'imagine facilement combien ce doit être difficile.

EXPRESSING CONTRAST
LE CONTRASTE

Whereas you'd think he's timid, he likes being with other people.	Alors qu'on penserait qu'il est timide, il aime être avec les autres.
They've made efforts, **and yet** there is still a lot of tension.	Ils ont fait des efforts, et pourtant il y a encore beaucoup de tension.
She must be exhausted ; **still**, she goes on smiling.	Elle doit être épuisée ; et malgré cela elle continue de sourire.
In spite of the fact that he was stubborn, he was a good friend.	En dépit du fait qu'il était têtu, c'était un bon ami.
I will go on, **in spite of** his criticisms.	Je continuerai, en dépit de ses critiques.
We all went out, **despite** the rain.	Nous sommes tous sortis, en dépit de la pluie.
Despite the fact that they're always quarrelling, they're very nice people.	En dépit du fait qu'ils se disputent sans cesse, ce sont des gens très gentils.
However good his book is, it isn't selling well.	Si bon que soit son livre, il ne se vend pas bien.
For all his money, he's unhappy.	En dépit de tout son argent, il est malheureux.
Although his leg was broken, he managed to walk to the hospital.	Bien que sa jambe fût cassée, il parvint à marcher jusqu'à l'hôpital.
One would think she's conceited, **but** she isn't.	On croirait qu'elle est vaniteuse, mais il n'en est rien.
On the contrary, the short-term prospects are bleak.	Au contraire, les perspectives à court terme sont mornes.
Contrary to what is said, the living conditions have improved.	Contrairement à ce qui est dit, les conditions de vie se sont améliorées.

On the one hand he's aware of the problems, **but on the other hand** he can't cope with them.	D'une part il est conscient des problèmes, mais d'autre part il ne peut y faire face.
She's very tall, **in contrast to** her parents.	Elle est très grande, par contraste aves ses parents.
As opposed to his car, mine is quicker.	Par opposition à sa voiture, la mienne est plus rapide.
Though she's bilingual, she attends evening language courses.	Bien qu'elle soit bilingue, elle assiste à des cours du soir de langues étrangères.
Even though he's got a well-paid job, it's difficult for us to make both ends meet.	Bien qu'il ait un travail bien rémunéré, il est difficile pour nous de joindre les deux bouts.
He won't accept your present, **whatever** you say.	Il n'acceptera pas ton cadeau, quoi que tu dises.
His weaknesses **notwithstanding**, he's a good man.	En dépit de ses faiblesses, c'est un brave homme.

EXPRESSING CURIOSITY
LA CURIOSITE

He'd like to know how long this is going to last.	Il aimerait savoir combien de temps cela va durer.
What I'd really like to find out is how he was caught.	Ce que j'aimerais vraiment savoir est comment il a été attrapé.
I must find out what they're plotting.	Il faut que je découvre ce qu'ils complotent.
Do you happen to know how much they earn ?	Sais-tu par hasard combien ils gagnent ?
I wonder if this law will be enforced.	Je me demande si cette loi sera appliquée.
If only I knew more about it !	Si seulement j'en savais davantage à ce sujet !

EXPRESSING DISAPPOINTMENT
LA DECEPTION

What a pity !/What a shame !	Quel dommage !
It's a great pity !	C'est bien dommage !
It's a great shame !	C'est honteux !
What a nuisance !	Comme c'est embêtant !
How disappointed I am !	Comme je suis déçu !
What a disappointment !	Quelle déception !
It's a great disappointment to me !	Cela me déçoit beaucoup !
How awful !	Comme c'est terrible !
That's too bad !	C'est trop bête !
Bad luck !	Pas de chance !

187

If I had known !	Si j'avais su !
I could have cried !	J'en aurais pleuré !
He's extremely disappointed with his job.	Il est extrêmement déçu par son travail.
I must say I'd hoped for a quicker recovery.	Je dois dire que j'avais espéré une guérison plus rapide.

EXPRESSING DEGREE
LE DEGRE

Don't you think it's **rather** annoying ?	Ne pensez-vous pas que c'est plutôt ennuyeux ?
It isn't **really** your problem !	Ce n'est pas vraiment ton problème !
It wasn't **quite** as successful as he thought it would be.	Cela n'a pas eu tout à fait autant de succès qu'il l'aurait crû.
It could be **fairly** interesting for you.	Ce pourrait être assez intéressant pour toi.
They aren't **exactly** partners.	Ils ne sont pas exactement partenaires.
She's **pretty** friendly.	Elle est relativement aimable.
They'd be **greatly** pleased by that choice.	Ils seraient vraiment ravis de ce choix.
He can **hardly** measure the consequences of his words.	Il peut à peine mesurer les conséquences de ses paroles.
He hasn't got **enough** money.	Il n'a pas assez d'argent.
It isn't hot **enough** to go to the sea.	Il ne fait pas assez chaud pour aller à la mer.
It isn't **so much** a question of money as of fame.	Ce n'est pas tant une question d'argent que de popularité.
He is **something of** a troublemaker.	En quelque sorte, c'est un fauteur de troubles.
In a sense, he wasn't prepared for that.	En un sens, il n'était pas préparé à cela.
In a way, it isn't your business.	D'une certaine façon, ce ne sont pas tes affaires.
In so far as it is approved by the authorities, we can do nothing about it.	Dans la mesure où c'est approuvé par les autorités, nous n'y pouvons rien.
She's **too** lenient towards her children.	Elle est trop indulgente envers ses enfants.
He's **far too** stupid to understand that.	Il est bien trop bête pour comprendre ça.

ASKING FOR INFORMATION
LA DEMANDE D'INFORMATION

Who owns this firm ?	Qui possède cette entreprise ?
Who were you talking **to** ?	A qui parlais-tu ?
What is it **for** ?	A quoi ça sert ?
What is that film **about** ?	De quoi parle ce film ?
What is he waiting **for** ?	Qu'attend-il ?
What is that car **like** ?	Comment est cette voiture ?
What time does the train leave ?	A quelle heure part le train ?
Where have they decided to meet ?	Où ont-ils décidé de se rencontrer ?
When are you going to England ?	Quand pars-tu en Angleterre ?

Why don't you leave them alone ?	Pourquoi ne les laisses-tu pas seuls ?
Whose coat is this ?	A qui est ce manteau ?
Which option have they chosen ?	Quelle option ont-ils choisie ?
How did she react ?	Comment a-t-elle réagi ?
How old is his daughter ?	Quel âge à sa fille ?
How far are we from Paris ?	A quelle distance sommes-nous de Paris ?
How often do you meet him ?	Tu le rencontres tous les combien ?
How much is it ?	Combien est-ce ?
How long did she work there ?	Pendant combien de temps a-t-elle travaillé là-bas ?
How long have you been living here ?	Depuis combien de temps habites-tu ici ?
How deep, high, long ... is it ?	Quelle est sa profondeur, hauteur, longueur... ?
How many children has she got ?	Combien d'enfants a-t-elle ?
Do you know where she's gone ?	Sais-tu où elle est partie ?
Did she like the film ?	A-t-elle aimé le film ?
Is it yours ?	Est-ce le vôtre ?
Are you dreaming ?	Tu rêves ?
Has he got a job ?	A-t-il un métier ?
Have you ever seen that play ?	As-tu déjà vu cette pièce ?
Had he already finished ?	Avait-il déjà terminé ?
Have they been married for a long time ?	Sont-ils mariés depuis longtemps ?
Were they dancing ?	Etaient-ils en train de danser ?
Are you going to buy it ?	Tu vas l'acheter ?
Will it shrink ?	Ca va rétrécir ?
Would you be happy if you had one ?	Tu serais content si tu en avais un ?
Would she have understood the joke ?	Aurait-elle compris la plaisanterie ?
Can I take this brochure ?	Puis-je prendre cette brochure ?
May I ask you a question ?	Puis-je vous poser une question ?
Must I leave, too ?	Dois-je partir aussi ?
Need I stay ?	Ai-je besoin de rester ?
Can you tell me how often they hold their assemblies ?	Pouvez-vous me dire avec quelle fréquence ils tiennent leurs assemblées ?
Could you give me his son's address ?	Pourriez-vous me donner l'adresse de son fils ?
Is it true that the prices have changed ?	Est-il vrai que les prix ont changé ?
Do you happen to know what this word means ?	Sais-tu, par hasard, ce que ce mot signifie ?
Have you got an idea of where he's hiding ?	As-tu une idée de l'endroit où il se cache ?
I'd like to know who runs the firm.	J'aimerais savoir qui dirige l'entreprise.
It would be interesting to know where the money comes from.	Ce serait intéressant de savoir d'où vient l'argent.
I wonder whether it still exists.	Je me demande si cela existe encore.
Don't you think he's going a bit too far ?	Tu ne crois pas qu'il va un peu trop loin ?
Would you mind if I asked you a question ?	Cela vous dérangerait-il que je vous pose une question ?
That's a question I'd like to ask you.	C'est une question que j'aimerais vous poser.
The question I'd like to ask you is whether he can do it or not.	La question que j'aimerais vous poser est s'il peut le faire ou non.

POLITE REQUESTS
LES DEMANDES POLIES

Will you carry my luggage please ? — Voulez-vous porter mes bagages s'il vous plaît ?

Can you check it for me please ? — Pouvez-vous le vérifier pour moi s'il vous plaît ?

Could we postpone the meeting ? — Pourrions-nous remettre la réunion ?

Couldn't you lend me your answering-machine for a few days ? — Ne pourriez-vous pas me prêter votre répondeur pendant quelques jours ?

Would you be kind enough to write your name here ? — Seriez-vous assez aimable pour écrire votre nom ici ?

It would be kind of you to serve them first. — Ce serait gentil de votre part de les servir d'abord.

I'd like you to call him as soon as possible. — J'aimerais que tu l'appelles le plus tôt possible.

Would you like to confirm it now ? — Aimeriez-vous le confirmer maintenant ?

I'd be most grateful if you could help me. — Je vous serais infiniment reconnaissant si vous pouviez m'aider.

Would you please call back later ? — Voudriez-vous rappeler plus tard s'il vous plaît ?

Would you mind translat**ing** this letter for me ? — Cela vous dérangerait-il de traduire cette lettre pour moi ?

DISAGREEING WITH SOMEONE
LE DESACCORD

No, I don't think so. — Non, je ne pense pas.

I'm afraid it isn't right. — J'ai bien peur que ce ne soit pas exact.

I don't think much of the idea./I don't think that's a good idea. — Je ne pense pas que ce soit une bonne idée.

I'm not altogether with you on this. — Je ne suis pas tout à fait d'accord avec toi là-dessus.

I don't agree with you. — Je ne suis pas d'accord avec toi.

I **don't quite agree with** you on this point. — Je ne suis pas tout à fait d'accord avec toi sur ce point.

I'm sorry to **disagree with** you on that. — Je suis désolé de ne pas être d'accord avec vous là-dessus.

I'm afraid I **can't agree with** that. — J'ai bien peur de ne pas pouvoir être d'accord avec ça.

Sorry but I think you're wrong. — Désolé mais je pense que tu as tort.

I don't share your views on the subject. — Je ne partage pas votre point de vue sur le sujet.

I can't share your point of view. — Je ne peux pas partager ton point de vue.

I don't see it that way. — Je ne vois pas les choses sous cet angle.

I don't see the problem in quite the same light as you do. — Je ne vois pas le problème sous le même jour que vous.

It doesn't seem to be the right approach.	Cela ne semble pas être la bonne approche.
I differ on that point.	Je ne suis pas d'accord sur ce point.
I must **object to** your remark.	Je m'élève contre votre remarque.
There's one point on which I disagree with you.	Il y a un point sur lequel je ne suis pas d'accord avec vous.
We'll have to agree to differ.	Nous allons devoir garder chacun notre opinion.
I couldn't agree less !/I totally disagree !	Je ne suis pas du tout d'accord !
You've got it all wrong !	Tu te trompes complètement !
I'm dead against it !	Je m'y oppose catégoriquement !
It's out of the question for me to agree with you on this point !	Il est hors de question que je sois d'accord avec toi sur ce point !
You're mistaken !	Tu te trompes !

DIRECTION AND LOCATION
LA DIRECTION ET L'EMPLACEMENT

Go straight on./Go straight ahead.	Allez tout droit.
Follow Queen Street up to the bridge.	Suivez Queen Street jusqu'au pont.
Turn right at the lights.	Tournez à droite aux feux.
After you've turned left, you can't miss it.	Après avoir tourné à gauche, vous ne pouvez pas le manquer.
Go on for about one mile.	Continuez pendant un mile environ.
How far is it to the town-centre ?	A quelle distance sommes-nous du centre villo ?
It's only ten miles from here.	Ce n'est qu'à dix miles d'ici.
It isn't far from here.	Ce n'est pas loin d'ici.
Our house is three miles away from the nearest village.	Notre maison est à trois miles du village le plus proche.
It's within a stone's throw of my flat.	C'est à deux pas de mon appartement.
Dover is situated **in the South of** England.	Douvres est situé dans le Sud de l'Angleterre.
Up in the North you'll see the nicest villages.	Là-haut, dans le Nord, vous verrez les plus beaux villages.
It's **in the western, eastern, northern, southern part of** America.	C'est dans la partie occidentale, orientale, nord, sud de l'Amérique.
It's **close to** the church.	C'est près de l'église.
There's an empty seat **next to** his.	Il y a un siège vide près du sien.
Come **near** me.	Viens près de moi.
He always sits **beside** her.	Il s'assied toujours près d'elle.
Remain **by my side**, darling.	Reste à mes côtés, chéri.
He was standing **close to** me.	Il était debout près de moi.
Those who aren't interested can sit **at the back/in the back row.**	Ceux qui ne sont pas intéressés peuvent s'asseoir au fond/au dernier rang.
You'll see better if you sit **at the front/in the front rows.**	Vous verrez mieux si vous vous asseyez devant/dans les premiers rangs.
He was lying **in front of** his car.	Il était allongé devant sa voiture.
My dog always walks **behind** me.	Mon chien marche toujours derrière moi.
On the left/on the right is the bathroom.	A gauche/à droite c'est la salle de bains.
It was silently gliding **above** our heads.	Il glissait en silence au-dessus de nos têtes.

Throw it **over** the wall.	Jette-le par-dessus le mur.
Have a look **below**, you'll be surprised.	Jette un coup d'oeil en-dessous, tu seras surpris.
Don't stick your chewing-gum **under** the table.	Ne colle pas ton chewing-gum sous la table.
Beneath the surface, the water was icy.	En-dessous de la surface, l'eau était glacée.
Beyond the occupied territories there is trouble as well.	Au-delà des territoires occupés il y a des troubles aussi.
You'll see the baker's shop **opposite** the church.	Tu verras la boulangerie en face de l'église.
Drive **along** the river and look at the trees.	Longe la rivière en voiture et regarde les arbres.
Such ideas are common **among** young people.	De telles idées sont courantes parmi les jeunes.
Don't walk **across** the bridge.	Ne franchis pas le pont.
Down the road there was a little fountain.	En bas de la route se trouvait une petite fontaine.
She climbed **up the stairs** and opened the door.	Elle gravit les escaliers et ouvrit la porte.
And then he took her **out of** the water.	Puis, il la sortit de l'eau.
He rode **past** me and didn't look at me.	Il passa devant moi, à cheval, et ne me regarda pas.
It's **on** the table.	C'est sur la table.
My dog always jumps **onto** my bed.	Mon chien saute toujours sur mon lit.
What's the difference, whether it's **in the foreground or in the background** !	Quelle est la différence, si c'est au premier plan ou à l'arrière-plan !

EXPRESSING DURATION
LA DUREE

How long are you here **for** ?	Pour combien de temps es-tu ici ?
I'm here **for a week.**	Je suis ici pour une semaine.
How long did you study English ?	Combien de temps as-tu étudié l'anglais ?
I studied English **for five years**.	J'ai étudié l'anglais pendant cinq ans.
How long will it take your wife to cook it ?	Combien de temps cela prendra-t-il à ta femme pour le cuire ?
It will take her **a few minutes**.	Cela lui prendra quelques minutes.
How long have they been chatting ?	Depuis combien de temps bavardent-ils ?
They've been chatting **for half an hour**.	Ils bavardent depuis une demi-heure.
They've been chatting **since 2 p.m.**	Ils bavardent depuis deux heures de l'après-midi.
It's ten years since her husband died.	Cela fait dix ans que son mari est mort.
He hasn't invented anything **since** he left his job.	Il n'a rien inventé depuis qu'il a quitté son travail.
How long does this film last ?	Combien de temps ce film dure-t-il ?
It **lasts** nearly **two hours.**	Il dure presque deux heures.
I'm considering it **at the moment**.	J'y réfléchis en ce moment.
She was getting ready when the wind started blowing.	Elle se préparait quand le vent s'est mis à souffler.
I shan't be long.	Je ne serai pas long.

He won't need much time.	Il n'aura pas besoin de beaucoup de temps.
I'll need twice as much time to record this cassette.	J'aurai besoin de deux fois plus de temps pour enregistrer cette cassette.
She **goes on** mak**ing** the same mistakes.	Elle continue de faire les mêmes erreurs.
He **continued to** insist.	Il continua d'insister.
It **wasn't until** I saw him **that** I understood who he was.	Ce n'est que lorsque je l'ai vu que j'ai compris qui il était.
It had never occurred to me.	Cela ne m'était jamais venu à l'esprit.
The exhibition hasn't started yet.	L'exposition n'a pas encore commencé.

ENCOURAGING SOMEONE
LES ENCOURAGEMENTS

Come on !	Allez !
Go on !/Carry on !	Continue !
On you go !	Vas-y !
Keep going !/Keep it up !	Continue !
That's good !/Well done !	C'est bien !
That's better !	C'est mieux !
Not bad !	Pas mal !
Yes, that's it !	Oui, c'est ça !
That's nearly it !	C'est presque ça !
You're nearly there !	Tu y es presque !
Good, you did it !	C'est bien, tu l'as fait !
You're doing fine !	Tu te débrouilles bien !
Don't give up !	N'abandonne pas !
Try again !	Essaie encore !
Try to do it again !	Essaie de le refaire !
I'm sure it will be all right next time !	Je suis sûr que ça ira la prochaine fois !
I'm sure you can do even better !	Je suis sûr que tu peux faire mieux encore !
You see, it wasn't that difficult !	Tu vois, ce n'était pas si difficile que ça !

EXPRESSING HOPE AND DESPAIR
L'ESPOIR ET LE DESESPOIR

If only we could save them !	Si seulement nous pouvions les sauver !
If only it stopp**ed** snowing !	Si seulement il cessait de neiger !
Let's hope that he**'ll** recognize us !	Espérons qu'il nous reconnaitra !
I do hope that one day those beverages **will** be prohibited !	J'espère vraiment qu'un jour ces boissons seront interdites !
She only **hopes for** a little attention from the others.	Elle espère simplement un peu d'attention de la part des autres.
I **hope** things **will** work out in the end.	J'espère que les choses finiront par s'arranger.
He **hoped** his son **would** outlive him.	Il espérait que son fils lui survivrait.

Hopefully, it **will** trigger off a positive answer !	Espérons que ceci déclenche une réponse positive !
We remain hopeful that the war **will** soon be over.	Nous gardons bon espoir que la guerre se termine bientôt.
What is to be hoped is that she finds the witness.	Ce qu'il faut espérer c'est qu'elle trouve le témoin.
It would be so nice if these demonstrations stopp**ed** !	Ce serait si bien si ces manifestations s'arrêtaient !
It would be great if it **took** place here.	Ce serait formidable si ça se passait ici.
Wouldn't it be wonderful if they stopp**ed** polluting the earth ?	Ne serait-ce pas merveilleux s'ils cessaient de polluer la terre ?
He's been **dreaming of** liv**ing** in America since he was a child.	Il rêve de vivre en Amérique depuis son enfance.
I'**m looking forward to** gett**ing** an answer.	J'attends avec impatience de recevoir une réponse.
They **wish to** introduce anti-apartheid groups here too.	Ils souhaitent introduire des groupes de lutte contre l'apartheid ici aussi.
I **wish** he **was** more self-confident.	J'aimerais qu'il ait davantage confiance en lui.
I **wish** I **could** go with you.	J'aimerais pouvoir aller avec toi.
I wish I could !	Si seulement je pouvais !
I **wish** you **wouldn't** point out all the mistakes.	J'aimerais que vous ne signaliez pas toutes les erreurs.
Keep your fingers crossed !	Garde les doigts croisés !
You never know !	On ne sait jamais !
Never say die !	Il ne faut jamais désespérer !
I am at my wit's end !	Je ne sais plus quoi faire !
I'm done for !	Je suis fichu !
What shall I do now ?	Et maintenant, que vais-je faire ?
They've given up all hope .	Ils ont abandonné tout espoir.
They despair of ever coming to an agreement.	Ils désespèrent de jamais parvenir à un accord.
She's driving me to despair !	Elle me désespère !
It's no good ask**ing** for a rise.	Inutile de demander une augmentation.
It's no use try**ing** to lie.	Inutile d'essayer de mentir.
It's useless try**ing** to help her.	Il est inutile d'essayer de l'aider.
What's the point of writ**ing** ?	A quoi bon écrire ?
There's no point in ask**ing** them.	Cela ne sert à rien de leur demander.
I'm at the end of my tether.	Je suis au bout du rouleau.

EXCLAIMING
L'EXCLAMATION

They're **so** hard-working !	Ils sont si courageux !
How honest they are !	Comme ils sont honnêtes !
What an amazing writer !	Quel écrivain étonnant !
What lovely flowers !	Que de jolies fleurs !
Have you ever heard **such an** exciting story !	Avez-vous jamais entendu une histoire aussi passionnante !
Can you imagine something more interesting !	Peux-tu imaginer quelque chose de plus intéressant !

APOLOGIZING TO SOMEONE
LES EXCUSES

I'm sorry.	Je suis désolé.
So sorry.	Désolé.
I'm sorry to have broken it.	Je suis désolé de l'avoir cassé.
I'm sorry but I've got to go now.	Je suis désolé mais je dois y aller maintenant.
I'm awfully sorry for what happened yesterday.	Je suis terriblement désolé de ce qui s'est passé hier.
I can't tell you how sorry I am !	Je suis vraiment navré !
I'm terribly sorry for that mistake.	Je suis terriblement désolé pour cette erreur.
Sorry for be**ing** late.	Désolé d'être en retard.
How stupid of me !	Comme c'est bête de ma part !
Excuse me.	Excusez-moi.
Excuse my insist**ing**, I didn't know he was listening.	Excusez mon insistance, je ne savais pas qu'il écoutait.
Excuse me for be**ing** so critical.	Excusez-moi d'avoir été aussi critique.
I thought I was doing right !	Je croyais bien faire !
I didn't do it on purpose !	Je ne l'ai pas fait exprès !
I do apologize.	Je m'excuse vraiment.
Please accept my apologies.	S'il vous plaît, acceptez mes excuses.
I must apologize for not return**ing** it on time.	Je tiens à vous présenter mes excuses pour ne pas l'avoir renvoyé en temps et en heure.
Pardon me !	Mille pardons !
Pardon me for say**ing** so.	Excusez-moi de vous avoir dit cela.
It's my fault !	C'est de ma faute !
I am entirely to blame !	Tout ceci est de ma faute !
Do forgive me for ly**ing**.	Pardonne-moi d'avoir menti.
It's unforgivable of me !	C'est impardonnable de ma part !
I can only say once again how sorry I am !	Je ne peux que vous renouveler mes excuses et vous redire combien je suis désolé !
I hope you'll understand that I'm not fully responsible !	J'espère que vous comprendrez que je ne suis pas entièrement responsable !
I didn't mean it./I didn't do it on purpose.	Je ne l'ai pas fait exprès.
I **didn't mean to** vex him.	Je ne voulais pas le vexer.
I **had no intention of** shock**ing** her.	Je n'avais pas l'intention de la choquer.
I **didn't realize I was** disturb**ing** you.	Je ne me rendais pas compte que je vous dérangeais.
I'm not entirely responsible for it.	Ce n'est pas entièrement de ma faute.
I'm afraid I'm a bit early.	J'ai bien peur d'être un peu en avance.
I shouldn't be so strict.	Je ne devrais pas être aussi strict.
I know I shouldn't have insisted but ...	Je sais que je n'aurais pas dû insister mais ...
If I had known you didn't like flowers, **I wouldn't have** brought them.	Si j'avais su que vous n'aimiez pas les fleurs, je ne les aurais pas apportées.

CONGRATULATING SOMEONE
LES FELICITATIONS

Congratulations !	Félicitations !
Congratulations on getting your exam !	Félicitations pour ton examen !
Well done !	Bien !
Perfect !	Parfait !
That's great !	C'est formidable !
That was smashing !	C'était extraordinaire !
Splendid, wonderful, marvellous !	Splendide, épatant, merveilleux !
You did it !	Bien joué !
I must congratulate you on your promotion !	Je dois vous féliciter pour votre promotion !
Allow me to congratulate you on the birth of your son !	Permettez-moi de vous féliciter pour la naissance de votre fils !
Let me congratulate you on your success !	Laissez-moi vous féliciter pour votre succès !
I'm very proud of you !	Je suis très fier de toi !
I'm delighted to hear you've passed your exam !	Je suis ravi d'apprendre que vous avez réussi votre examen !

EXPRESSING FREQUENCY
LA FREQUENCE

They **are used** to stringent measures.	Ils ont l'habitude des mesures énergiques.
She **is used to** go**ing** to bed late.	Elle a l'habitude d'aller se coucher tard.
I **used to** take my dog out every evening.	J'avais l'habitude de sortir mon chien tous les soirs.
He **would** see two or three clients **after dinner.**	Il voyait toujours deux ou trois clients après le dîner.
How often do you go to the butcher's ?	Tous les combien vas-tu chez le boucher ?
Generally she sat by the window.	Généralement elle s'asseyait près de la fenêtre.
They **usually** start working at 8 a.m.	D'habitude ils commencent à travailler à 8 h du matin.
She **always** checks what I write.	Elle vérifie toujours ce que j'écris.
Most of the time she lies in bed till 10 a.m.	La plupart du temps, elle reste au lit jusqu'à 10 h du matin.
He **often** drives his father's car.	Il conduit souvent la voiture de son père.
Do they **frequently** open new branches ?	Ouvrent-ils fréquemment de nouvelles succursales ?
They visit their parents **nearly every month**.	Ils rendent visite à leurs parents presque chaque mois.
She calls us **every fortnight.**	Elle nous appelle tous les quinze jours.
He phoned her **every other day**.	Il lui téléphonait tous les deux jours.
Do they have meetings **once or twice a month ?**	Ont-ils des réunions une ou deux fois par mois ?
I **sometimes** watch a western.	Parfois je regarde un western.
She **occasionally** mentioned his name.	De temps en temps elle citait son nom.

From time to time there was a mass **on Friday night.**	De temps en temps il y avait une messe le vendredi soir.
She writes **now and again**.	Elle écrit de temps à autre.
We could afford a little extra **every now and then.**	Nous pouvions nous offrir un petit plus de temps en temps.
Whenever they asked for something, it sounded unrealistic.	A chaque fois qu'ils demandaient quelque chose, c'était irréaliste.
We **seldom** have dinner by candlelight.	Nous dînons rarement aux chandelles.
It has **rarely** attracted so many people.	Cela a rarement attiré autant de monde.

EXPRESSING FUTURE
LE FUTUR

The weather **will** be sunny in the North **tomorrow.**	Demain le temps sera ensoleillé dans le Nord.
The truth **will** be known **soon.**	La vérité sera bientôt connue.
You**'ll** understand **sooner or later**.	Tu comprendras tôt ou tard.
One day the world **will** be at peace.	Un jour le monde sera en paix.
Ultimately they**'ll** find the right man.	A la fin ils trouveront l'homme qu'il faut.
You**'ll** know more about it **in due time**.	Tu en sauras plus à ce sujet en temps voulu.
The flowers **will eventually** die under such a climate.	Les fleurs finiront par mourir sous un tel climat.
In the long run the firm **will** offer attractive contracts.	A la longue, l'entreprise offrira des contrats attirants.
They **won't** be with us **next month**.	Ils ne seront pas avec nous le mois prochain.
I**'ll** go back to my country **as soon as** the war is over.	Je retournerai dans mon pays dès que la guerre sera finie.
Dad **will** mend it **when** he arrives.	Papa le réparera quand il arrivera.
Can you tell me **when** she **will** stop studying ?	Peux-tu me dire quand elle cessera d'étudier ?
What time will you be ready ?	A quelle heure seras-tu prêt ?
Will you be stay**ing** at your uncle's **long** ?	Allez-vous rester longtemps chez votre oncle ?
At this time tomorrow we**'ll be** swimm**ing** in the Pacific Ocean.	Demain à cette heure nous serons en train de nager dans l'Océan Pacifique.
He says he**'s going to** buy a new car.	Il dit qu'il va acheter une nouvelle voiture.
We**'re** mov**ing** to Exeter **on Saturday**.	Nous déménageons pour Exeter samedi.
The debate **is to** start again **in five minutes**.	Le débat doit normalement reprendre dans cinq minutes.
He **is about to** open a new shop in Market Street.	Il est sur le point d'ouvrir un nouveau magasin dans Market Street.
She **is on the point of** yield**ing** to him.	Elle est sur le point de lui céder.
I'm afraid such a project **is bound to** fail.	J'ai bien peur qu'un tel projet ne soit voué à l'échec.
The plane **is due to** take off in ten minutes.	L'avion décolle dans dix minutes.
Unemployment **is expected to** rise again.	On s'attend à ce que le chômage augmente encore.
They **plan to** set up offices in Japan.	Ils projettent de monter des bureaux au Japon.
By the end of the month I'**ll have** finished writing this book.	J'aurai fini d'écrire ce livre d'ici à la fin du mois.

GENERALIZING
LES GENERALITES

Generally it doesn't bother them too much. — Généralement, cela ne les inquiète pas trop.
Generally speaking it is efficient. — D'une manière générale c'est efficace.
It is generally thought that women are better at languages than men. — On pense généralement que les femmes sont meilleures en langues étrangères que les hommes.
It is generally believed that it doesn't rain as much there. — On croit généralement qu'il ne pleut pas autant là-bas.
The generally accepted view is that such insects live in the desert. — Selon l'opinion généralement répandue, de tels insectes vivent dans le désert.
As a general rule, teachers read a lot. — En règle générale, les professeurs lisent beaucoup.

By and large the same rules apply to everyone. — En gros, les mêmes règles s'appliquent à tous.
In the vast majority of cases people come here to forget their worries. — Dans la grande majorité des cas, les gens viennent ici pour oublier leurs soucis.
In most cases they investigate until they find what they want. — Dans la plupart des cas, ils enquêtent jusqu'à ce qu'ils trouvent ce qu'ils veulent.
Most of the time he doesn't approve of my decisions. — La plupart du temps, il n'approuve pas mes décisions.
Most often he sees his clients in the evening. — Le plus souvent il voit ses clients le soir.
This is what most firms do. — C'est ce que font la plupart des entreprises.
On the whole there were about thirty people. — En tout il y avait environ trente personnes.
All things considered, slums are the most dangerous places for the police. — Tout bien considéré, les taudis sont les endroits les plus dangereux pour la police.
Broadly speaking they back the party line. — En gros, ils soutiennent la politique du parti.
Everybody knows him now. — Tout le monde le connait maintenant.
The man in the street wouldn't understand. — L'homme de la rue ne comprendrait pas.

EXPRESSING LIKES
LES GOÛTS

I like surpassing myself. — J'aime me surpasser.
I'd like to spend a weekend here. — J'aimerais passer un week-end ici.
I love watching animals. — J'adore observer les animaux.
She enjoys helping the others. — Elle prend plaisir à aider les autres.
He takes great pleasure in playing draughts. — Il prend beaucoup de plaisir à jouer aux dames.

He's very fond of rock-climbing. — Il aime beaucoup faire de la varappe.
She's very keen on chocolate cakes. — Elle aime beaucoup les gâteaux au chocolat.
It pleases me to take moonlight walks. — Cela me plaît de faire des promenades au clair de lune.

Unfortunately he **has an appetite for** fattening things.	Malheureusement il a un appétit pour les choses qui font grossir.
I **appreciate** a nice cup of tea after dinner.	J'apprécie une bonne tasse de thé après le repas du soir.
We **feel like** cancell**ing** our trip to Italy.	Nous avons envie d'annuler notre voyage en Italie.
I **fancy** visit**ing** Greece.	J'ai envie de visiter la Grèce.
He **is eager to** know everything about astronomy.	Il a envie de tout savoir sur l'astronomie.
He really **goes for** sports cars.	C'est un fana de voitures de sport.
He **is crazy about** football.	Il est fou de football.
She's always **been mad about** wild animals.	Elle a toujours été folle des animaux sauvages.
He **adores** gaz**ing** at the moon, at night.	Il adore contempler la lune la nuit.
When she was pregnant she **was** always **craving for** sweets.	Quand elle était enceinte elle avait toujours des envies folles de gâteaux.
There's nothing I like more than ly**ing** in the sun.	Ce que j'aime le mieux c'est être allongé au soleil.

EXPRESSING HESITATION AND INDECISION
L'HESITATION ET L'INDECISION

Well ...	Bien ...
In fact .../Actually ...	En fait ...
Well, you see ...	Bien, vous voyez ...
Let me see ...	Voyons ...
Let me think.	Laissez-moi réfléchir.
How shall I put it ?	Comment dire ?
The trouble is ...	L'ennui c'est que ...
I can't make up my mind.	Je n'arrive pas à me décider.
I **can't decide whether to** go to Greece **or to** stay with him here.	Je n'arrive pas à me décider, entre aller en Grèce ou rester ici avec lui.
On the one hand, I'd like to go, **but on the other hand** I haven't got much money, so ...	D'un côté, je voudrais y aller, mais par ailleurs je n'ai pas beaucoup d'argent, alors ...
I don't know which one to choose.	Je ne sais pas lequel choisir.

EXPRESSING LACK OF KNOWLEDGE
L'IGNORANCE

Sorry but I **don't know**.	Désolé mais je ne sais pas.
I **really don't know** how long it would take.	Je ne sais vraiment pas combien de temps cela prendrait.
He **doesn't know anything about** Eastern cultures.	Il n'y connaît rien en cultures orientales.
I have no idea at all.	Je n'ai aucune idée.
I haven't a clue !	Je n'en ai pas la moindre idée !
I'm afraid I haven't got the faintest idea.	J'ai bien peur de ne pas avoir la moindre idée.
They **haven't got the slightest idea of** who it belongs to.	Ils n'ont pas la moindre idée de à qui cela appartient.
I'm afraid **I don't know much about** drama.	J'ai bien peur de ne pas y connaître grand chose en art dramatique.
I **don't know a great deal about** classical music.	Je ne m'y connais pas beaucoup en musique classique.
She **knows very little about** life.	Elle connaît peu de choses de la vie.
Do you happen to know if she's back in France ?	Saurais-tu, par hasard, si elle est de retour en France ?
Why should I know ?	Pourquoi devrais-je le savoir ?
How could I know how many copies they've sold ?	Comment pourrais-je savoir combien d'exemplaires ils ont vendus ?
All I know is that it won't be easy.	Tout ce que je sais c'est que ce ne sera pas facile.
Who knows if he'll risk his life for his country ?	Qui sait s'il risquera sa vie pour son pays ?

VOICING INABILITY
L'INCAPACITE

He **can't** possibly stop smoking.	Il ne peut absolument pas s'arrêter de fumer.
She **just can't** imagine that !	Elle ne peut tout simplement pas imaginer cela !
They **won't be able to** launch the product before next year.	Ils ne seront pas capables de lancer le produit avant l'année prochaine.
I **couldn't** skate at the time.	Je ne savais pas patiner à l'époque.
He **is incapable** of ly**ing**.	Il est incapable de mentir.
I **am totally unable to** float on my back.	Je suis totalement incapable de faire la planche.
You **won't be capable of** carry**ing** so many bags.	Tu ne seras pas capable de porter autant de sacs.
He **didn't manage to** land the plane safely.	Il n'a pas réussi à faire atterrir l'avion en toute sécurité.
I **don't know how to** use the switchboard.	Je ne sais pas comment utiliser le standard.
It's impossible for us to take a different approach.	Il nous est impossible de prendre une approche différente.

It would be too difficult for them to tackle such a subject.

Ce serait trop difficile pour eux d'aborder un tel sujet.

It's beyond me !

Cela me dépasse !

I am not fit enough to climb that rock.

Je ne suis pas suffisamment en forme pour escalader ce rocher.

EXPRESSING LACK OF UNDERSTANDING
L'INCOMPREHENSION

What do you mean ? Que veux-tu dire ?

I beg your pardon ? Pardon ?

I'm sorry but I don't understand. Je suis désolé mais je ne comprends pas.

I don't quite understand you. Je ne vous comprends pas tout à fait.

I don't understand you very well. Je ne vous comprends pas très bien.

I don't really understand what you mean. Je ne comprends pas vraiment ce que vous voulez dire.

I don't understand a single word of it. Je n'y comprends pas un traître mot.

What I don't understand is ... Ce que je ne comprends pas c'est ...

I don't follow you. Je ne vous suis pas.

I don't get it ! Je ne saisis pas !

I'm completely lost ! Je suis complètement perdu !

I'm afraid it's beyond me ! J'ai bien peur que ça ne me dépasse !

I'm sorry but it's too vague. Je suis désolé mais c'est trop vague.

What are you aiming at ? Où voulez-vous en venir ?

I'm sorry but I don't see the point. Je suis désolé mais je ne vois pas où vous voulez en venir.

I don't see what you're driving at. Je ne vois pas où vous voulez en venir.

I'm sorry but I don't follow your train of thoughts. Je suis désolé mais je ne suis pas le cours de vos pensées.

What puzzles me is the reason why he never talks to her. Ce qui m'intrigue c'est la raison pour laquelle il ne lui parle jamais.

What's the meaning of that word ? Quel est le sens de ce mot ?

Could you explain it in detail please ? Pourriez-vous l'expliquer en détail s'il vous plaît ?

Can you repeat please ? Pouvez-vous répéter s'il vous plaît ?

Could you speak up please ? Pourriez-vous parler plus fort s'il vous plaît ?

Can you start again please, it was too quick. Pouvez-vous recommencer s'il vous plaît, c'était trop rapide.

EXPRESSING DISBELIEF AND SURPRISE
L'INCREDULITE ET LA SURPRISE

Incredible !	Incroyable !
It's impossible !	C'est impossible !
It can't be true !	Cela ne peut pas être vrai !
I can't believe it !	Je n'arrive pas à le croire !
I can't believe my ears !	Je n'en crois pas mes oreilles !
Would you believe it !	Le croiriez-vous !
I don't believe a word of it !	Je n'en crois pas un mot !
I find it difficult to believe !	Je trouve ça difficile à croire !
It's hard to believe !	C'est difficile à croire !
He can't have failed !	Il n'a pas pu échouer !
Well, I never !	Ca alors !
You must be joking !/You're joking !	Tu plaisantes !
You're kidding !	Tu rigoles !
Are you kidding ?	Sans blague ?
No kidding ?	C'est sérieux ?
You're not serious !	Tu n'es pas sérieux !
I'm dreaming !	Je rêve !
Really ?	Vraiment ?
Fancy that !	Imagine un peu !
My foot !	Mon oeil !
Are you sure ?	Tu es sûr ?
What a surprise !	Quelle surprise !
How amazing !/I am astounded !	Je n'en reviens pas !
I was surprised at his coming.	J'ai été étonné qu'il vienne.
I never would have thought it possible !	Je n'aurais jamais pensé que c'était possible !
How in the world do you know that ?	Mais comment sais-tu cela ?
It took my breath away !	Ca m'a coupé le souffle !
It's too good to be true !	C'est trop beau pour être vrai !
That's a good one !	Ca, c'est la meilleure !
You're pulling my leg, aren't you ?	Tu te moques de moi, n'est-ce-pas ?
You, of all people !	Je ne m'attendais pas à ça de toi !
I'm sure he's lying.	Je suis sûr qu'il ment.
How could you approach him unnoticed ?	Comment as-tu pu l'approcher sans être remarqué ?
Who could have imagin**ed** that ?	Qui aurait pu imaginer cela ?
Who would have thought they were brother and sister ?	Qui aurait pensé qu'ils étaient frère et soeur ?
I would never have expect**ed** such an answer !	Je ne me serais jamais attendu à une réponse pareille !
He **didn't expect** his pupils **to** understand at once.	Il ne s'attendait pas à ce que ses élèves comprennent tout de suite.
He **was amazed** at her climb**ing** up the ladder like a man.	Il était abasourdi de la voir grimper à l'échelle comme un homme.
No wonder it hurts !	Pas étonnant que ça fasse mal !
It comes as no surprise that this place attracts tourists.	Il n'est pas surprenant que cet endroit attire les touristes.
I'll believe it when pigs fly !	Je le croirai quand les poules auront des dents !

EXPRESSING INDIFFERENCE
L'INDIFFERENCE

It doesn't matter.	Cela n'a pas d'importance.
It hardly matters at all.	Ce n'est pas important du tout.
It doesn't bother me.	Cela ne m'inquiète pas.
I don't mind.	Cela m'est égal.
I don't mind what people say.	Je me moque du qu'en dira-t-on.
Never mind him !	Ne fais pas attention à lui !
Never mind what's going to happen.	Ne t'occupe pas de ce qui va arriver.
He **doesn't mind** demonstrat**ing** in the streets.	Cela ne le dérange pas de manifester dans les rues.
I **don't mind her** watch**ing** television all the time.	Cela ne me dérange pas qu'elle regarde la télévision tout le temps.
I **don't care if** it rains.	Cela m'est égal s'il pleut.
I don't care at all.	Cela m'est complètement égal.
Who cares ?	On s'en moque !
I couldn't care less.	Je m'en fiche éperdument.
It's all the same to me !	Pour moi c'est pareil !
It's as you please !	C'est comme tu veux !
It's no concern of mine.	Ce n'est pas mon problème.
This doesn't concern us.	Ceci ne nous concerne pas.
This is none of my business.	Ce ne sont pas mes affaires.
I have no preference.	Je n'ai aucune préférence.
It leaves me cold.	Cela me laisse froid.
It's a matter of supreme indifference to me.	Cela m'est parfaitement indifférent.
It doesn't make any difference to me.	Cela ne fait aucune différence pour moi.
He won't keep his promise, **whatever** you say.	Il ne tiendra pas sa promesse, quoi que tu dises.
Ask **whoever** you want.	Demande à qui tu veux.
You can buy **whichever** you want.	Tu peux acheter celui que tu veux.
He can leave **whenever** he wants.	Il peut partir quand il veut.

EXPRESSING INDIGNATION
L'INDIGNATION

How shocking !	Comme c'est choquant !
What an outrage !	Quel outrage !
It's a scandal !	C'est un scandale !
Isn't it a shame to have lied like that !	N'est-ce-pas honteux d'avoir menti comme ça !
He felt indignant at such attacks.	Il s'est senti indigné face à de telles attaques.
It aroused the indignation of his people.	Cela a soulevé l'indignation de son peuple.
It's scandalous that they should constantly violate human rights.	Il est scandaleux qu'ils violent sans arrêt les droits de l'homme.
You should be ashamed !	Tu devrais avoir honte !

EMPHASIZING
L'INSISTANCE

She'**did** regret it after all.	Elle l'a vraiment regretté, par la suite.
It was '**he** who ordered it.	C'est lui qui l'a commandé.
She **insists on** our visit**ing** all the museums.	Elle insiste pour que nous visitions tous les musées.
It is essential to take this opportunity.	Il est essentiel de saisir cette chance.
What is essential is that he should remain in control of the situation.	Ce qui est essentiel est qu'il reste maître de la situation.
It must be emphasized that the Prime Minister knew about it.	Il faut souligner que le Premier Ministre était au courant de cela.
It must be said that a lot of money has been spent on that.	Il faut dire que beaucoup d'argent a été dépensé là-dessus.
May I point out that this place is open all the year round ?	Puis-je faire remarquer que cet endroit est ouvert toute l'année ?
What matters is to keep the ticket.	Ce qui est important c'est de garder le ticket.
It should be underlined that ...	Il faudrait souligner que ...
They have highlighted the lack of money.	Ils ont souligné le manque d'argent.

GIVING INSTRUCTIONS
LES INSTRUCTIONS

Read the instructions for use first.	Lis le mode d'emploi d'abord.
Mind the step !	Attention à la marche !
Lift the receiver !	Décrochez le combiné !
Don't press too hard !	N'appuyez pas trop fort !
Never use any sharp objects on it.	N'utilisez jamais d'objets pointus dessus.
First, you insert a cassette.	D'abord, vous introduisez une cassette.
The first thing to do is to loosen the screw.	La première chose à faire est de desserrer la vis.
You just slide it into the right place.	Vous le glissez seulement au bon endroit.
All you have to do is to dry the surface regularly.	Tout ce que vous avez à faire est sécher la surface régulièrement.
Make sure you have adjusted the aerial.	Assurez-vous d'avoir ajusté l'antenne.

INSULTING SOMEONE
LES INSULTES

Liar !	Menteur !
Coward !	Lâche !
Drunkard !	Ivrogne !
You idiot !	Idiot !
What a fool !	Quel idiot !
Silly twit !	Imbécile !
Good-for-nothing !	Bon à rien !
Swine !	Porc !
Old cow !	Vieille vache !
You little pest !	Petite peste !
You bitch !	Garce !
Bastard !	Salopard !
Go to hell !	Va au diable !
Get lost !	Va-t'en !
Push off !	Fiche le camp !

INTERRUPTING SOMEONE
INTERROMPRE QUELQU'UN

Excuse me but ...	Excusez-moi mais ...
Sorry to interrupt you but ...	Désolé de vous interrompre mais ...
I don't want to interrupt but ...	Je ne veux pas vous interrompre mais ...
I'd like to add that ...	J'aimerais ajouter que ...
Can I say something ?	Puis-je dire quelque chose ?
Hang on !	Attendez une minute !
Just a minute !	Juste une minute !
Sorry for butting in but ...	Désolé d'intervenir mais ...
Forgive me for interrupting you but ...	Excusez-moi de vous interrompre mais ...

INVERSION
L'INVERSION

Never had he been so angry !	Jamais il n'avait été si en colère !
At no time did I say that !	A aucun moment je n'ai dit ça !
Rarely has a country undergone such a revolution.	Un pays a rarement subi une telle révolution.
Seldom do people rally around a single man.	Les gens se rallient rarement autour d'un seul homme.
Little do we know about it.	Nous savons peu de choses à ce sujet.

Hardly did he have time to realize what had happened that everything collapsed.
A peine eut-il le temps de réaliser ce qui s'était passé que tout s'effondra.

No sooner had she swallowed it **than** she turned pale.
A peine l'eut-elle avalé qu'elle pâlit.

Not only did he study it, **but** he also learnt it by heart.
Non seulement il l'étudia, mais encore il l'apprit par coeur.

Should protective measures be taken, things would be different.
Si des mesures de protection étaient prises, les choses seraient différentes.

In no way will they be held responsible.
Ils ne seront tenus responsables en aucune façon.

INVITING SOMEONE
LES INVITATIONS

Would you like to come too ? — Aimerais-tu venir aussi ?
Do you want to join us ? — Veux-tu te joindre à nous ?
Why don't you stay ? — Pourquoi ne restes-tu pas ?
Why not have dinner together ? — Pourquoi ne pas dîner ensemble ?
What about going to that party ? — Et si on allait à cette fête ?
How about Saturday night ? — Que dirais-tu de samedi soir ?
Let's share the meal ! — Partageons le repas !
Would you enjoy going to that concert ? — Aimerais-tu aller à ce concert ?
Do you fancy going ? — Ca te dit d'y aller ?
Shall we go ? — On y va ?
Do you feel like having a drink out ? — Tu as envie de prendre un verre dehors ?
What if you spent the evening with us ? — Et si tu passais la soirée avec nous ?
Do you know what ? **You could** stay here ! — Tu sais quoi ? Tu pourrais rester ici !
You know you're welcome among us. — Tu sais que tu es le bienvenu parmi nous.
It would be a pleasure if you came ! — Ce serait un plaisir si vous veniez !
We both hope you'll be able to come. — Tous les deux nous espérons que vous pourrez venir.

We'd be so happy to welcome you in our country house ! — Nous serions si heureux de vous accueillir dans notre maison de campagne !

ACCEPTING AN INVITATION : *ACCEPTER UNE INVITATION*

Yes, of course ! — Oui, bien sûr !
Yes, I'm free tonight. — Oui, je suis libre ce soir.
Yes, I will. — Oui, je le ferai.
Yes, with pleasure ! — Oui, avec plaisir !
Yes, it will be a pleasure ! — Oui, ce sera un plaisir !
It would be a pleasure for me too. — Ce serait un plaisir pour moi aussi.
Yes, I'd love to ! — Oui, j'aimerais beaucoup !
I'm sure I'll enjoy it ! — Je suis sûr que j'y prendrai beaucoup de plaisir !

Of course, I **don't mind** having a drink here. — Bien sûr, ça ne me dérange pas de prendre un verre ici.

Oh thank you, it's very kind of you ! — Oh merci, c'est très gentil de votre part !
Thank you very much for your invitation. — Merci beaucoup pour votre invitation.
I'm looking forward to seeing you next Saturday. — Je me réjouis à l'idée de vous voir samedi prochain.

REFUSING AN INVITATION : *REFUSER UNE INVITATION*

No, thank you.	Non, merci.
I'm sorry but I can't accept.	Je suis désolé mais je ne peux pas accepter.
I'd like to, but I can't stay.	J'aimerais bien, mais je ne peux pas rester.
I'm afraid I'm not free tonight.	J'ai bien peur de ne pas être libre ce soir.
Sorry, I'm already booked up.	Désolé, je suis déjà pris.
I'm sorry but I've promised to go to the cinema with my wife.	Je suis désolé mais j'ai promis d'aller au cinéma avec ma femme.
My parents won't let me go out.	Mes parents ne me laisseront pas sortir.
I'm afraid I won't be allowed to stay.	J'ai bien peur qu'on ne m'autorise pas à rester.
Unfortunately I have to refuse.	Malheureusement je dois refuser.
I'm afraid none of the dates suit(s) me.	J'ai bien peur qu'aucune des dates ne me convienne.

VOICING JOY
LA JOIE

I'm very glad of it.	J'en suis très heureux.
She was very happy about it.	Elle en était très contente.
She was ever so happy !	Elle était si heureuse !
I'm so pleased !	Je suis si content !
I must say I am delighted !	Je dois dire que je suis ravi !
They're very excited at the idea of having their meal out.	Ils sont très énervés à l'idée de prendre leur repas à l'extérieur.
He's quite enthusiastic about his new car.	Il est très enthousiaste au sujet de sa nouvelle voiture.
She was beaming with joy.	Elle était radieuse.
That's super, marvellous, smashing, great, wonderful !	C'est super, merveilleux, formidable, magnifique, prodigieux !
To my great joy, the money was dealt out.	A ma grande joie, l'argent fut distribué.
She accepted his present, to his great pleasure.	Elle accepta son cadeau, à son immense plaisir.

EXPRESSING OBLIGATION
L'OBLIGATION

Shut the door !	Ferme la porte !
Do behave yourself !	Tiens-toi bien !
You give me my book back !	Tu me rends mon livre !
You shall apologize !	Tu t'excuseras ! (Je te l'ordonne)
Can't you stop arguing !	Vous ne pouvez pas arrêter de vous disputer!
Will you switch that TV off !	Tu vas arrêter cette télé !

You are to compromise if you don't want to have problems.

Tu dois transiger si tu ne veux pas avoir de problèmes.

I **must** consider it a priority.

Je dois le considérer comme une priorité.

I'm afraid they'**ll have to** face new unrest.

J'ai peur qu'ils ne doivent faire face à de nouveaux troubles.

We **have to** obey his orders.

Nous devons obéir à ses ordres.

They **had to** spend the night on the sofa.

Ils ont dû passer la nuit sur le canapé.

I'm sorry, I'**ve got to** leave you now.

Je suis désolé, je dois vous quitter maintenant.

They **want** you **to** resign.

Ils veulent que tu démissionnes.

He **makes** her **work** hard.

Il la fait travailler dur.

Why did you **compel** him **to** learn it by heart ?

Pourquoi l'as-tu forcé à l'apprendre par coeur ?

He **got** her **to** leave the group.

Il l'a persuadée de quitter le groupe.

All the workers **have been required to** start at 8 a.m.

On a demandé à tous les ouvriers de commencer à 8 heures du matin.

They've **urged** everybody **to** consider it seriously.

Ils ont vivement conseillé à tout le monde de considérer cela sérieusement.

She **was forced into** taking drugs.

On l'a forcée à prendre de la drogue.

He **was forced to** announce the news.

Il a été obligé d'annoncer la nouvelle.

You'll **be obliged to** join the group.

Tu seras obligé de te joindre au groupe.

EXPRESSING OPINIONS
LES OPINIONS

ASKING FOR SOMEONE'S OPINION
DEMANDER L'AVIS DE QUELQU'UN

What do you think of their new line of products ?

Que pensez-vous de leur nouvelle ligne de produits ?

What is your opinion about those measures ?

Quel est votre avis au sujet de ces mesures ?

Could I know what you think of these elections ?

Pourrais-je savoir ce que vous pensez de ces élections ?

Can I ask you what your own view is ?

Puis-je vous demander quelle est votre propre opinion ?

I'd be happy to have your opinion.

Je serais heureux d'avoir votre avis.

I'd like to know your opinion about his report.

J'aimerais connaître votre avis sur son rapport.

In your opinion, is it worth trying ?

A votre avis, cela vaut-il la peine d'essayer ?

Do you have any comments ?

Avez-vous des commentaires ?

Have you got something to add ?

Avez-vous quelque chose à ajouter ?

Do you think it would be a good idea to raise funds for that cause ?

Pensez-vous que ce serait une bonne idée de rassembler des fonds pour cette cause ?

Do you mean it's risky ?

Voulez-vous dire que c'est risqué ?

Do you doubt his honesty ?

Mettez-vous son honnêteté en doute ?

Are you sure he'll inherit the studio ?

Etes-vous sûr qu'il héritera du studio ?

Are you convinced it's valuable ?

Etes-vous convaincu que ça a beaucoup de valeur ?

I think they'll give up soon.	Je pense qu'ils vont bientôt abandonner.
What I think is that he'll never be freed.	Ce que je pense c'est qu'il ne sera jamais libéré.
Personally, I am not convinced.	Personnellement, je ne suis pas convaincu.
I'd say that it's useless.	Je dirais que c'est inutile.
I reckon you can't rely on him.	J'estime que tu ne peux pas lui faire confiance.
I have the feeling that he'll play an important part in the matter.	J'ai l'impression qu'il jouera un rôle important dans l'affaire.
I presume she's too young !	Je présume qu'elle est trop jeune !
I consider it's a serious case.	Je considère que c'est un cas sérieux.
I suppose things haven't improved.	Je suppose que les choses ne se sont pas améliorées.
I suspect a majority will vote against it.	J'ai dans l'idée qu'une majorité votera contre.
It seems to me that it will be the greatest discovery of the century.	Il me semble que ce sera la plus grande découverte du siècle.
I have the impression that the consequences could be serious.	J'ai l'impression que les conséquences pourraient être sérieuses.
I believe there will be no change in his policy.	Je crois qu'il n'y aura aucun changement dans sa politique.
My belief is that the prices are too high.	Ma conviction est que les prix sont trop élevés.
My conviction is that privatization would be the answer.	Ma conviction est que la privatisation serait la réponse.
If you want my opinion, buy it !	Si tu veux mon avis,achète le !
My opinion is that it will increase competition.	Mon avis est que cela augmentera la concurrence.
As for me, I estimate it's a wise decision.	Quant à moi, j'estime que c'est une sage décision.
I am convinced that they know each other.	Je suis convaincu qu'ils se connaissent.
I find it difficult to believe.	Je trouve cela difficile à croire.
• **It goes without saying that** serious efforts will have to be made.	Il va sans dire que de sérieux efforts devront être faits.
As I said before, he has bias(s)ed ideas.	Comme je l'ai dit auparavant, il a des idées qui ne sont pas objectives.
If you want my opinion, they'll never be as productive as their neighbours.	Si tu veux mon avis, ils ne seront jamais aussi productifs que leurs voisins.
Now that I come to think of it, there wasn't much snow.	Maintenant que j'y pense, il n'y avait pas beaucoup de neige.
To be honest, I don't know.	A vrai dire, je ne sais pas.
I have the impression that something terrible has happened.	J'ai l'impression que quelque chose de terrible s'est passé.
My impression is that he won't be strong enough.	Mon impression est qu'il ne sera pas assez fort.
My guess is that they won't intervene.	D'après moi, ils n'interviendront pas.
I guess they'd do anything to leave the country.	Je pense qu'ils feraient n'importe quoi pour quitter le pays.
I expect they'll get married next year.	Je suppose qu'ils vont se marier l'an prochain.
I hold the view that such a project is unconceivable.	A mon avis un tel projet n'est pas concevable.
I'd say it sounds too complicated.	Je dirais que cela a l'air trop compliqué.
In my view it will take much longer.	A mon avis ça prendra beaucoup plus longtemps.

My view is that he won't succeed.	Je suis d'avis qu'il ne réussira pas.
My personal view is that it's too late.	Personnellement, je pense qu'il est trop tard.
From my point of view, they should vaccinate everybody.	A mon avis ils devraient vacciner tout le monde.
As I see it, the conference will be boycotted.	D'après moi, la conférence sera boycottée.
To my mind, she won't persuade anyone.	A mon avis, elle ne persuadera personne.
As far as I am concerned, it doesn't seem essential.	En ce qui me concerne, cela ne semble pas essentiel.
In my opinion, he won't agree to work on the project.	A mon avis, il n'acceptera pas de travailler sur le projet.
May I point out that this has already been said ?	Puis-je vous faire remarquer que ceci a déjà été dit ?
To put it bluntly, I love her.	Pour parler franchement, je l'aime.
I wouldn't say it's common, but it happens sometimes.	Je ne dirais pas que c'est courant, mais cela arrive parfois.
On second thoughts, it wasn't so frightening !	A la réflexion, ce n'était pas aussi effrayant !

FORGETTING AND REMEMBERING
L'OUBLI ET LE SOUVENIR

I **don't remember** danc**ing** with him.	Je ne me souviens pas avoir dansé avec lui.
I **can't remember** her name.	Je n'arrive pas à me souvenir de son nom.
I'm afraid I'**ve forgotten** my book.	J'ai bien peur d'avoir oublié mon livre.
I'**ve forgotten how to** use it !	J'ai oublié comment l'utiliser !
Sorry, I **forgot to** bring my records.	Désolé, j'ai oublié d'apporter mes disques.
I'**m** so **forgetful of** phone numbers !	J'oublie toujours les numéros de téléphone !
It has slipped my mind again !	Cela m'est sorti de l'esprit à nouveau !
Don't you forget it !	Tâche de ne pas l'oublier !
Let's forget it !	Passons l'éponge !
I **can remember** you very well.	Je me souviens très bien de vous.
I **remember** tell**ing** him.	Je me souviens lui avoir dit.
I **still remember the moment when** she took me in her arms.	Je me souviens encore du moment où elle m'a pris dans ses bras.
I **must remember to** tell him.	Je ne dois pas oublier de lui dire.
As far as I can remember, the bus stopped twice.	Autant que je me souvienne, le bus s'est arrêté deux fois.
If I remember rightly, you were born in July, weren't you ?	Si je me souviens bien, tu es né en juillet, n'est-ce-pas ?
If my memory serves me right, she isn't very tall.	Si ma mémoire est bonne, elle n'est pas très grande.
Don't let me forget it !	Ne me laisse pas oublier !
It's on the tip of my tongue !	Je l'ai sur le bout de la langue !
Make me think of chang**ing** the sheets.	Fais-moi penser à changer les draps.
This sportsman **reminds** me **of** my cousin.	Ce sportif me rappelle mon cousin.
May **I remind** you **to** get up earlier tomorrow ?	Puis-je te rappeler de te lever plus tôt demain ?

I'll never forget the day when I killed my first lion.
Je n'oublierai jamais le jour où j'ai tué mon premier lion.

I still recall her.
Je me souviens encore d'elle.

I still have his last words in mind.
J'ai encore ses derniers mots à l'esprit.

We must bear in mind that religion is essential to them.
Nous devons garder à l'esprit que la religion est essentielle pour eux.

EXPRESSING PAST EVENTS
LE PASSE

Let bygones be bygones !
Oublions le passé !

Yesterday I drove to London in one hour.
Hier je suis allé à Londres en une heure, en voiture.

She gave her first lecture last Friday.
Elle a donné sa première conférence vendredi dernier.

He was very famous, in the twenties.
Il était très célèbre, dans les années 20.

When did you last ride that horse ?
Quand as-tu monté ce cheval pour la dernière fois ?

Three weeks ago she decided to change her car.
Il y a trois semaines elle a décidé de changer sa voiture.

I stayed with them for two weeks.
Je suis resté avec eux pendant deux semaines.

Once upon a time there was a princess called Mary.
Il était une fois une princesse appelée Mary.

At that time he was still fit.
A cette époque il était encore en forme.

He would go out every night.
Il sortait chaque soir.

I used to have a dog when I lived in the country.
J'avais un chien quand j'habitais à la campagne.

How long is it since he last came ?
Combien de temps s'est-il passé depuis qu'il est venu pour la dernière fois ?

Have you ever met him ?
L'as-tu déjà rencontré ?

I have just finished painting it.
Je viens de finir de le peindre.

I was having a bath when the phone rang.
Je prenais un bain quand le téléphone a sonné.

While she was working, I was singing.
Pendant qu'elle travaillait, je chantais.

What have you been doing ?
Qu'avez-vous fait ?

She doesn't study Latin any more.
Elle n'étudie plus le Latin.

Light music is no longer broadcast on the radio.
Ils ne diffusent plus de musique légère à la radio.

When I arrived they'd already packed up.
Quand je suis arrivé, ils avaient déjà fait leurs bagages.

After he'd finished giving his explanations, they all asked him questions.
Après qu'il eût terminé de donner ses explications, ils lui posèrent tous des questions.

THE PASSIVE VOICE
LE PASSIF

Drinking water **is rationed** every summer.	L'eau potable est rationnée chaque été.
The epidemic **was concentrated** in the big cities.	L'épidémie était concentrée dans les grandes villes.
Most of the houses **have been converted** into hospitals.	La plupart des maisons ont été converties en hôpitaux.
The second question **will be dealt with** later on.	La deuxième question sera traitée plus tard.
He **would be adulated by** all the women.	Il serait adulé par toutes les femmes.
Can he be stopped ?	Peut-il être arrêté ?/Peut-on l'arrêter ?

EXPRESSING FEAR
LA PEUR

It has always **frightened** me.	Cela m'a toujours effrayé.
They've **been frightened by** the girl's violent reaction.	Ils ont été effrayés par la réaction violente de la fille.
I'**m afraid** she won't be able to face it.	J'ai bien peur qu'elle ne soit pas capable d'y faire face.
He'**s afraid of** catching the disease.	Il a peur d'attraper la maladie.
I **fear** his reputation will be ruined.	Je crains que sa réputation ne soit ruinée.
He was unable to speak **for fear**.	Il était incapable de parler, de peur.
She was **shaking with fear**.	Elle tremblait de peur.
They never ring him up **for fear that** they should disturb him.	Ils ne lui téléphonent jamais, de peur de le déranger.
Don't leave her alone, **in case** she steals something.	Ne la laisse pas seule, de peur qu'elle ne vole quelque chose.
Don't add anything, **lest** they should misunderstand.	N'ajoute rien, de peur qu'ils ne comprennent mal.
What I dread most is being attacked.	Ce que je redoute le plus c'est d'être attaqué.
They **dread** the possibility that the others should join the demonstrators.	Ils craignent l'éventualité que les autres ne se joignent aux manifestants.
My husband **is terrified of** death.	Mon mari est terrifié par la mort.
She **is scared of** falling ill.	Elle a peur de tomber malade.
I was scared to death.	J'ai eu une peur bleue.
I **have a feeling that** it won't work.	J'ai le pressentiment que ça ne marchera pas.
It's of bad omen.	C'est de mauvais augure.
He was panic-stricken.	Il a été pris de panique.
He's very worried.	Il est très inquiet.

COMPLAINING
LES PLAINTES

I don't see why I haven't been promoted yet. | Je ne vois pas pourquoi je n'ai pas encore été promu.

This won't do ! | Ceci est inacceptable !

There must be a misunderstanding. | Il doit y avoir un malentendu.

Why hasn't it been mended yet ? | Pourquoi cela n'a-t-il pas encore été réparé ?

You **should have** sent it before. | Vous auriez dû l'envoyer avant.

Such things shouldn't happen ! | Des choses pareilles ne devraient pas arriver !

I'm sorry to have to tell you this, but my plate is dirty. | Je suis désolé de devoir vous dire cela, mais mon assiette est sale.

Excuse me for saying so, but ... | Excusez-moi de vous dire cela mais ...

I've come to complain about the noise. | Je suis venu me plaindre du bruit.

I've got a complaint about your secretary. | J'ai une plainte au sujet de votre secrétaire.

I suppose you can do something about it. | Je suppose que vous pouvez y faire quelque chose.

I'm not satisfied with the way they treat me here. | Je ne suis pas satisfait de la façon dont ils me traitent, ici.

EXPRESSING PREFERENCE
LA PREFERENCE

Who's your **favourite** singer ? | Qui est ton chanteur préféré ?

Do you **prefer** History or Geography ? | Préfères-tu l'histoire ou la géographie ?

Which record do you like best ? | Quel disque préfères-tu ?

Would you rather go to Oxford or to Cambridge ? | Préfèrerais-tu aller à Oxford ou à Cambridge ?

What I like best is their splendid mansion. | Ce que je préfère c'est leur magnifique manoir.

He **likes** the striped tie **better**. | Il préfère la cravate rayée.

I **prefer** living in town **to** living in the country. | Je préfère vivre en ville plutôt qu'à la campagne.

I'd prefer to tell her myself. | Je préférerais lui dire moi-même.

I'd rather learn more formal sentences. | Je préférerais apprendre des phrases plus formelles.

I'd rather they **gave** me more time. | Je préférerais qu'ils me donnent davantage de temps.

I'd rather they **didn't** meet so often. | Je préférerais qu'ils ne se rencontrent pas aussi souvent.

Rather than get old, I'd prefer to die now. | Plutôt que de vieillir, je préférerais mourir maintenant.

I'd sooner do it now than next term. | Je préférerais le faire maintenant plutôt que le trimestre prochain.

I must say classical music **appeals to me more than** pop music. | Je dois dire que la musique classique m'attire plus que la musique pop.

He**'s more interested in** sport **than in** school. | Il est plus intéressé par le sport que par l'école.

My choice would be a red sportscar. | Mon choix serait une voiture de sport rouge.

I'm sure you'd **enjoy** it **more than** tennis.   Je suis sûr que tu y prendrais plus de plaisir qu'au tennis.

What I like better than anything else is playing golf.   Ce que j'aime par-dessus tout, c'est jouer au golf.

10 a.m. would **suit** me **better**.   10 heures du matin me conviendrait mieux.

EXPRESSING PRESENT EVENTS
LE PRESENT

Hush, she's sleeping !   Chut, elle dort !

They're still fighting !   Ils se battent encore !

The English drink a lot of tea.   Les Anglais boivent beaucoup de thé.

Do you like jazz ?   Aimes-tu le jazz ?

Where do you live ?   Où habitez-vous ?

This statue has been here from time immemorial.   Cela fait une éternité que cette statue est ici.

How long have you been studying Maths ?   Depuis combien de temps études-tu les Maths ?

She's been learning her text for one hour.   Cela fait une heure qu'elle apprend son texte.

They've been married for ten years.   Ils sont mariés depuis dix ans.

She's known the truth for a long time.   Cela fait longtemps qu'elle sait la vérité.

They've been living together since the beginning of the holidays.   Ils vivent ensemble depuis le début des vacances.

INTRODUCING SOMEONE
LES PRESENTATIONS

How do you do.   Enchanté de faire votre connaissance.

Nice to meet you./Pleased to meet you.   Heureux de vous rencontrer.

I'm glad to meet you.   Je suis content de vous rencontrer.

I'm delighted to see you.   Je suis ravi de vous voir.

It's delightful to see you here.   C'est formidable de vous voir ici.

May I introduce myself ?   Puis-je me présenter ?

Let me introduce myself.   Laissez-moi me présenter.

Allow me to introduce myself.   Permettez-moi de me présenter.

We haven't been introduced.   On ne nous a pas présentés (l'un à l'autre).

My name is Ann.   Mon nom est Ann.

I live in London.   J'habite Londres.

I'm 26 and I'm a teacher.   J'ai 26 ans et je suis professeur.

I'm Steve's sister and I come from the same county.   Je suis la soeur de Steve et je viens du même comté.

I was looking forward to meeting you.   J'attendais avec impatience de vous rencontrer.

I've been wanting to meet you for such a long time !   Cela faisait si longtemps que je voulais vous rencontrer !

I was dying to meet you !   Je mourais d'envie de vous rencontrer !

I've been told so much about you !   On m'a tant parlé de vous !

I've heard so much about you !	J'ai tant entendu parler de vous !
I'd like to say how pleased I am to meet you !	J'aimerais vous dire combien je suis heureux de vous rencontrer !
I think we've already met.	Je pense que nous nous sommes déjà rencontrés.
The pleasure's all mine.	Tout le plaisir est pour moi.
I haven't had the pleasure yet.	Je n'ai pas encore eu le plaisir (de vous rencontrer).
It's been a pleasure talking to you.	J'ai eu beaucoup de plaisir à parler avec vous.
Darling, this is Mr Smith.	Chérie, voici M. Smith.
I'd like you to meet Mr Nelson.	J'aimerais que vous rencontriez M. Nelson.
Have you met Richard before ?	Avez-vous rencontré Richard auparavant ?
You know Phil, don't you ?	Tu connais Phil, n'est-ce-pas ?
You must be Tim's brother ?	Vous devez être le frère de Tim ?
I'm sure you've heard of Mr Mollins ?	Je suis sûr que vous avez entendu parler de M. Mollins ?
May I introduce you to my new assistant ?	Puis-je vous présenter à ma nouvelle assistante ?
I'd be glad to introduce you to my wife.	Je serais heureux de vous présenter à ma femme.
Let me introduce you to Mary.	Laissez-moi vous présenter à Mary.

BECOMING AWARE
LA PRISE DE CONSCIENCE

Now he **knows** how hard he'll have to train !	Maintenant il sait comme il va devoir s'entraîner dur !
It's time you **became aware of** the value of money.	Il est temps que tu prennes conscience de la valeur de l'argent.
Little by little she **grows aware of** the problem.	Peu à peu elle prend conscience du problème.
She **is aware of** his spy**ing** her all the time.	Elle est consciente qu'il l'épie sans cesse.
When will you **become conscious of** the absurdity of what you're doing ?	Quand prendras-tu conscience de l'absurdité de ce que tu fais ?
He **realized** what an important part she had played.	Il se rendit compte du rôle important qu'elle avait joué.

EXPRESSING POSSESSION
LA POSSESSION

Who does it **belong to** ?	A qui cela appartient-il ?
Whose car is it ?	A qui est cette voiture ?
Don't take it, it's **mine**.	Ne le prends pas, c'est le mien.
Yours, **his, hers, its, ours, theirs** is over there.	Le tien, le sien ... est là-bas.
He must be a friend of **hers**.	Il doit être l'un de ses amis.
Can I borrow **your** pen please ?	Puis-je emprunter ton stylo s'il te plaît ?
My, **your, his, her, our, their** house is new.	Ma, ta ... maison est neuve.
He**'s got** a plantation in the South.	Il a une plantation dans le Sud.
She **owns** several castles in Scotland.	Elle possède plusieurs châteaux en Ecosse.
I can't understand why you don't **have** more money.	Je ne comprends pas pourquoi tu n'as pas plus d'argent.
Bob**'s** job is to answer the readers' questions.	Le travail de Bob est de répondre aux questions des lecteurs.
It isn't mine, it's the secretaries**'**.	Ce n'est pas la mienne, c'est celle des secrétaires.

PROMISING
LES PROMESSES

I **promise you that** I'll do my best.	Je te promets que je ferai de mon mieux.
They**'ve promised to** keep quiet now.	Ils ont promis de rester tranquilles maintenant.
I **swear that** I'll tell the truth.	Je jure que je dirai la vérité.
I **can assure you that** they won't run away.	Je peux vous assurer qu'ils ne se sauveront pas.
I **will** try to convince them.	J'essaierai de les convaincre.
I **guarantee that** none of them will be incarcerated.	Je garantis qu'aucun d'entre eux ne sera incarcéré.

REPORTING
LES PROPOS

So they say.	C'est ce qu'ils disent.
He **says** it's expensive here.	Il dit que c'est cher ici.
They say they've discovered the origins of the universe.	Ils disent qu'ils ont découvert les origines de l'univers.
People say the implications will be serious.	Les gens disent que les implications seront sérieuses.
It is said to be hereditary.	On dit que c'est héréditaire.
He **was said to** be a good musician.	On disait qu'il était bon musicien.

She said she would refuse. — Elle a dit qu'elle refuserait.

Some people will hold that this programme is too ambitious. — Certaines personnes soutiendront que ce programme est trop ambitieux.

Some claim it will soon be over. — Certains affirment que ce sera bientôt terminé.

Rumour has it that the war won't be long. — Le bruit court que la guerre ne sera pas longue.

So I hear that you've been ill. — Alors j'apprends que vous avez été malade.

I've heard that the debate was stormy. — J'ai entendu dire que le débat était houleux.

I read that they'd postpone the ceremony. — J'ai lu qu'ils remettraient la cérémonie à plus tard.

According to Doctor Smith, it's catching. — D'après le Docteur Smith, c'est contagieux.

It has been reported that there were many mistakes. — Il a été annoncé qu'il y avait de nombreuses erreurs.

Somebody told me they'd change their tactics. — Quelqu'un m'a dit qu'ils changeraient leur tactique.

I was told he couldn't stand foreigners. — On m'a dit qu'il ne pouvait pas supporter les étrangers.

They told me not to insist. — Ils m'ont dit de ne pas insister.

So the story goes. — Du moins, c'est ce que l'on raconte.

EXPRESSING QUANTITY
LA QUANTITE

How much flour is there left ? — Combien de farine reste-t-il ?

How many resolutions have been adopted ? — Combien de résolutions ont été adoptées ?

Many of them are now unemployed. — Beaucoup d'entre eux sont maintenant au chômage.

A lot of people are worried about it. — Beaucoup de gens s'inquiètent à ce sujet.

She'll have **lots of** other opportunities. — Elle aura beaucoup d'autres opportunités.

Don't hurry, you've got **plenty of** time. — Ne te presse pas, tu as bien assez de temps.

A great deal of the money has already been spent. — Une grande quantité de l'argent a déjà été dépensée.

A large proportion of those questioned said they were in favour of peace. — Un grand nombre des personnes interrogées ont dit être en faveur de la paix.

Most of the reports are written in English. — La plupart des rapports sont écrits en anglais.

I'm sure **all the** problems will be settled soon. — Je suis sûr que tous les problèmes seront bientôt résolus.

He eats **too much**. — Il mange trop.

This would lead to **too many** sacrifices. — Ceci conduirait à trop de sacrifices.

In **some** areas the disease has already disappeared. — Dans certaines régions la maladie a déjà disparu.

I have met **a few** of them. — J'en ai rencontré quelques uns.

Can you give me **a little** more time ? — Pouvez-vous me donner un peu plus de temps ?

They've printed **several** different tests. — Ils ont imprimé plusieurs tests différents.

I'm afraid there is**n't much** hope left. — J'ai bien peur qu'il n'y ait plus beaucoup d'espoir.

Few films have caused such a reaction. — Peu de films ont causé une telle réaction.

They gave me very **little** hope. — Ils m'ont donné très peu d'espoir.

I have **no** idea ! — Je n'ai aucune idée !

None of these experiments will be carried out again.	Aucune de ces expériences ne sera refaite.
One out of ten has passed the exam.	Un sur dix a réussi l'examen.
I'll give you **a third of** the sum.	Je te donnerai un tiers de la somme.

EXPRESSING REGRET
LE REGRET

I **regret to** tell you that he's dead**.**	J'ai le regret de vous dire qu'il est mort.
I **regret** say**ing** that.	Je regrette d'avoir dit cela.
I **deplore that** she wasn't elected last year.	Je déplore qu'elle n'ait pas été élue l'année dernière.
They **were disappointed to learn that** you had failed.	Ils étaient déçus d'apprendre ton échec.
I**'m sorry** I cheated, Sir.	Je suis désolé d'avoir triché, Monsieur.
I**'m awfully sorry,** but I couldn't stop on time.	Je suis terriblement désolé, mais je n'ai pas pu m'arrêter à temps.
I **know I shouldn't have** been so rude.	Je sais que je n'aurais pas dû être aussi grossier.
What a pity she can't speak German !	Quel dommage qu'elle ne sache pas parler allemand !
What a pity you didn't check it !	Quel dommage que tu ne l'aies pas vérifié !
What a shame it didn't happen before !	Quel malheur que ce ne soit pas arrivé avant !
Why didn't I trust him !	Pourquoi ne lui ai-je pas fait confiance !
If only he hadn't enlisted !	Si seulement il ne s'était pas engagé !
I **wish I hadn't** li**ed** to her.	J'aimerais ne pas lui avoir menti.
If I had known she was afraid of ghosts, **I wouldn't have shown** her the photos.	Si j'avais su qu'elle avait peur des fantômes, je ne lui aurais pas montré les photos.

THANKING SOMEONE
LES REMERCIEMENTS

Thank you.	Merci.
Thank you very much./Thanks a lot.	Merci beaucoup.
Thanks for com**ing**.	Merci d'être venu.
With thanks.	Avec tous mes remerciements.
Let me thank you.	Laissez-moi vous remercier.
Many thanks for your card.	Merci beaucoup pour ta carte.
Many thanks for answer**ing** so fast !	Merci mille fois d'avoir répondu si vite !
With my warmest thanks !	Avec mes remerciements les plus sincères !
I can't thank you enough !	Je ne saurais assez vous remercier !
I don't know how to thank you.	Je ne sais comment vous remercier.
It's so kind of you !	C'est si gentil de votre part !
It was very kind of you to ring.	C'était très gentil à vous de téléphoner.
We're most grateful for what you did !	Nous vous sommes très reconnaissants de ce que vous avez fait !

Not at all !	Pas du tout !
Don't mention it !/You're welcome !	Il n'y a pas de quoi !
That's all right !/That's OK !	Ce n'est rien !
It's a pleasure !	C'est un plaisir !
The pleasure's all mine !	Tout le plaisir est pour moi !
You don't have to thank me.	Inutile de me remercier.
I'm delighted I could help !	Je suis ravi d'avoir pu aider !

MAKING REPROACHES
LES REPROCHES

It's your fault !/You are to blame for it !	C'est de ta faute !
You're responsible for it !	Tu en es responsable !
You'll be held responsible for that !	Tu seras tenu responsable de cela !
It was stupid of you !	C'était idiot de ta part !
Why the hell don't you ring her ?	Mais bon sang pourquoi tu ne lui téléphones pas ?
Why didn't you complete this form before ?	Pourquoi n'as-tu pas complété ce formulaire avant ?
Why on earth are you crying ?	Mais bon sang pourquoi tu pleures ?
How dare you say such a thing ?	Comment oses-tu dire une chose pareille ?
I wish you trusted me !	J'aimerais que tu me fasses confiance !
I wish you hadn't promised it for tomorrow !	J'aurais aimé que tu ne le promettes pas pour demain !
You shouldn't be so partial !	Tu ne devrais pas être aussi partial !
You shouldn't have insisted so much !	Tu n'aurais pas dû insister autant !
Couldn't you write more clearly ?	Tu ne pourrais pas écrire plus clairement ?
I'd rather you hadn't spent all your money !	J'aurais préféré que tu ne dépenses pas tout ton argent !
You ought not to make up your mind so quickly !	Tu ne devrais pas te décider aussi vite !
You ought to have waited !	Tu aurais dû attendre !
You weren't supposed to exchange it !	Tu n'étais pas censé l'échanger !
You needn't have told them !	Tu n'avais pas besoin de leur dire !
You would have done better not to stick it !	Tu aurais mieux fait de ne pas le coller !

SUMMING UP
LE RESUME

To sum up, they're all technocrats.	En résumé, ce sont tous des technocrates.
In short, they favour the peace initiative.	En bref, ils sont en faveur de l'initiative de paix.
In a word, you really missed your opportunity there !	En un mot, tu as vraiment laissé passer ta chance !
Briefly, the book's about politics.	En bref, le livre traite de politique.

In other words, she left him for another man.	En d'autres mots, elle l'a quitté pour un autre homme.
To cut a long story short, he came back with some flowers.	Pour résumer, il est revenu avec des fleurs.
So, **what it comes down to is that** they are protected by the police now.	Donc, on en arrive à ceci : ils sont protégés par la police maintenant.
It all comes down to say**ing** that I'm a liar !	Cela revient à dire que je suis un menteur !
In a nutshell, it was boring.	Bref, c'était ennuyeux.

GREETING SOMEONE
LES SALUTATIONS

Hello !	Bonjour !
Hi !	Salut !
Good morning.	Bonjour (le matin).
Good afternoon.	Bonjour (l'après-midi).
Good evening.	Bonsoir.
It's good to see you.	C'est bon de te voir.
Nice to see you.	Content de te voir.
How do you do.	Enchanté de faire votre connaissance.
How are you ?	Comment allez-vous ?
Fancy meeting you here !	Je ne m'attendais pas à te rencontrer ici !
How are things ?	Comment ça va ?
Bye !/Goodbye !/Bye for now !/Cheerio !	Au revoir !
So long !/See you soon !	A bientôt !
See you later !	A plus tard !
See you next week !	A la semaine prochaine !
Good night !	Bonne nuit !
I hope to see you again !	J'espère vous revoir !
I hope we'll meet again !	J'espère que nous nous rencontrerons à nouveau !
I'll write soon.	J'écrirai bientôt.
I'll ring you on Friday.	Je te téléphonerai vendredi.
Give my love to Sarah.	Fais de grosses bises à Sarah de ma part.
Give my regards to your sister.	Prie le bonjour à ta soeur.
Send my best regards to your parents.	Fais mes amitiés à tes parents.
I'll be looking forward to hearing from you.	J'attendrai avec impatience de recevoir de tes nouvelles.

WISHING SOMEONE WELL
LES SOUHAITS

Good luck !	Bonne chance !
Have a good time !	Amusez-vous bien !
Have a nice evening !	Passez une bonne soirée !
Enjoy yourself !/Have fun !	Amuse-toi bien !
Bless you !	A tes souhaits !
God bless you !	Que Dieu vous bénisse !
Cheers !	A votre santé !
Here's to you !	A la vôtre !
Bottoms up !	Cul sec !
Happy birthday !	Bon anniversaire !
Many happy returns of the day !	Mes meilleurs souhaits pour ton anniversaire !
Happy Easter !	Joyeuses Pâques !
Merry Christmas !	Joyeux Noël !
Happy New Year !	Bonne année !
Congratulations !	Félicitations !
Best wishes !	Meilleurs voeux !
With best wishes for a speedy recovery !	Tous mes voeux de prompt rétablissement !

EXPRESSING RELIEF
LE SOULAGEMENT

What a relief !	Quel soulagement !
It's a great relief !	C'est un grand soulagement !
I'm relieved to hear that she's better.	Je suis soulagé d'apprendre qu'elle va mieux.
To my great relief, the anonymous calls have stopped.	A mon grand soulagement les appels anonymes ont cessé.
I'm glad that's over !	Je suis content que ce soit fini !
Thank God he is safe and sound !	Grâce à Dieu il est sain et sauf !
That was close !	Il s'en est fallu de peu !
We escaped by the skin of our teeth !	On l'a échappé belle !
That's a weight off my mind !	C'est un souci de moins !

MAKING SUGGESTIONS
LA SUGGESTION

Here are my suggestions.	Voici mes suggestions.
What about buy**ing** the curtains to match ?	Et si on achetait les rideaux assortis ?
How about group**ing** all the articles together first ?	Que penserais-tu de rassembler tous les articles d'abord ?
How do you fancy a few days by the sea ?	Cela te dirait de passer quelques jours à la mer ?
What if we phon**ed** her now ?	Et si on lui téléphonait maintenant ?
Why not ask for their catalogue ?	Pourquoi ne pas leur demander leur catalogue ?
Why don't you translate it ?	Pourquoi ne le traduis-tu pas ?
Can't we send them another letter ?	Ne pouvons-nous pas leur envoyer une autre lettre ?
Suppose we keep that dog ...	Suppose que nous gardions ce chien ...
Let's watch the other programme then.	Regardons l'autre programme alors.
Shall we take her to hospital ?	Voulez-vous que nous l'emmenions à l'hôpital ?
Would you like to come to the swimming-pool with us ?	Voudrais-tu venir à la piscine avec nous ?
Wouldn't it be a good idea to learn typing ?	Ne serait-ce pas une bonne idée que d'apprendre à taper à la machine ?
Have you ever thought of go**ing** abroad ?	As-tu déjà pensé partir à l'étranger ?
How would you feel about hav**ing** a holiday in Denmark ?	Que dirais-tu de prendre des vacances au Danemark ?
Don't you think it would be a good idea to have a house-warming party ?	Ne crois-tu pas que ce serait une bonne idée de pendre la crémaillère ?
Don't you think you could marry him ?	Tu ne crois pas que tu pourrais l'épouser ?
Have you considered chang**ing** your car ?	As-tu songé à changer de voiture ?
Do you know what ? **You could** help us !	Tu sais quoi ? Tu pourrais nous aider !
If I were you I'd divorce him.	Si j'étais toi, je divorcerais.
I suggest that these forms should be distributed as soon as possible.	Je suggère que ces formulaires soient distribués dès que possible.
If I may make a suggestion, ask for your boss's advice.	Si je puis faire une suggestion, demandez les conseils de votre patron.

SUPPOSING
LA SUPPOSITION

Suppose we buy it now ...	Et si nous l'achetions maintenant ...
Supposing nobody follows his advice, what shall we do ?	A supposer que personne ne suive son conseil, que ferons-nous ?
I **suppose that** the assets will be frozen.	Je suppose que les capitaux seront gelés.
Let's suppose he succeeds !	Supposons qu'il réussisse !
Assuming this to be true ...	En admettant que ceci soit vrai ...
Assuming that she recovers, it will take a long time.	En supposant qu'elle se remette, cela prendra longtemps.

Let's assume that things happen differently.	Admettons que les choses se passent différemment.
If ever you visit Scotland, come and see us.	Si jamais vous visitez l'Ecosse, venez nous voir.
What if the situation doesn't improve ?	Et si la situation ne s'améliore pas ?
Imagine he refuses, what will you say ?	Imagine qu'il refuse, que diras-tu ?
I **figure** the techniques have improved.	Je suppose que les techniques se sont améliorées.
I **reckon** it won't be easy.	Je pense que cela ne va pas être facile.
Judging from her accent, she must be French.	A en juger par son accent, elle doit être française.

CHECKING ABOUT WORDS
LA VERIFICATION DES MOTS

May I say ... ?	Puis-je dire ... ?
Is it correct to say ... ?	Est-ce correct de dire ... ?
Is it right ?	Est-ce correct ?
Should I say "Can I" or "Could I" ?	Devrais-je dire "Puis-je" ou "Pourrais-je" ?
How do you pronounce this word ?	Comment prononcez-vous ce mot ?
What is the right pronunciation for this adjective ?	Quelle est la prononciation correcte de cet adjectif ?
How do you spell "genuine" ?	Comment épelez-vous "genuine" ?
When do you use this word ?	Quand utilisez-vous ce mot ?
Can I use "large" instead of "big" ?	Puis-je utiliser "large" au lieu de "big" ?
Does it mean the same ?	Est-ce que ça signifie la même chose ?
Can I put it like this ?	Puis-je le dire ainsi ?
What's the opposite of "tall" ?	Quel est le contraire de "tall" ?
Isn't it too colloquial ?	N'est-ce-pas trop familier ?
Don't you think it's a little too formal ?	Ne pensez-vous pas que c'est un peu trop formel ?
Is there another way of saying ... ?	Y-a-t-il une autre façon de dire ... ?
Please, correct me if I make a mistake.	S'il vous plaît, corrigez-moi si je fais une erreur.
I'd like you to tell me if what I say is incorrect.	J'aimerais que vous m'indiquiez si ce que je dis est incorrect.
I'll look this word up in a dictionary.	Je vérifierai ce mot dans un dictionnaire.
I'd like to correct you here.	Je voudrais vous corriger.
It would be more accurate to say ...	Il serait plus exact de dire ...

TRIANGLE BLEU imprimerie - 59600 Maubeuge
Dépôt légal : 3e trimestre 1995